美術のトラちゃん

パピヨン本田

イースト・プレス

はじめに

はじめまして！

美術のトラちゃんへようこそ！
美術が大好きなキャラたちが楽しく現代美術を紹介する漫画だよ！
ぼくトラちゃん！ぼくの父さんは画家なんだよ！

ちくしょう！また評論家に酷評された！
ねむい…
あいつ後輩のくせに俺より売れてる！
月刊アート情報
ギャー
ギャー
売れても孤独だ…
デッサンが辛い…
みんなもっと楽しそうにしてよ
ワアー

はじまるよ〜！

主《おも》な出演《しゅつえん》キャラクター

他にもたくさんでてくるよ！

トラちゃん

小学５年生の男の子。学校の図工コンクールで入賞して調子に乗ってたらトラになった。

トラちゃんの父さん

画家。普段から調子に乗っているからトラになる。

トラちゃんの母さん

この状況に特に戸惑いを感じていない。

トメ吉

父さんの画塾に通う中学２年生。反抗期なので猫になる。

りゅうたろう

父さんの後輩。売れっ子なので龍になる。

安藤壁穴《あんどうウォールホール》

トラちゃんの学校の先生。

ユミさん

漫画家志望の社会人。水をかぶると朱雀になる。

目次

この本の読み方

◎「美術のトラちゃん」は全部で45話の漫画が集まっています。
漫画と漫画のあいだにはさらに美術を深読みできる
「トラちゃんコメンタリー」と「きゅうり画廊」があります。

◎「トラちゃんコメンタリー」は漫画に出てきた美術用語を補足説明しています。

◎「きゅうり画廊」は漫画で触れた美術に関連するコラムを
パピヨン本田の視点でイラストを添えて描いています。

◎基本的に読み方は自由です。
漫画を一気に楽しんでもよいですし、
じっくり読み物だけを読んでも構いません。
——それでは左のページの第1話から、お楽しみください。

◎本書は、ウェブメディアCINRA(https://www.cinra.net/)で連載の『美術のトラちゃん』第1話(2021年7月29日)〜第45話(2023年6月2日)を加筆・修正し、書きおろしを加えて書籍化したものです。

◎作品や人物のイラストはパピヨン本田の理解に基づくものであり、造形や内容には省略やデフォルメが含まれます。

◎基本的に美術作品は《》、書籍、雑誌、映画、戯曲、音楽アルバムのタイトルは『』、論文、楽曲のタイトルは「」、漫画内のセリフの引用は〝〟で囲みました。

（第1話）

美術を学び直して、はやく人間になりたい!

世の中には星の数ほどの美術品が存在します。全てを知るのは難しいけれど、少しでもヒントを得られれば、美術を楽しむスタートラインには立てるはず。美術の見方や面白さを、トラちゃん親子と学んでいきましょう。

臆病な自尊心と尊大な羞恥心をこじらせ虎になってしまった
オレもオレも
父さん…
小学校の美術コンクールで入賞してちょっと調子に乗っただけなのになあ
美術を一から学び直そう謙虚になるんだ
はやく人間になりたい
美術のトラちゃん
さく パピヨン本田
①
トラちゃん
小学5年生の男の子。学校の図工コンクールで入賞してから調子に乗ったらトラになる
トラちゃんの父さん
画家。普段から調子に乗ってるからトラになる。
トラになった記念日
NYAN NYANDO
図工コンクール入賞トラちゃん

トラちゃんはどんな作品を知ってるかい？
前澤社長が買ったやつ！
123億！
ちくしょう！オレの絵買えよ！
ガルル
父さん謙虚になって
あの絵を描いた人はバスキアと言うのだ日本の美術館にもたくさんあるからみに行こう
大人1枚子供1枚でおねがいします
トラさんは入れないかも…
TICKET
日に日に虎の時間が長くなっていますが人です
父さんバスキアってどんな人なの？
27歳で亡くなった天才画家だよ
ロックスターみたいな人だね
ジュリアン・シュナーベルの「バスキア」という映画をみるとよくわかるよ
会食にいきなりあらわれるバスキア
一枚10ドルだ
どうしようみんなほしい
これはスターのアンディ・ウォーホルに絵を売りつける無名時代のバスキア
ブルーノ金かして
バスキア役ジェフリーライト
ウォーホール役デビッド・ボウイ
父さんの若い頃みたいだ
父さん昔何してたの？
父さんは27歳の時は何してたの？
大学院の2年でした
3浪したんだね
やっぱりバスキアとかみると嫉妬しちゃう？
生きてる作家が一番なのだからしないよ
現役で売れてる年下は許さん！
そりゃあトラになるわ

ニューヨークにはバスキア以外にもいろんな有名な作家がいたんだよ
「キャンベルのスープ缶」
ヴェルヴェット アンダーグラウンド
プリントのパターンで作品を作ったりバンドのプロデュースもしたアンディ・ウォーホル
裁縫で彫刻を作ったクレス・オレデンバーグ
ソフトスカルプチャー（柔かい彫刻）
「フロア・バーガー」
今では大スターの草間彌生もいた
プリントのパターンの作品や裁縫の彫刻は実は草間の方が先に発表してたけどアジア人や女性は認められにくい時代でかなり苦労したみたい
「集合：1000艘のボート・ショー」
ニューヨークで父さんが好きなアーティストって誰？
Girls Just Want to Have Fun!
シンディ・ローパー！
まさかの歌手
父さん若い時にニューヨークで路上パフォーマンスしてたことがあるんだよ。忍者の格好で奇声出したり絵を描いたり
NEW YORK
若い父さん
クレイジー
ワーオ
フフッ
それをみてフフッとなった同じ路上パフォーマーが一人いたんだけどそれが今の母さんさ
知りたくなかったしそれはもはや美術なの？
君らどうかしてるぜ
父さんのまわりにはこれから有名になりそうな作家っているの？
猫語を学ぼう！
友達にも活躍してる人や面白い人がたくさんいるから今度家に呼ぼう！
わーい！
今大活躍してる後輩作家のりゅうたろう君です
こんにちは
売れてる作家は龍になるのか…

トラちゃんコメンタリー
マンガに出てきた用語解説
ヒマなときよんでねー！

“臆病な自尊心と尊大な羞恥心をこじらせ虎になってしまった”

中島敦の小説『**山月記**』で、虎になってしまった元役人の李徴《りちょう》が、自分を見つけた旧友の袁傪《えんさん》に語った言葉です。詩人を志すもライバルと切磋琢磨するわけでもなく、かと言って俗世の人も見下して交わらなかった自分の振る舞いを「**我が臆病な自尊心と、尊大な羞恥心とのせい**」と評し、その内面に相応しい姿になったのだと変身の理由を分析しています。李徴は元々、唐代に書かれた中国の伝奇小説の登場人物で、原典でも原因は少し異なりますがやっぱり虎になります。ちなみに次のコマの「はやく人間になりたい」は、TVアニメ「**妖怪人間ベム**」に出てくる妖怪人間たちの叫びです。助けた人間に迫害される妖怪人間が、それでも「はやく人間になりたい」と願う姿は胸が痛みます。

“前澤さんが買ったやつ”

トラちゃんが「知ってる作品」として挙げたのは、2017年5月にニューヨークで行われたオークションに出品され、ファッション通販サイト・ZOZOTOWN創業者の前澤友作さんが1億1050万ドル（当時のレート［以下同］で約123億円）で落札した**ジャン＝ミシェル・バスキア**の《**Untitled**》です。この作品は、2019年に森アーツセンターギャラリーで開催された「バスキア展」にも出展されていました。前澤さんはこの前年の2016年5月にもバスキアの別の作品を5700万ドル（約62億円）で落札していますが、こちらは2022年5月にオークションに出して手放し、今度は8500万ドル（約110億円）で落札されています。

「Untitled」(1982)
ぐぬぬ…

ジャン＝ミシェル・バスキア

1960年ニューヨーク生まれの画家です。プエルトリコ系の両親から生まれ、思春期にはミュージシャンのジミ・ヘンドリックスやボクサーのシュガー・レイ・ロビンソンに憧れていました。1976年頃から**SAMO**という名義でストリート・アートを描きはじめたバスキアは、1981年の「ニューヨーク／ニュー・ウェーブ」展でアートシーンの注目を集め、1983年からは以前自作のポストカードを売りつけていた**アンディ・ウォーホル**との共同制作をスタートさせます。ウォーホルが1987年に亡くなった翌1988年に、バスキアも27歳の若さで急性薬物中毒で亡くなります。トラちゃんのお父さんが言っている通り日本にはバスキアの作品を所蔵している美術館がいくつかあり、ふたりが観ているのは世田谷美術館所蔵の《**SEE**》です。

ジュリアン・シュナーベル

1951年生まれのアメリカのアーティストで、画家と映画監督の両方で活動しています。壊れたお皿や陶器をキャンバスに貼りつける**プレート・ペインティング**という作品で脚光を浴び、1980年代ニューヨークのアートシーンを引っ張りました。生前のバスキアとも交流があり、1996年には彼の伝記映画『**バスキア**』を監督しています。この映画ではバスキア役を**ジェフリー・ライト**が、ウォーホル役を**デビッド・ボウイ**が務めた他、ウォーホルとも親交があったデニス・ホッパー、ゲイリー・オールドマンやベニチオ・デル・トロなど錚々たる俳優陣が出演しています。映画監督としては寡作ながら、『**夜になるまえに**』(2000)はヴェネチア国際映画祭、『**潜水服は蝶の夢を見る**』(2007)はカンヌやヴェネチア、ゴールデングローブ賞などで多数受賞しています。

アンディ・ウォーホル

1928年に生まれ1987年に亡くなった、アメリカのポップ・アートを代表するアーティストです。第1話の扉絵でボクシンググローブをつけたトラちゃんとお父さんがとっているのは、バスキアとの共同展ポスターのウォーホルとバスキアのポーズです。ウォーホルについて

色んなポーズで撮った!
ウォーホル
VS
バスキア

は他でも取り上げるので、ここでは今回の漫画で出てきたことを中心に解説すると、1962年に発表されたシルクスクリーン作品《**キャンベルのスープ缶**》は、それまで商業デザイナーとして活動していたウォーホルのファイン・アーティストとしてのデビュー作で、32枚の連作として当時発売されていたそれぞれ異なる種類のキャンベルスープの缶を描いています。日本で言えば日清カップヌードルのカップを題材にして作品を量産したようなもので、**大衆文化・工業社会**を肯定するようなこの作品は多くの波紋と批判を呼び、ウォーホルのアーティストとしての名声を確立しました。ウォーホルはその後も同じ題材で作品を制作しています。またオルタナティブ・ロックの先駆けになったバンド、**ヴェルヴェット・アンダーグラウンド**をデビュー時にプロデュースし、彼らのデビューアルバムであるバナナで有名なジャケットのデザインも手がけています。

スーパーの棚みたい…

ヴェルヴェット・アンダーグラウンド

ヴォーカル&ギターの**ルー・リード**を中心に1964年に結成されたアメリカのロックバンド。バンド名は、異常な性癖について書かれたノンフィクションの書名から引用されています。ウォーホルから高く評価され、彼が推薦したヴォーカルの**ニコ**を加えて録音したアルバム『**ヴェルヴェット・アンダーグラウンド・アンド・ニコ**』でデビューしましたがアルバムはヒットせず、ウォーホルとの関係が終わった後も何作かアルバムを出すもやはりヒットに恵まれないまま1973年に解散します。しかし彼らの前衛性は後の音楽シーンに大きな影響を与え、現在ではオルタナティブ・ロックの先駆者のひとつに数えられており、1996年にはロックの殿堂入りを果たしています。

有名なバナナのジャケット
Andy Warhol
ファーストアルバム!

クレス・オルデンバーグ

１９２９年にスウェーデンで生まれた彫刻家で、子供の頃にアメリカに移住しています。オルデンバーグについても後の回で詳しく取り上げています。今回の漫画で紹介した、布でできた巨大なハンバーガー**《フロア・バーガー》**は、柔らかい素材で造った彫刻で**ソフト・スカルプチャー**という手法になります。これは元々**草間彌生**の着想だったとも言われています。日常にある物を巨大化させた作品群はパブリック・アートとしても人気があり、日本でも東京ビッグサイトにある巨大なノコギリ**《Saw, Sawing》**や、ファーレ立川に口紅を模した作品**《リップスティック》**が展示されています。２０２２年没。

東京ビッグサイトの前にある！
クレス・オルデンバーグ
「Saw, Sawing」(1995)

草間彌生

１９２９年生まれ長野県出身の、日本を代表する現代アーティスト。10歳の頃から、後の作風につながる水玉と網模様をモチーフに絵を描きはじめ、１９５０年から絵画作品の発表を開始。１９５７年渡米し、その後ソフト・スカルプチャーや、鏡、電飾などを使った環境彫刻の発表を開始します。１９６２年には、ここまでに紹介したウォーホルやオルデンバーグとグループ展を開催しています。漫画内で名前を挙げた**《集合：１０００艘のボート・ショー》**は、１９６３年から翌年にかけて開催された個展で、その時に展示された作品のタイトルでもあります。無数の布製の突起がついたボートを、同じボートの写真が取り囲む展示は、現在で言うところのインスタレーションの先駆けとも考えられています。１９６８年に発表した映画**『草間の自己消滅』**は様々な映画賞を受賞し、１９９４年からは国内外で巨大なカボチャなどをモチーフにした野外彫刻でも知られています。最近では各国のルイ・ヴィトンの店舗がコラボレーション作品でデコレーションされたことでも話題になりました。

シンディ・ローパー

１９５３年生まれの、１９８０年代アメリカのポップスシーンを代表する歌手で、ＬＧＢＴＱなどを支援する慈善活動家としての顔も持っています。ソロ歌手としてデビューして売れはじめたのは30歳を越えてからで、初のヒット曲**「Girls Just Want to Have Fun」**は、肌の色や性別、年齢や職業を越えてみんなで踊り狂う、多様性の時代を先取りしたＰＶでＭＴＶの賞を受賞しました。イラストに描いたポーズは同曲が収録されているソロデビューアルバム**『She's So Unusual』**のジャケット写真で、このアルバムには彼女のもうひとつの代表曲で晩年のマイルス・デイヴィスがカバーした**「Time After Time」**も収録されています。その後も映画『グーニーズ』の主題歌**「The Goonies 'R' Good Enough」**、**「True Colors」**などのヒット曲があり、当時のポップス界のスターが一堂に会した１９８５年の**USA For Africa「We Are The World」**のＰＶでは、若手ながら圧倒的な存在感を見せています。下積み時代に日本人がオーナーのレストランで働いていたことから親日家でもあり、１９９０年の紅白歌合戦に出演したり、東日本大震災の数日後に予定通り来日コンサートを決行したりしています。

アルバムジャケット！
CYNDI LAUPER
「she's so unusual」

作品解説コラム連載

おまけページ きゅうり画廊

闘う作家！

きゅうりのキューブリック

この『美術のトラちゃん』はCINRAというウェブメディアで連載をしていて、毎回2ページの漫画と一緒に、この「きゅうり画廊」というコラムページをおまけで書いていました。単行本にするにあたって再編集しながら、なるべくまるっと掲載しています。漫画の中で描いた作品のこぼれ話や解説、自分の近況報告なんかをだらりと書いているページです。前のページの「トラちゃんコメンタリー」同様、時間があるときに読んでみてください！

　というわけでトラちゃんの漫画の第1話ではニューヨークを拠点に活躍した**ジャン＝ミシェル・バスキア**や**アンディ・ウォーホル**、**草間彌生**などを取り上げました。記念すべき1回目のきゅうり画廊では、漫画で取り上げた彼らと同じくニューヨークで活躍している日本人の美術作家、**篠原有司男**を取り上げます。

　この篠原有司男という人は、1960年頃の日本の美術がいろんな実験を繰り返している中、ボクシンググローブに絵具をつけてキャンバスをぶん殴る**ボクシング・ペインティング**などで大注目された作家です。日本で初めて髪型をモヒカン刈りにしたのも篠原有司男という説もあります。

　日本で注目されていたものの、1969年からニューヨークで発表をはじめるようになりますが、草間彌生がニューヨークで認められるのに時間がかかったように、篠原有司男もなかなかニューヨークでは認められずに苦労した人でした。アメリカの美術の世界ではマイノリティは締め出される傾向にあるのですが、当時はその傾向が特に顕著だったのだそうです。ニューヨークでは、お金のかからない段ボールでオートバイの彫刻をつくり、これは今でも続いているシリーズになっているのですが、これがめちゃくちゃかっこよくて、自分は初めてその作品を見たとき、篠原有司男を真似した段ボール彫刻をつくったりしていました。

　篠原有司男・乃り子夫妻のニューヨークでの活動を追ったドキュメンタリー映画**『キューティー&ボクサー』**（2013／ザッカリー・ハインザーリング監督）をぜひ見てもらいたいのですが、彼らは今でもはちゃめちゃにニューヨークの美術界で孤軍奮闘しています。高齢の今でもボクシング・ペインティングをやっているし絵画も彫刻もつくり倒しています。創作に打ち込んでいる人なら、泣けるし、胸が熱くなって勇気づけられること必至のドキュメンタリーです！

業界びっくり大人気!
美術《びじゅつ》のトラちゃん 2
亀倉雄策のポスターだ!
PAPILLON HONDA
パピヨン本田

（第2話）

若者の活躍を素直に喜べない!

オリンピックを見たトラちゃんが、五輪にまつわる美術に興味を持ったようです。トラをこじらせたお父さんが、かつての東京オリンピックで起きた美術運動を解説します。

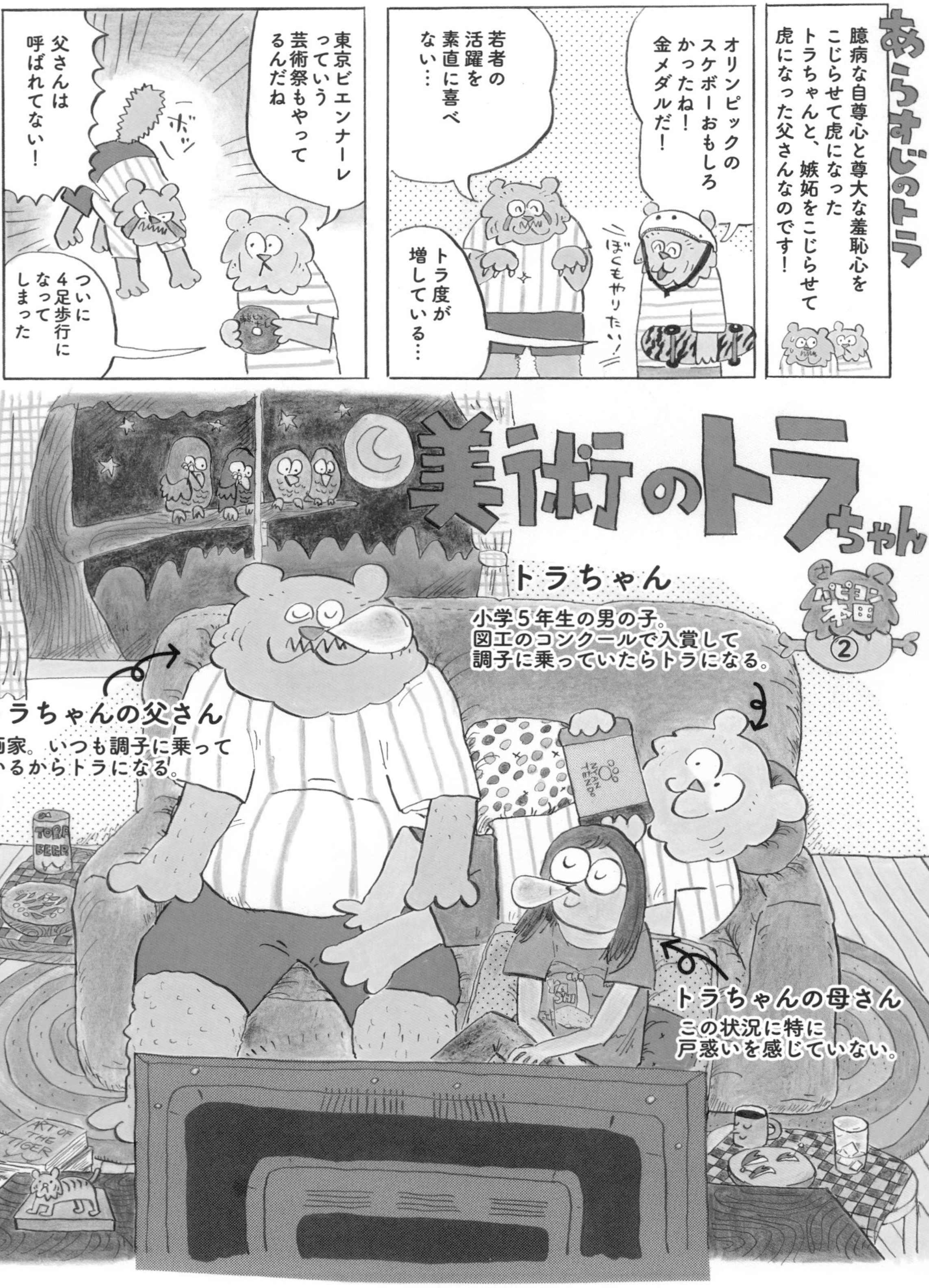
あらすじのトラ
臆病な自尊心と尊大な羞恥心をこじらせて虎になったトラちゃんと、嫉妬をこじらせて虎になった父さんなのです！
オリンピックのスケボーおもしろかったね！金メダルだ！
ぼくもやりたい！
若者の活躍を素直に喜べない…
トラ度が増している…
東京ビエンナーレっていう芸術祭もやってるんだね
ボッ
父さんは呼ばれてない！
ついに4足歩行になってしまった
美術のトラちゃん
さとパピヨン本田
②
トラちゃん
小学5年生の男の子。図工のコンクールで入賞して調子に乗っていたらトラになる。
トラちゃんの父さん
画家。いつも調子に乗っているからトラになる。
トラちゃんの母さん
この状況に特に戸惑いを感じていない。
TORA BEER
ART OF THE TIGER

父さんみて！夏休みの宿題のポスター描いたんだよ！上手でしょ！
認め合う社会
嫉妬のトラとならぬ世界
我が子ながら才能が憎い…
だめだこりゃ
オリンピックパラリンピックのポスターもいろんな作家が描いたアートポスターがあるんだよね！楽しそう！
東京2020公式アートポスター
山口晃
荒木飛呂彦
ホンマタカシ
浦沢直樹
計20名
そうだねえ でも大変だった人もいたみたい 美術家の山口晃氏はかなり葛藤しながら描いたそうだよ
その葛藤を描いた《当世壁の落書き五輪パラ輪》という山口晃氏の漫画作品はネット上に公開されています
1964年の東京オリンピックの時にも当時の問題に美術家はそれぞれの表現で対抗したんだよ
有名なのはハイレッド・センターの「首都圏清掃整理促進運動」
ALMOND
BE CLEAN!
掃除中
当時オリンピックにむけて過剰に開発や街の美化が進んでいたんだけどそれに対抗してそれ以上に過剰に街を掃除した
ぞうきんを使って銀座の道を磨き続けたんだよ
父さんは見るからにスポーツはキライそうだよね
ヒャ～
小さい時からボールは敵！こわいもん！
ズズー
箱座り…
次の休みは体動かそうよ
次の日曜日、街のグラウンド
世界新だ！ スゲー！
ダダダー
100メートル走タイム6秒！お父さんすごーい！
ピッ
オリンピックでれるかしら
トラだから速い…

トラちゃんコメンタリー
マンガに出てきた用語解説
ヒマなとき よんでね〜!

亀倉雄策《かめくらゆうさく》

１９１５年生まれ、新潟出身のグラフィックデザイナーで、戦前からデザイナーとして活躍し、１９５１年にはデザイナーの職能団体である日本宣伝美術会の創立に参加。同会解散後の１９７８年には**日本グラフィックデザイン協会（ＪＡＧＤＡ）**を設立しています。１９９７年に亡くなった後の１９９９年からＪＡＧＤＡは**亀倉雄策賞**を制定し、歴代の受賞者には第１回の**田中一光**から２０２３年の**岡崎智弘**、**三澤遥**に至るまで、時代を代表するデザイナーが名を連ねています。第２話の漫画の扉絵は、１９６４年の東京オリンピックのポスターをオマージュしていますが、２０１６年のリオデジャネイロオリンピックの閉会式で流れた東京２０２０オリンピックに向けた映像でもオマージュされ、話題になりました。他にも１９７０年の大阪万博のポスターや１９７２年の札幌オリンピックのポスター、ＮＴＴのロゴマークなどが有名です。

TOKYO 1964
かっこいい!!
1964年の東京オリンピックポスター
みたことある!

東京オリンピックのスケボー

２０２１年の東京オリンピックではスケートボードが新競技として追加され、西矢椛、四十住さくら、堀米雄斗の３人が金メダル、開心那が銀メダル、中山楓奈が銅メダルを獲得しました。それぞれの選手の年齢を見ると西矢椛は13歳、四十住さくらは19歳、堀米雄斗は22歳、開心那は12歳、中山楓奈は16歳（全て競技当時の年齢）と、10代の選手が４人メダルを獲得していて、そのうち２人は中学生。おとなげないお父さんが嫉妬するのもうなずけます。

東京ビエンナーレ

トラちゃんが見つけたアートイベントは、２０２１年に千代田区・中央区・文京区・台東区のエリアで開催された「**東京ビエンナーレ2020／2021**」です。東京ビエンナーレとは元々１９５２年から１９９０年まで隔年開催された「東京国際美術展」の通称ですが、**中村政人**や**小池一子**といった現代のアーティストやプロデューサーが中心になり、２０１８年に新たに委員会が発足しました。当初は２０２０年に第１回が開催の予定でしたが、コロナ禍で延期になり２０２１年に改めて第１回が開催され、２０２３年の夏と秋に第２回が開催されます。ちなみにビエンナーレとはイタリア語で「隔年」という意味で、世界的にもアートフェスの名前として用いられていますが、言葉そのものには「展覧会」や「フェスティバル」みたいなニュアンスは含まれていません。３年に一度開催のトリエンナーレも同様です。

オリンピック・パラリンピックのポスター

佐藤卓のようなデザイナーや**山口晃**、**鴻池朋子**などの画家・美術家、写真家の**ホンマタカシ**や**ヴィヴィアン・サッセン**、書家の**金澤翔子**など様々な分野から計20名のアーティストがオリンピック・パラリンピックの公式ポスターをデザインしています。アート以外の世界でも著名な作家としては漫画家の**浦沢直樹**や**荒木飛呂彦**、写真家・映画監督の**蜷川実花**も参加しています。アーティストの側も全員が全員オリンピックを歓迎していたわけではなく、例えばそもそも東京でのオリンピック開催に批判的だった山口晃は、公式ポスター作成依頼を受けた前後の葛藤や作品制作の意図、作品が公表された当時の動きなどを、２０２１年の実際に東京オリンピックが開催されるより前に**《当世壁の落書き 五輪パラ輪》**という漫画作品の形で発表しています。

山口晃

馬からやヲ射る」(2020)

１９６４年 東京オリンピックへの批判

１９６４年の東京オリンピックは、第2次世界大戦後からの復興が半ばだった東京の都市開発を大きく前進させました。オリンピックの開催に向けて、青山通りをはじめとする幹線道路や首都高の整備が急速に進みましたし、現在でも利用されている千駄ヶ谷の東京体育館や駒沢オリンピック公園が競技会場として整備され、選手村の跡地は代々木公園になりました。都内では営団日比谷線、都営浅草線と羽田空港と都心を結ぶモノレールが、そして全国規模では東海道新幹線がオリンピックを契機に開通し、ニューオータニ、オークラなど海外のゲストが宿泊するためのホテルも多く開業しました。東京ではこの時期に下水道の整備が急速に進み、衛生環境が劇的に改善しています。現在私たちが知っている東京の景観は、１９６４年の東京オリンピックをきっかけに生まれたと言ってもいいでしょう。一方で急速な開発には少なからず問題もあり、安易に河川や水路などの上に建設した首都高はいまでも街の景観を損ねていますし、曲がりくねってお世辞にも運転しやすい高速道路とは言えません。また外国人にわかりやすい地名にすることを口実に町名の統合が起こり、伝統的な地名が消えていきました。例えば現在の渋谷区神宮前は、東京オリンピックに伴う開発前までは原宿、隠田、竹下町などの別の町でしたが、１９６５年に神宮前に統合されています。

ハイレッド・センター

高松次郎、**赤瀬川原平**、**中西夏之**が結成し１９６０年代前半に活動した前衛集団で、名前はそれぞれの苗字の頭文字「高（ハイ）」「赤（レッド）」「中（センター）」からとっています。山手線の中で奇妙な化粧をして奇妙な行動をする１９６２年のゲリラパフォーマンス**《山手線事件》**をきっかけに成立し、**《第5次ミキサー計画》《シェルタープラン》**などのイベントを開催した後、漫画の中でも紹介した１９６４年の東京オリンピック期間中に白衣姿で銀座の街を清掃するパフォーマンス**《首都圏清掃整理促進運動》**で活動を終えています。また赤瀬川が制作した千円札の印刷を用いた作品が問題になり、結果的に通貨及証券模造取締法違反の有罪判決を受けたいわゆる**「千円札裁判」**も、赤瀬川がハイレッド・センターとして活動していた時期の作品が発端になっています。

おまけの1コマ
その直後
にくばなれ……
ううう…
調子にのるから……

作品解説コラム連載

おまけページ きゅうり画廊

そうじやりすぎ

きゅうりのキューブリック

今回の漫画で登場した**ハイレッド・センター**は結成メンバーの**高松次郎**、**赤瀬川原平**、**中西夏之**の頭文字を英語に置き換えてハイ（高）・レッド（赤）・センター（中）というグループ名ができたそうです。

漫画でも紹介した**《首都圏清掃整理促進運動》**を筆頭に、数々の活動をしてきたのですが、彼らの他の活動について知るには赤瀬川原平さんの著作**『東京ミキサー計画』**を読んでみるのがいいのではないかと思います。自分は高校生の頃に初めて読んで「なんでこの人たちは、こんなにずっとふざけているのだろう」と思ったのですが、改めて読んでみても真面目なのに端から見たらばかばかしく見えるような作品ばかりで、最高でした。

改めて詳しく説明すると《首都圏清掃整理促進運動》というのは1964年の東京オリンピックに向けての開発に対する、カウンターとして行われました。1964年の東京オリンピックのためにものすごく開発が行われていて、海外からの観光客を呼ぶために街をきれいにしようという動きが盛んになっていたのですが、賛成意見ばかりではありませんでした。それまであった建物が壊されたり、路上生活者が街から追い出されたりしていたわけです。そして、ハイレッド・センターのメンバーは、開発ではない本当の街の掃除の仕方を見せようと、ほうきや雑巾を使って銀座の路上を掃除したのでした。端から見たら、わざわざ路上を雑巾で掃除する怪しい集団に見えたでしょうね。ちなみにこのときの事の顛末も『東京ミキサー計画』に書かれています。ハイレッド・センターは他にもまだまだ面白い作品がたくさんありますので、興味を持った方はぜひ第36話のトラちゃんも読んでみてください！

ちなみにこのトラちゃん第2話目を描いているときが、ちょうど2021年の東京オリンピックの真っ盛りだったこともあり、《首都圏清掃整理促進運動》を引用したパフォーマンスをする作家さんもいました。引用でなくとも、コロナ禍の中のオリンピックに思うところがある作家たちがいろんな方法で、自分の思いを作品にしていたのでした。

（第3話）

お父さんはユーチューバー

美術の解説動画を見ていたトラちゃんに影響されて、こじらせトラのお父さんがユーチューバーデビュー。「わかりやすい美術の解説ぐらいできるもんね！」と意気込んでいますが、果たしてヒット動画をつくることはできるのでしょうか。

虎になってしまったトラちゃんと父さん。トラちゃんは夏休み！けどコロナでお出かけできません
外いきて〜…
ちくしょ〜
夏休み遊びにいけないからユーチューブの解説動画みてたらハマっちゃった！
ゴッホのひみつ
わかりやすく解説 現代アート入門！
美術の歴史
美術についてわかりやすく教えてくれるんだよ！
それくらい父さんもできるもんねー!!
ガルルル
ドン
友達と同じこと言ってる…
小学生にむけて
マインクラフトでたとえる日本の美術
フラット
だれも手を出せなかった整地にブロックを1つおく戸谷成雄
あれた土地をこわいくらい整地
もの派
ぜんぶこわす！
ダダ
父さん向いてない
美術のトラちゃん
パピヨン本田
3
手の千倍のパワーの足で描いた絵は千倍つよいのだ！
足で絵を描いてみた！
SLIP!
SLIP!
トラちゃんの父さん
普段から調子に乗っているから虎になる。好きな作品は和田三造の「南風」。
トラちゃん
図工のコンクールで入賞して調子に乗っていたら虎になった。好きな作品はレオ・レオニの「マシューのゆめ」。
白髪一雄だかっこいい〜
FUJI
トラちゃんの母さん
この状況に特に戸惑いを感じていない。好きな作品はミリアム・カーンの「美しいブルー」。

アンディ・ウォーホル(1928-1987)
ポップアートの王様。ヴェルヴェット・アンダーグラウンドのプロデュースもした→
バナナ
大名盤!
美術の解説動画を初投稿した父さん
初めての動画なのに10再生もされてるぞすごいだろう!
なにがそんなにおもしろいのだろう
あっひゃっひゃ
もっかいみよ
母さんが10回みてたよ…
10再生
ちくしょう!……気が合うからなあ…
次の動画を考えた!ウォーホルみたいにハンバーガーを食べるだけの動画!
ムッシャ
父さんがハンバーガー食べたいだけでしょ?
面白いユーチューバーはもっと誰にも思いつかない変なことするんだよ!
現代美術家だって人が思いつかない変なことをするんだぞ!例えばマウリツィオ・カテラン!
「コメディアン」(2019)
イタリアの作家
ニヤリ…
ポップアートの神(シンボル)だったバナナを磔刑に!
PoP Art is DEAD!
マウリツィオ カテラン (1960-)
バナナを壁に貼っただけの作品が話題になった人だ!彼は変なアイデアを超ハイクオリティで作る!
テープのはり方が超上手い
「A Perfect Day」(1999)
バナナを壁に貼る前は画商をギャラリーの壁に貼ったりしてた!
「Him」(2001)
神に懺悔する超リアルなヒトラーの彫刻
「ラ・ノナ・オラ」(1999)
いん石がぶつかったローマ教皇の超リアルな彫刻
東海オンエアに似てるね!昔動画でてつやを天井に貼ってたんだよ!
色んなYoutuberがやってる!
ガムテープでカベに人をはってみた
天井にはりつけてみる!
逆だぞ!東海オンエアがカテランに似てるんだぞ
あっこれ水掛け論になるやつだ!
というわけで父さんも美術のユーチューバーとして頑張るよ!
ヒカキンさんを目指すんだ!
ブンブーン
ヒカキンには嫉妬しないでさんづけなんだね
もはや嫉妬しようがないからね
その後
やっとヒット動画ができた!
虎がステーキ爆食 ASMR 衝撃!
215986再生
美術関係なくなっちゃた…
虎が解説 もの派
12再生
同盟休校事件
5再生
10再生
ゲフー

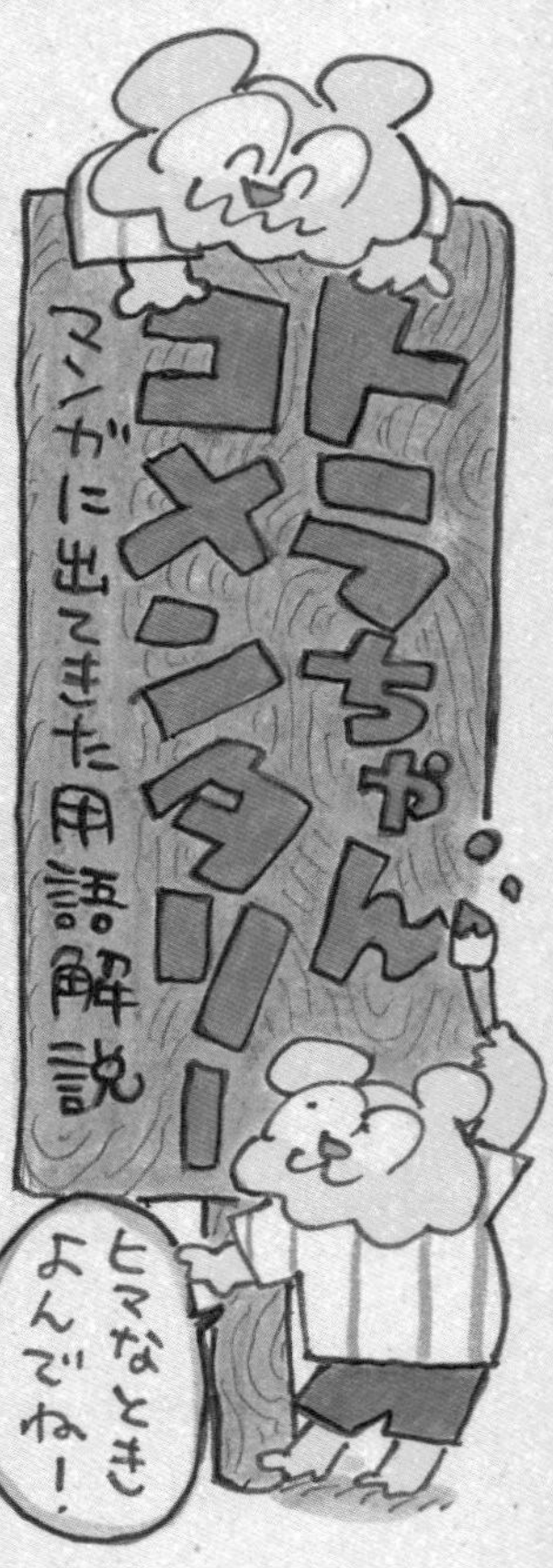
トラちゃんコメンタリー
マンガに出てきた用語解説
ヒマなときよんでねー！

マインクラフト

スウェーデンのゲーム会社モージャンが開発したゲームソフトで、2023年現在全世界でシリーズ累積2億本以上販売し、史上最も売れたコンピューターゲームとされています。ブロックが単位になってつくられたかわいらしい仮想世界で、素材を採掘したり（マイン）、建物や道具をつくったり（クラフト）、サバイバルしたりする内容のゲームで、プログラミングをすることもできます。自由度の高さから現実の街並みをゲーム内に再現するようなエクストリームな遊び方をするユーザーが続出し、マイクラの実況動画はYouTubeでも人気ジャンルになっています。競争も激しいので、お父さんみたいに更地にブロック1つ置いただけの動画では、全然人気が出ないとトラちゃんが思うのも当然です。

ダダ

価値観の相対化、意味性の解体を志向して20世紀のアートシーンに大きな影響を与えたアート運動です。スイスで活動がはじまり、詩人**トリスタン・ツァラ**が1918年に発表した**「ダダ宣言1918」**で世に知られるようになりましたが、第一次世界大戦の終結を機にツァラがパリに拠点を移したことをきっかけにパリにも広まり、ベルリン、ニューヨークへと次第に影響が拡大していきました。ちなみに初代ウルトラマンに登場する怪人「ダダ」はここから名前を引用していると言われています。初代ウルトラマンには他にも、ツァラをフランスに招いたシュルレアリストの**アンドレ・ブルトン**から名前をとった怪獣「ブルトン」が登場しています。

今までの芸術をぶっこわした！
ダダ
ダダーン！
わかんない
や…
小便器をそのまま作品にしたデュシャンとか

もの派

日本で1970年前後に形になった潮流で、代表的な作家に**関根伸夫**、**李禹煥**《リーウーファン》、**菅木志雄**などがいます。素材をほとんど加工しない状態で（つまり「もの」のままで）作品として提示していることが特徴で、観る側はただ作品を「美しいな」みたいに味わうのではなく、「私は、これをどう捉えているだろう」と、自分と作品との関係に内省的になることが求められます。逆にその前提を共有していないと「よくわからんな」と素通りしてしまいがちなので、文脈を知っているとより楽しめるかもしれません。ダダが生み出した**反芸術**の流れの中にありながらも、老荘思想や禅にも通じる美意識が息づいている、アジア・日本らしい芸術運動です。

戸《と》谷《や》成《しげ》雄《お》

1947年長野生まれの彫刻家で、もの派によって人為の意味が解体されつつあった中、「彫刻とは何か」を問う作品を制作しその意味を再構築してきた作家です。木材をチェーンソーで切り刻んだ**《森》**シリーズで1980年代から評価され、その後も社会と人間の間にある彫刻を探る**《境界から》**シリーズや、シンプルと複雑という相反する要素を同居させた**ミニマルバロック**様式の作品などを発表し、彫刻界を牽引しています。

白髪《しらが》一雄《かずお》

1924年に兵庫県尼崎市に生まれた画家で、天井から吊るしたロープにつかまり、床に広げたキャンバスの上に足を使って絵具を塗り広げる**フット・ペインティング**という手法で評価されました。白髪は2008年に亡くなっていますが、生前は展覧会会場の入り口で全身泥だらけになってのたうち回る**《泥に挑む》**といったパフォーマンス・アートもやっていたので、若い頃にYouTubeがあったら人気YouTuberになっていたかもしれません。

〃ウォーホルみたいにハンバーガーを食べるだけの動画〃

1982年に発表されたデンマーク出身の映画監督**ヨルゲン・レス**の映画**『66 ScenesfromAmerica』**の、「**Burger, NewYork.**」と題されたシーンのことで、おそらくこの映画の最も有名なシーンです。内容は「殺風景な部屋にいるウォーホルが、バーガーキングの袋から取り出したハンバーガーにケチャップをかけて無言で食べ、沈黙の後〈私の名前はアンディ・ウォーホル。ハンバーガーを食べ終わったところです〉と話す」というもの。2019年にはこの動画の抜粋を本家バーガーキングがCMとして採用し、アメリカ合衆国最大のスポーツイベント、「スーパーボウル」（アメリカンフットボールのチャンピオンを決める大会）で放映しましたが、視聴者からはスポーツの熱狂を楽しんでいたところに、いきなり現代アートに不意打ちされたことに対して賛否両論がありました。

マウリツィオ・カテラン

1960年イタリア生まれの、いたずら心満載のコンセプチュアルなインスタレーションで知られるアーティストです。漫画内で紹介した、壁にダクトテープでバナナを貼っただけの作品**《コメディアン》**は2019年にアートフェアに3点出品されたもので、なんと12万ドル（当時のレートで約1300万円）と15万ドル（約1600万円）で実際に購入されています。購入者には証明書と設置マニュアルが渡されます。さらにアートフェアの最終日には別のアーティストが「**貼りつけられていたバナナを食べてしまう**」というパフォーマンスを勝手に行う事件もありました。トラちゃんが「似てる」と言っている、YouTuberグループの「東海オンエア」がガムテープで天井に貼りつく動画を公開したのは2016年なので、カテランが**《A Perfect Day》**と題して画商を壁に貼りつけたほうが先と言えば先ですが、コンセプチュアル・アーティストとYouTuberはどこかユーモアに共通するところがあるかもしれません。

ASMR《エーエスエムアール》

「**Autonomous Sensory Meridian Response**」の略で、「視聴すると脳のあたりがゾクゾクッとする動画」の俗称として使われています。何かを食べる音やハサミで切る音などが代表で、リラックスのために聴く人が多くいるようです。

作品解説コラム連載
おまけページ
きゅうり画廊
過酷な時計
きゅうりのキューブリック

私は、ユーチューバーの24時間耐久企画とかが好きなのですが、美術家でもやっている人がいました。**国立奥多摩美術館**と同美術館館長の**佐塚真啓**さんによるパフォーマンス《**24時間人間時計**》です。ちなみに国立奥多摩美術館は「国立」でもなく「奥多摩」にもない、そして「公的な美術館」ではないアートコレクティブです。

２０１７年に六本木でパフォーマンスが行われた際には、３つの人間時計が並んでいました。その真ん中で佐塚館長が自らの腕を長針、短針にして24時間ずっと時計として働き続けます。しかも時計なのでその間は「飲まず、食わず、寝ず、トイレも行かず」です（佐塚さん以外の他2つの時計は数時間ごとに交代制）。

マウリツィオ・カテランはポップ・アートのアイコンとして使われ、現代美術のモチーフとしても繰り返し使われ続けたバナナを壁に磔刑のように貼って、たったの１６００万円で売ることで、完全に美術から殺しました。カテランはバナナを彫刻でつくることも考えたそうですが、本物のバナナを貼り、隙のないコンセプトにすることで、バナナに逃げ道を残しませんでした。

この《24時間人間時計》では美術家が時計盤に磔刑になっているようにも見えます。この世の搾取された美術家や、美術世界の構造の犠牲になった人たちの象徴のようにも見えます。

これだけ書くと暗い作品に聞こえてしまうかもしれません。少なくとも私はカテランの磔刑作品からは未来への希望を感じられませんでした。しかし、異様に目のギラついた佐塚さんがやっている人間時計を見たときは、なぜか興奮と未来への希望を感じました。1時間ごとに彼が時報を叫ぶのですが、そのときの光景を思い出すと、和田アキ子さんの「あの鐘を鳴らすのはあなた」が頭に流れるのです。

「あなたには希望の匂いがする」。おそらく美術界でボッコボコになりながらも、それでも美術を愛し続ける彼のエネルギーがそうさせるのでしょう。

佐塚さんはペインターとしてもかなりいい絵を描きます

（第4話）

成長速度がねたましい！

実は画塾の経営もしているトラちゃんのお父さんとお母さん。トラをこじらせたお父さんが教えているものだから、生徒の個性も様々で、猫になってしまったトメ吉くんが登場します。どうやらデザイナーになるための相談をしているようです。

トラちゃんの父さんと母さんは美術作家ですが二人で画塾も経営してます
みっちゃん上手になったよねー
成長速度がねたましい…
生徒に嫉妬しないで父さん

では講評会です！じゃあ最初はよしくんの作品！
どうですか先生！
にくい！
先生のにくいが出た！やったあ！
にくいが高評価と認識されている…

キラメキ美術マンガ！
美術のトラちゃん
パピヨン本田④
トラちゃんの父さん
画家。普段から調子に乗ってるからトラになる。好きな彫刻はエドワード・キーンホルツ「ポータブル戦争記念碑」
Laocoon!
トラちゃん
小学５年生の男の子。図工のコンクールで入賞して調子に乗っていたらトラになる。好きな彫刻はニキ・ド・サンファル「蛇の樹」
トラちゃんの母さん
この状況に特に戸惑いを感じていない。好きな彫刻は高柳恵里の「スワンの午睡」

彼は画塾の生徒のトメ吉くん（中学2年生）反抗期なので猫になってしまいました
わいわい
先生、オレ将来デザイナーになりたいんだ！
いいじゃーん応援するよ！
ネットで見たバウハウスっていう学校が良さそうだから進学したい
あっバウハウスはもうないよ
むむう
バウハウスはナチスの弾圧で1933年に閉まったんだよ
やっぱり大人たちは勝手だぜ…
15の夜〜
スゥー
※13歳
父さん！トメ吉さんがまたたび吸ってる！
えっ？あれは法的にダメなの？
私があげたの猫になったから
…ならいっか
バウハウスは1919年にドイツに作られた造形学校だよ
BAUHAUS (1919–1933)
バウハウスの創立者&建築家
造形をジャンル分けせず建築の下に統合
グロピウス (1883–1969)
全ての造形活動は建築（バウ）を目指すという理念を掲げてたくさんの先駆的な活動をした
ここの学生だったマルセルブロイヤーの作った機能的な椅子は超有名で現代にも引き継がれている
マルセルブロイヤー「ワシリーチェア」
当時画期的！鋼管をつかったイス パイプイスの原型
バウハウスの舞台工房に行きたかったんだ！
めずらしいタイプだなあ
バウハウスには舞台工房もあった！（当時めずらしかった）
グラフィック
ヘルベルト・バイヤー
STAATLICHES BAUHAUS IN WEIMAR 1919-1923
家具
ギュラ・パップ
フロアランプ
今の自分たちが想像するモダンデザインのキソをつくる！
天才・オスカーシュレンマーが教員！
人と違うことがやりたい
反抗期っぽいけどグッド！
オレはデザイナーになって今とは違う未来を招来するんだ！
うっせえわ！
オレが俗にいう天才です！
バウハウスの理念とAdoがミックスしてる！すごーい
おじさんわかんない…
じゃあデザイナー目指して平面構成やってみよう！
ううう…なぜか最近昼は眠すぎる…
トメ吉さーん
ユサ
ユサ
猫になったんだよなあ君は

トラちゃんコメンタリー
マンガに出てきた用語解説
ヒマなときよんでね!

″Laocoon!″

電飾を飾るトラちゃん家族のポーズは、１５０６年にローマのネロ帝宮殿跡から発掘され現在はヴァチカン美術館が所蔵しているヘレニズム美術の代表作**《ラオコーン像》**のものです。紀元前1世紀の作品だと考えられており、発見後**ミケランジェロ**をはじめルネサンスの芸術家に大きな影響を与えました。ラオコーンはトロイア戦争を題材にした物語の登場人物で、トロイアの神官です。ギリシアがトロイアを攻め滅ぼす決定打となったいわゆる「トロイの木馬」を罠ではないかと怪しみましたが、そのことがギリシア側についた女神アテナの怒りに触れ、２人の息子もろとも大蛇に絞め殺されました。この像はまさに大蛇に絞め殺されているシーンを描いていて、漫画ではお父さんをラオコーン、トラちゃんとお母さんを２人の息子、電飾を大蛇に見立てています。

うれし
ヘビにかまれた
がっー
ぐるぐるまき

バウハウス

１９１９年に建築家の**ヴァルター・グロピウス**がドイツ・ワイマールに設立した造形学校です。ワイマール大公ヴィルヘルム・エルンストが設立した美術学校と工芸学校が前身ですが、工芸学校の校長だったベルギーの建築家**ヴァン・デ・ヴェルデ**が第一次世界大戦でドイツとベルギーが敵対したことから校長を辞任し、後任のグロピウスが両校を合併して、「芸術と技術の新たな統一」のスローガンのもと総合造形学校として設立したのがバウハウスです。**パウル・クレー**や**ワシリー・カンディンスキー**、**オスカー・シュレンマー**、**モホリ=ナジ・ラースロー**といった当時第一線で活躍していた芸術家が教え、学生だった**ヘルベルト・バイヤー**や**ヨゼフ・アルバース**、**マルセル・ブロイヤー**も卒業後に教鞭を執りました。先端的な方針が反動主義者からの攻撃を受け、１９２５年にワイマールからデッサウに移転しデッサウ市立の学校として再スタートしましたが、ナチスがデッサウ市の評議会を牛耳ったことで迫害を受け、１９３２年にベルリンに再度移転。しかしほどなくナチスがドイツの政権をとったため１９３３年に閉鎖されました。その後も元教師や卒業生はバウハウスの精神を引き継いで活動し、例えばグロピウスとブロイヤーはハーバード大学で、モホリ=ナジはシカゴに設立した**ニュー・バウハウス**で、それぞれアメリカのデザイン教育に大きく貢献しています。

ヴァルター・グロピウス

バウハウスの初代校長で建築家のグロピウスは、１８８３年にベルリンで生まれ、１９６９年にボストンで亡くなっています。20代後半から建築家として認められ、従軍していた第一次世界大戦の終戦後は、建築家の**ブルーノ・タウト**（日本滞在時の記録でも有名）などと**芸術労働評議会**を結成し、前衛的な造形芸術運動を展開します。１９１９年に校長としてワイマールにバウハウスを設立し、デッサウ移転後の1928年まで校長を務めました。ナチス政権成立後の1934年にイギリスに、1937年にはアメリカに移住し、アメリカではハーバード大学建築学科の教授として教育活動に従事しました。また建築家としても引き続き活動し、かつての教え子ブロイヤーと共同で事務所を設立しています。

マルセル・ブロイヤー

1902年にハンガリーで生まれ、建築家・デザイナーとして活躍したブロイヤーは、バウハウスを代表する卒業生です。卒業後の1925年から1928年にかけて教員として母校で教えており、その時期にデザインした世界初のパイプ椅子であり、自転車から着想を得たとも言われる**《ワシリーチェア》**は、元々ワシリー・カンディンスキーへのプレゼントだったと言われています。1937年にアメリカに渡りハーバード大学の助教授に就任し、グロピウスと共に建築家としても活動しています。1941年に自分の建築事務所を開設した後も、現存するパリのユネスコ本部を共同設計するなど活躍しました。1981年没。

ギュラ・パップ

1899年生まれハンガリー出身のデザイナーで、写真家としても活動していました。1920年から1923年にかけてバウハウスで学び、漫画内で紹介した**《フロアランプ》**もその時期にデザインしています。卒業後、元バウハウス教員の**ヨハネス・イッテン**がベルリンに創設した造形美術学校で教鞭を執り、1934年以降は母国ハンガリーのブダペストで美術教師として活動して1983年に亡くなっています。

ヘルベルト・バイヤー

1900年オーストリア生まれのグラフィックデザイナーで、漫画では彼がデザインしたバウハウス展のカタログを紹介しています。1925年から1928年までバウハウスに勤務し、この時期の仕事としては大文字と小文字を統合した**ユニバーサル・アルファベット**の開発が有名です。1928年からはベルリンで商業デザイナーとして活動し、ヴォーグのアートディレクターや広告代理店の責任者として活躍しました。1938年にMoMAで行われたバウハウス展への協力をきっかけにアメリカに亡命した後もグラフィックデザイナーとして活躍し、1985年に亡くなっています。

オスカー・シュレンマー

1888年生まれのドイツの芸術家で、1920年から1929年にかけてバウハウスで教鞭を執りました。画家・彫刻家に留まらず、バウハウスでは「人間」の授業を開講し、1922年に幾何学的なダンス作品**《The Triadic Ballet》**を発表してからは振付師・衣装デザイナーとしても活動しています。他のバウハウスのメンバー同様ナチスにより迫害され、1943年に亡くなります。

平面構成

デザイン系学科の実技試験で出ることが多い、「〇〇というモチーフを平面に構成せよ」という課題のことで、様々な色彩を使ってまとまりのある画面をつくる、デザインのメジャーなトレーニングのひとつです。

作品解説コラム連載

おまけページ きゅうり画廊

新劇の巨人

きゅうりのキューブリック

漫画では**バウハウス**のことを取り上げましたが、その頃の日本であった先駆的な活動ってなんだろうと考えたときに、真っ先に思い浮かんだのが**土方与志**《ひじかたよし》がはじめた**築地小劇場**でした。

築地小劇場は、関東大震災の翌年1924年に建てられました。小劇場と言っても総席数500席ほどもあり、日本では珍しい劇団つきの劇場でした。これは行政が建てたとかではなく、土方個人が出資してつくった劇場です。彼は当時25歳くらい。すご。

彼の実家は超資産家でした。当時超お金持ちのエリートしかできなかったドイツ留学に出かけたくらいです。けれど、留学に行ってからすぐに関東大震災の知らせを受けて、日本に帰ってきました。帰る前に観た、当時最先端の演劇をやっていた**モスクワ芸術座**という劇団の公演に、ものすごく感銘を受け、これがやりたいと、日本に帰ってきてからは、余った巨額の留学費用を使って築地小劇場を建てたわけです。今で言うと数億円くらい。当時の留学は本当にお金がかかったわけですね。

彼がそんなに感銘を受けたモスクワ芸術座の当時最先端だった公演はどんなものだったかと言うと、とにかく自然な演技を追求した演劇でした。演出をしていた**コンスタンチン・スタニスラフスキー**からとって、**スタニスラフスキーシステム**だなんて言われていたそうです。

今だと自然な演技をするなんて、当たり前に思えますが、当時は画期的だったそうです。日本だと演劇と言えば歌舞伎だった時代なので、まるで日常風景をそのまま舞台の上に切り取ったみたいな自然な劇は衝撃だったのだと思います。悲しいシーンで舞台上の役者が本当に泣くのを見て、えらくビビったそうです。そういう泣く演技に慣れている現代の自分でさえ舞台で人が泣いていたらグッときてしまうので、当時の衝撃は凄まじかったでしょうね。

土方与志は、師匠として慕っていた当時40代くらいだった演出家の**小山内薫**《おさないかおる》とともに築地小劇場での活動を行いました。彼らがやっていたヨーロッパ的な劇は**新劇**と呼ばれました。歌舞伎などの日本に元々あった劇から離れるために、海外の脚本を翻訳した公演ばかりを打っていたのです。

ちなみに築地小劇場は東京大空襲で焼けてしまったので、今はその場所に記念碑だけ建っています。戦時中、土方与志は治安維持法違反で5年の実刑を受けますが、終戦後に出獄し演劇活動を続けました。まさに〝新劇〟の巨人と言える人物です。

築地小劇場第17回公演 1924年12月5日〜20日
「朝から夜中まで」（作：ゲオルク・カイゼル）
村山知義の舞台セットが伝説になってます。
イラストは再演舞台模型（1960）から。

(第5話)

寺山修司に憧れる父さん

過去に劇団をしていたことが発覚したトラちゃんのお父さん。当時のフライヤーを見つけて、昔の思い出や寺山修司への憧れがあふれ出てきます。お父さんの意外な過去を知ったトラちゃんと一緒に、アングラ演劇について学んでいきましょう。

トラちゃん一家は今日は大掃除です
父さん この「超劇団桟敷笑い《ちょうげきだんさじきわら》」ってチラシは何？
キュ キュ
パタパタ
うわあ！懐かしい！父さんが昔やってた劇団だよ！
また変な過去が出てきた…
Moldau
うわあ〜超劇団桟敷笑いじゃ〜ん懐かしいなあよく見に行ってたなあ
当時
若い父さん
キャッ
キャッ
このフライヤーもお金ないから2千枚手書きしたんだよなあ
これを2千枚…時間の使い方がおかしい…
美術好きでも好きじゃなくても！
美術のトラちゃん
さく パピヨン本田
⑤
♪
ドンジャラ！
トラちゃん
小学5年生の男の子。美術コンクールで入選して調子に乗っていたら虎になる。
好きな劇はKKPの「TAKE OFF」。
（母さんにDVDを見せられた）
トラちゃんの父さん
普段から調子に乗っているから虎になる。
好きな劇は万有引力の「身毒丸」。
トラちゃんの母さん
この状況に特に戸惑いを感じていない。
好きな劇は第七劇場の「かもめ」。

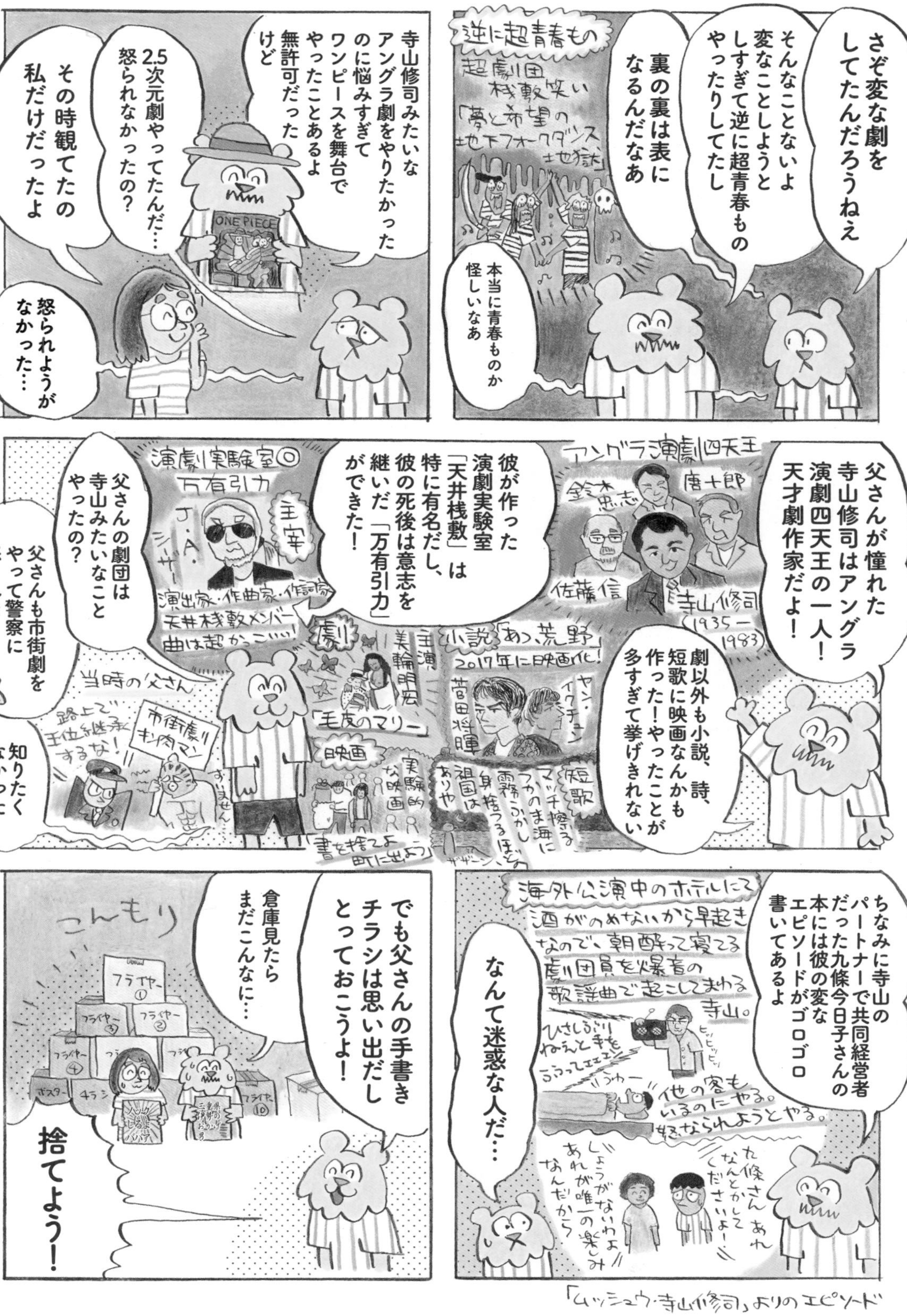

「ムッシュウ・寺山修司」よりのエピソード

コトラちゃんコメンタリー
マンガに出てきた用語解説
ヒマなときよんでね！

寺山修司

１９３５年青森生まれで、歌人・詩人、劇作・演出家、映画監督、エッセイストなど幅広い分野で活躍した才人です。学生時代から歌人として評価されましたが、腎臓疾患で長期入院して大学を中退。シナリオライターとしての活動の後、**１９６７年に演劇実験室 天井桟敷**を結成し、作・演出として『**毛皮のマリー**』『**ノック**』『**奴婢訓**』などの作品を世に送り出しましたが、１９８３年に47歳の若さで亡くなりました。映画監督としても『**書を捨てよ、町へ出よう**』『**田園に死す**』などの作品で評価されています。エッセイの『**家出のすすめ**』『**書を捨てよ、町へ出よう**』も人気を博し、天井桟敷のメンバーだった**カルメン・マキ**の「**時には母のない子のように**」やアニメ『**あしたのジョー**』の主題歌など作詞家としてもヒット作を出しています。『あしたのジョー』のジョーのライバルキャラ・力石徹が漫画の劇中で亡くなった際、現実でも力石の「葬儀」が行われましたが、その発案も寺山によるものです。

アングラ演劇

１９６０年代に起こった演劇のムーブメントです。一般に演劇と言うと例えばシェイクスピアの戯曲を当時によせた舞台装置で上演するように、「舞台の上に脚本を再現する芸術」が想像されます。それに疑問を持った当時の若手演劇人たちが、小劇場やテント空間を舞台につくったより見世物的、身体的、不条理、前衛的な演劇作品は「アングラ演劇」と言われ、学生運動を背景とした世相の中で熱狂的に支持されました。他分野のアートとも関係が深く、**横尾忠則**や**宇野亜喜良**、**金子國義**といった一流のアーティストが舞台美術やポスターを担当し、現在は人形作家として活躍している俳優の**四谷シモン**は**唐十郎**率いる**状況劇場**の看板役者でした。**つかこうへい**など、さらに若い世代の演劇人の台頭によりアングラ演劇は下火になりましたが、現在でも唐十郎が主宰する**唐組**や、作曲や演出などで寺山修司の右腕だった**J・A・シーザー**率いる**演劇実験室◎万有引力**などで、当時の熱狂に触れることができます。

2.5次元劇

漫画、アニメ、ゲームなどの2次元作品を原作にした（3次元の）舞台公演のことで、多くはミュージカル作品なので2.5次元ミュージカルとも言われます。漫画『**テニスの王子様**』原作のミュージカル（通称「テニミュ」）のヒットがきっかけで２０００年代中盤から一大ジャンルになり、その後もゲームを原作としたミュージカル『**刀剣乱舞**』などのヒット作が生まれています。古くは**宝塚歌劇団**による『**ベルサイユのばら**』や、原作ゲームの声優がそのままのキャストで出演していた『**サクラ大戦・歌謡ショウ**』も現在の2.5次元劇の源流と考えられるでしょう。お父さんが勝手に上演した『**ONE PIECE**』も、ミュージカルではありませんが歌舞伎として上演されています。

演劇実験室 天井桟敷《てんじょうさじき》

寺山修司や、当時寺山の妻だった**九條映子**（後の**九條今日子**）が中心になって1967年に結成した劇団で、1960～1970年代のアングラ演劇ムーブメントを引っ張りました。1969年には渋谷駅にほど近い並木橋近辺に、ユニークな外観の劇場**「天井桟敷館」**を開設しています。寺山が逝去した1983年に解散しましたが、同じ年にJ・A・シーザーを中心に後継劇団である「演劇実験室◎万有引力」が結成されています。

『あゝ、荒野』

1966年に発表された寺山修司の小説で、意外なことに長編小説としては彼が遺した唯一の作品です。蜷川幸雄演出、**松本潤**主演で2011年に舞台化され、2017年には**菅田将暉**と**ヤン・イクチュン**の主演で映画化されています。

『毛皮のマリー』

1967年に上演された天井桟敷の演劇作品で、初演では**美輪明宏**（当時は**丸山明宏**）が主役である中年の男娼・マリーを演じ大ヒットしました。寺山修司の戯曲の代表作で、オリジナルキャストである美輪明宏が主演したものをはじめ数多く再演されています。

マッチ擦るつかのま海に霧ふかし身捨つるほどの祖国はありや

寺山修司と言えば劇作家の印象が強いですが、若い頃は歌人・詩人として脚光を浴びました。この作品は彼が20歳前後の頃に入院していた時期の作とされ、最初の作品集**『われに五月を』**に収録されています。

『書を捨てよ、町に出よう』

寺山修司の代名詞でもある有名な言葉ですが、フランスの小説家**アンドレ・ジッド**からの引用だと言われています。はじめは1967年に出版したエッセイ集のタイトルでしたが、翌1968年には天井桟敷による演劇のタイトル、1971年には寺山修司が監督した映画のタイトルとなって、それぞれの内容は全くの別物になっています。

市街劇『ノック』

1975年に、東京都杉並区の阿佐ヶ谷近郊を舞台に天井桟敷が上演した、観客参加型の舞台作品です。町の至るところで演劇や見世物、パフォーマンスが無許可で上演され、地図を片手にやってきた観客だけでなくそこに居合わせた無関係な住民も巻き込んで上演されたこの作品は、当然警察の介入により中止されましたが、寺山はそこまで含めて作品だと考えていたようです。フィクションの舞台空間と現実の客席を分ける**第四の壁**との対峙は常に演劇表現の重要テーマですが、その壁を破壊的な方法で壊した作品として、現在でも寺山修司の代表作とされています。ちなみに、お父さんは超人プロレス漫画の『キン肉マン』を路上で上演して警察官に怒られたようですが、「路上プロレス」というジャンルも実際に存在していて、現在はサイバーエージェントグループの傘下にあるDDTプロレスが定期的に実施しています。

作品解説コラム連載

おまけページ きゅうり画館

ムッシュウ

きゅうりのキューブリック

寺山修司について書かれた本はこの世に大量にあるので、寺山のパートナーだった**九條今日子**さんと**田中未知**さんの本を紹介します。

九條さんの『**ムッシュウ・寺山修司**』（筑摩書房・1993年）はエッセイ調で読みやすく、寺山修司についてのイメージが変わるようなエピソードが多く書かれています（漫画に書いたエピソードは、そのうちのほんの1つです）。

田中さんの『**寺山修司と生きて**』（新書館・2007年）の方が全体に内容がヘビーです。寺山の母親の寺山はつに長く苦しめられたということを事細かに書いた「母地獄」という章は読んでいてなかなか辛くなります。寺山はつとの話は九條さんの本にも細かく書かれています。どっちを読んでもなかなかすごい内容です。寺山は父親が戦死して母親とずっと二人暮らしだったので、重く愛されていたみたいですね。

寺山作品はかなり他の作品からの引用が多いのですが、デビューしての頃は盗作、模倣だと非難されまくった話や、1972年のミュンヘンオリンピックの芸術祭に天井桟敷で参加するために、国に補助金を頼んだら「反体制の前衛劇団が国に泣きつくな」と世論に叩かれまくった話など、何だか自分が生きてる現代でも聞いたことあるなあという当時のバッシングが結構書かれていました。それに対しての田中さんの反論がとてもかっこいい。

お二人の本を読んで思ったのは、波乱万丈な寺山修司と過ごしていたからか、九條さん田中さんのどちらも肝の座り方がすごい。自分だったら絶対逃げ出すぞとか思うことがさらっと書いてあったりします。もし興味が出ましたらどちらかでも読んでみてください。全く寺山修司の創作物に触れたことがない人は、先に寺山の本を読むか舞台を見てみてください。

そして2021年12月には渋谷のPARCO劇場で寺山の未上演の音楽劇『**海王星**』が上演されました。音楽を寺山オタクのミュージシャン、**ドレスコーズ**の**志磨遼平**さんが担当し、話題となりました。

●イラストは天井桟敷館

（第6話）

ギター漫談もできる父さん

トラちゃんのお父さんの後輩で、売れっ子美術作家でもあるりゅうたろう君の個展パーティに招かれたトラちゃんたち。お父さんはギター片手に、並みいるゲストたちの前でパフォーマンスをするそうですが、思いのほか大きなパーティ会場のようです。

父さんの後輩で売れっ子作家のりゅうたろう君（1話参照）の個展パーティで余興を頼まれました。練習する父さんです
がんばるぞ！
五美展やるとき藝大いないのなんでだろ～♫
ジャンジャカ
ジャンジャカ
おもしろーい
父さんがギター漫談できるとはなあ！きっとウケるよ！
オープニングパーティ会場
えっ…こんなすごい会場でパーティするの？あの有名な社長もいる…
りゅうたろう個展
オープニングパーティ
100万円配ってます！
父さんあの宴会芸ここでやるの…？やめようよ…
みんな家ではいいって言ってたじゃん…
身内だけのパーティかと思ってたから…
ゴゴ美術《びじゅつ》のトラちゃん
さく パピヨン本田 ⑥
ゴゴゴ
ゴゴゴゴ
わーい！
あっ！先パイッ！来てくれてありがとうございます！うれしいなあ！
ますます売れて大きくなってるね…パーティも豪華で羨ましいなあ
それほどでもないっスあっ先輩のショーはゲストのテツアンドトモさんのあとでお願いします！
テツアンドトモ来るの!?ぼく彼らのパロディネタやるんだけど！
テツアンドトモさん美術のなんでだろうやるんですって！
りゅうたろう君
めちゃくちゃ売れてる若手作家。登竜門を突破して竜になる。賞は総ナメ。みんなの憧れ。いいやつ。
会うたびに成長してるなあー
内容もかぶってる…
いつものキャラ紹介
トラちゃん 小学5年生の男の子。図工の賞をとって調子に乗ってたら虎になる。好きなMV（ミュージックビデオ）はダフトパンクの「Around The World」（母さんの影響）
父さん 普段から調子に乗ってるから虎になる。好きなMVはたまの「電車かもしれない」
母さん この状況に特に戸惑いを感じていない。好きなMVはAlvvaysの「Archie,Marry Me」

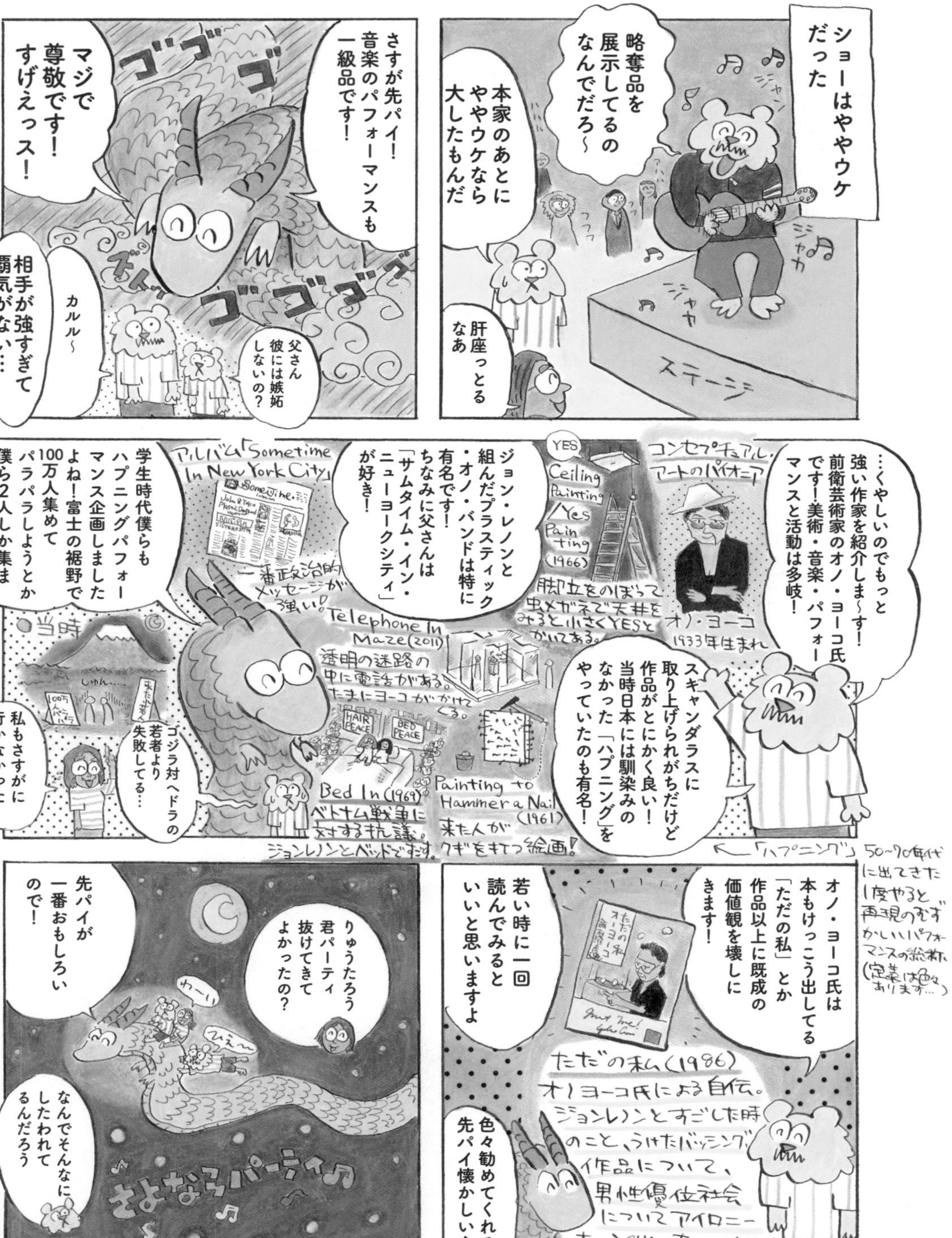
ショーはややウケだった
略奪品を展示してるのなんでだろ〜
本家のあとにややウケならたいしたもんだ
肝座っとるなあ
ステージ
さすが先パイ！音楽のパフォーマンスも一級品です！
マジで尊敬です！すげえっス！
ゴゴゴ
ゴゴゴゴ
カルル〜
父さん彼には嫉妬しないの？
相手が強すぎて覇気がない…
…くやしいのでもっと強い作家を紹介しま〜す！前衛芸術家のオノ・ヨーコ氏です！美術・音楽・パフォーマンスと活動は多岐！
コンセプチュアル・アートのパイオニア
オノ・ヨーコ 1933年生まれ
YES
Ceiling Painting/Yes Painting (1966)
脚立をのぼって虫メガネで天井をみると小さくYESとかいてある。
ジョン・レノンと組んだプラスティック・オノ・バンドは特に有名です！ちなみに父さんは「サムタイム・イン・ニューヨークシティ」が好き！
アルバム「Sometime In New York City」
一番政治的メッセージが強い！
学生時代僕らもハプニングパフォーマンス企画しましたよね！富士の裾野で100万人集めてパラパラしようとか僕ら2人しか集まらなかったけど
当時
しゅん……
100万人パラパラ
スキャンダラスに取り上げられがちだけど作品がとにかく良い！当時日本には馴染みのなかった「ハプニング」をやっていたのも有名！
Telephone In Maze (2011)
透明の迷路の中に電話がある。たまにヨーコがかけてくる。
HAIR PEACE
BED PEACE
Bed In (1969)
ベトナム戦争に対する抗議。ジョンレノンとベッドでデす。
Painting to Hammer a Nail (1961)
来た人がクギを打つ絵画！
ゴジラ対ヘドラの若者より失敗してる…
私もさすがに行かなかった…
←「ハプニング」50〜70年代に出てきた1度やると再現のむずかしいパフォーマンスの総称(定義は色々あります…)
オノ・ヨーコ氏は本もけっこう出してる「ただの私」とか作品以上に既成の価値観を壊しにきます！
若い時に一回読んでみるといいと思いますよ
ただの私(1986)
オノ・ヨーコ氏による自伝。ジョンレノンとすごした時のこと、うけたバッシング、作品について、男性優位社会についてアイロニーたっぷりに書くなど…！
色々勧めてくれる先パイ懐かしいなあ
りゅうたろう君パーティ抜けてきてよかったの？
先パイが一番おもしろいので！
わー！
ひえ〜
なんでそんなにしたわれてるんだろう
さよならパーティ

トラちゃんコメンタリー
マンガに出てきた用語解説
ヒマなときよんでね～!

"五美展"

正式名称は**東京五美術大学連合卒業・修了制作展**で「五美大展」と略すこともあります。教育効果と学生の制作意欲の向上を目的にし、多摩美術大学・女子美術大学・東京造形大学・日本大学芸術学部・武蔵野美術大学の合同で、それぞれの大学の卒業・修了制作展の後に開催しています。

五美大
タマビ
造形大
女子美
日大芸術学部
ムサビ
ちなみに作者はムサビ出身!

登竜門

辞書では「立身出世のための関門や、人生の岐路となるような大事な試験」という意味になるので、国家公務員総合職試験や司法試験などが該当しますが、近年は注目を集める公募賞やコンテストを「若手の登竜門」と呼ぶ時に使われます。「竜門」とは中国の黄河流域にある急流のことで、ここをさかのぼることができた鯉は竜になるという『**後漢書**』の故事に由来しています。

"略奪品を展示"

ヨーロッパの国が元々の所有国に文化財を返還しない理由として、かつては「現地には適切に保管できる施設がない」と主張していましたが、父さんのギター漫談の通り、何も略奪したとわかっているものを展示する必要はなく保管していればいいだけです。しかし近年は返還の議論も活発化しています。例えば、かつてギリシャ・パルテノン神殿に設置されていた彫刻群は19世紀初頭に国外流出していますが、そのうちヴァチカン美術館所蔵のものは「ローマ教皇からギリシャ正教会大主教に寄付」という名目で事実上の返還が決まっている他、大英博物館が所蔵している通称「**エルギン・マーブルズ**」も返還に向けた議論が進んでいると報道されています。

エルギン・マーブル
パルテノン神殿から奪られた彫刻コレクション!

オノ・ヨーコ

日本名は「小野洋子」でピアニストから銀行家に転身した父と、安田財閥の創始者の孫である母の長女として１９３３年に生まれています。アメリカ移住後の１９５０年代後半からニューヨークで前衛芸術家として活動をスタートし、**ジョージ・マチューナス**や**ヨーゼフ・ボイス**が参加していた前衛グループ・**フルクサス**のメンバーでもありました。この時期の作品としては、キャンバスの上に絵ではなく指示が書かれ、観る側に想像させる**《インストラクション・ペインティング》**が有名です。その後日本に帰国するも数年でニューヨークに戻り１９６４年から再びアーティストとして活発に活動します。この時期の作品としてはステージの上に座った自分の服を、観客が次々とはさみで切り裂き、切れ端を持っていく**《カット・ピース》**や、ロンドン移住後に制作した多くの人のお尻を写した映像作品**《ナンバー・４》**が有名です。ロンドンへの移住後、ヨーコの展覧会にやってきたビートルズの**ジョン・レノン**と親交を深め、お互いに家族を持っている身ながら関係し、1969年に結婚します。ジョンとは、結婚の話題性を利用した平和活動パフォーマンス**《ベッド・イン》**や「War Is Over! (If You Want it)」のメッセージを世界各国に掲示するなどの介入型アートや、**プラスティック・オノ・バンド**などの音楽活動を共にし、1975年にはふたりの息子ショーン・レノンが誕生しています。1980年にジョンが射殺された後も、アーティスト、ミュージシャンとして活動を続けています。

オノ・ヨーコ
「カットピース」
(1964)
きるのこわい…

プラスティック・オノ・バンド

ジョン・レノンとオノ・ヨーコが共に音楽活動をする際に使っていたバンド名で、ジョンとヨーコ以外のメンバーは毎回異なります。この名義で発表された作品としては、アルバム**『ジョンの魂』『Imagine』**、楽曲**「Power To The People」「Happy Xmas (War Is Over)」**が有名です。ジョンの死後ヨーコはこの名義での活動を停止していましたが、2008年にショーンと共に**ヨーコ・オノ・プラスティック・オノ・バンド**としての活動を再開し、それ以降の活動ではチボ・マットの**本田ゆか**、コーネリアスこと**小山田圭吾**が主要なメンバーとしてレコーディングやライブに参加しています。

シングルジャケット
HAPPY XMAS
(War Is Over)
JOHN & YOKO
THE PLASTIC ONO BAND
「HAPPY X MAS (War Is Over)」

オノ・ヨーコのハプニング

現在では一般的な用語で広まっている**ハプニング**という言葉ですが、アートシーンで使われる場合は偶発的なパフォーマンスやイベントのことを指します。ヨーコはハプニングの提唱者**アラン・カプロー**らと出会い、前衛美術に傾倒して**フルクサス**に参加します。1962年に一時帰国した際には、草月ホールにて「小野洋子作品発表会」を開催しました。これはフルクサスのハプニングを日本に紹介した初の公演となります。その後、前述した《カット・ピース》や《ベッド・イン》を行いました。ハプニングについては第42話でも詳しく解説します。

〝ゴジラ対ヘドラの若者〟

1971年に公開された映画**『ゴジラ対ヘドラ』**では、日本の**工業化**で社会問題になった公害から生まれた怪獣ヘドラがフィーチャーされています。劇中では、**ヒッピー文化**の影響を受けた若者たちが、ヘドラを生んだ公害に対する**「公害反対!! 100万人ゴーゴー」**というイベントを富士山麓で開催するも、蓋を開けてみると参加したのは100人程度と失敗に終わり、しかもその場にヘドラがやって来て若者たちは殺されてしまいます。ちなみにビートルズは1960年代のヒッピーから支持されたバンドのひとつでしたし、メンバーの側も瞑想に傾倒するなどヒッピーの影響を受けています。

ゴジラVS
ヘドラ
なかなかハードな内容だ…

作品解説コラム連載

おまけページ きゅうり画廊

もしもし

きゅうりのキューブリック

漫画でもちょっとだけ紹介した**オノ・ヨーコとジョン・レノンのプラスティック・オノ・バンド**のアルバムのひとつ**『Sometime In New York City』**を改めて紹介します。実はこのアルバム、そこまでめちゃくちゃ評価が高いわけではないのですが自分は大好きです。

ジョン・レノン作品で高校生のときに一番はじめに買ったのがこのアルバムでした。大体みんな**『ジョンの魂』**とか**『Imagine』**とかをまず買うのですが、なぜか自分はこれでした。ビートルズにかぶれてジョン・レノンのソロ作品も買ってみようと思い立ち、CD屋さんに行ったのですが、当時ネット環境はほぼ持っていなかったし、何も調べずに行ったので完全にジャケ買いでした。このジャケットを見て多分これを再生したらすごいことを歌ってそうだぞと思ったのですね。

で、買ってから気がつくんですけど、このアルバム**「Power To The People」**とか**「Starting Over」**などの超有名曲は入っていないんです。高校生の少ないお小遣いで買ったのでちょっとがっかりするんですが、歌詞カードと解説がついてたんで、読みながら再生して1発目の**「Woman Is The Nigger Of The World」**からビビり倒しました。こんな直接的な歌詞を歌ってたんだ……すげえ。知らないジョン・レノンでした。

2曲目はオノ・ヨーコのヴォーカル曲かあ……この人のこと、そんな知らないんだよなあ、と思って聴いた**「Sisters,O Sisters」**で、もう完全に世界に引き込まれました。解説を読みながら、時代背景含めて、かなりドキドキしながら全編聴いた記憶がある作品です。そこからなんですよね、オノ・ヨーコについて知ってみたいと思いだしたのは。

そのあと2011年の横浜トリエンナーレに画塾の先生に連れられ、田舎から夜行バスで見に行きました。そこで漫画でも少し触れたオノ・ヨーコの**《Telephone In Maze》**を見たのです。震災を受けてつくられた作品で、透明な迷路の真ん中に電話が置いてあって、たまにオノ・ヨーコから電話がかかってくる。運よく居合わせたら直接、話ができるというもの。迷路のような困難の中にいても歩き続ければ人との対話がある（かもしれない）という作品でした。

『Sometime In New York City』を聴いたあとに行った展示だったので、自分が行ったときに運よく電話がかかってこないものかと思ったのですが、かかってきませんでした。

でもよく考えてみたら、あのドキドキしながらCDを聴いた晩に、対話は叶っていたんじゃないかなという気もします。

漫画では紹介できなかったのですが、彼女の詩集の**『グレープフルーツ』**も紹介しておきます（日本だと**『グレープフルーツ・ジュース』**という名前でセレクト版が手に入ります）。これは、世紀の曲こと「Imagine」の詩の元ネタになった本です。

今まで、曲のクレジットは作詞・作曲ともにジョン・レノンだったのですが、2017年にやっと**「Imagine」**の共同制作者にオノ・ヨーコがクレジットされました。ジョン・レノンも生前、共作者として彼女をクレジットするべきだとインタビューで語っていたとか（調べるといろいろ出てきます）。

いろいろと言われがちな人ですが、オノ・ヨーコは紛れもなく、スター作家ですので、作品も調べてみると面白いですよ、というお話でした！

（第7話）

父さん、カリスマデザイナーになる

普段は画塾の先生をしているお父さん。今回はデザインの仕事を頼まれた様子。まちの美術展のポスターの仕事のようですが「色校？ トンボ？」とハテナがいっぱいです。

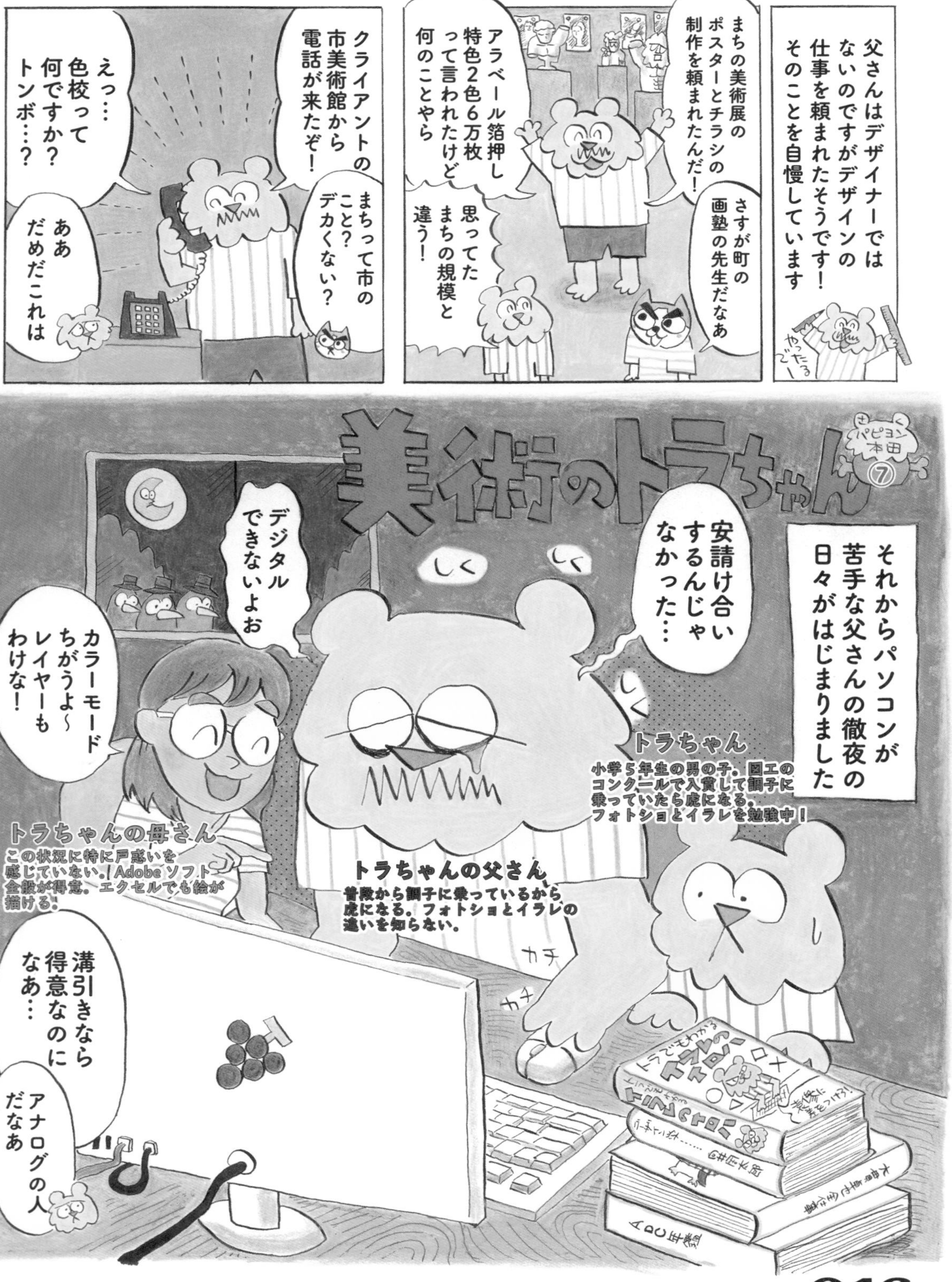

父さんはデザイナーではないのですがデザインの仕事を頼まれたそうです! そのことを自慢しています
やったるでー
まちの美術展のポスターとチラシの制作を頼まれたんだ!
さすが町の画塾の先生だなあ
アラベール箔押し特色2色6万枚って言われたけど何のことやら
思ってたまちの規模と違う!
クライアントの市美術館から電話が来たぞ!
まちって市のこと? デカくない?
えっ…色校って何ですか? トンボ…?
ああだめだこれは
美術のトラちゃん
パピヨン本田 ⑦
それからパソコンが苦手な父さんの徹夜の日々がはじまりました
安請け合いするんじゃなかった…
しく しく しく
デジタルできないよお
カラーモードちがうよ~ レイヤーもわけな!
トラちゃん
小学5年生の男の子。図工のコンクールで入賞して調子に乗っていたら虎になる。フォトショとイラレを勉強中!
トラちゃんの母さん
この状況に特に戸惑いを感じていない。Adobeソフト全般が得意。エクセルでも絵が描ける。
トラちゃんの父さん
普段から調子に乗っているから虎になる。フォトショとイラレの違いを知らない。
カチ カチ
溝引きなら得意なのになあ…
アナログの人だなあ

何とか仕事は完成した！
素人だったのに最後はうまくやるんだから大したものだよ
ピカー
Creative for all
調子に乗るのはやっ！
画塾
それにしても大変な仕事だった…溝引きとコラージュで何とかなると思ったんだけどなあ
先生からデザイン勉強するの不安だなあ
全然大丈夫！私がいるからね！
デザイン科卒の人
しょぼん
というわけで今日は先生が好きなグラフィックデザイナー福田繁雄さんを紹介します！
グラフィックデザイナー「日本のエッシャー」こと
福田繁雄（1932－2009）
「日本万国博公式ポスター」（1967）超有名な初期作品！これより前の作品もオシャレ！
大砲の砲弾が撃った大砲自身に向かって飛ぶ「VICTORY」というポスターはグラフィック作品の金字塔です
VICTORY 1945
いつか実物をみてください…！
「VICTORY 1945」（1975）ポーランド戦勝30周年記念国際ポスターコンペ最高賞。計算された色、構図、メッセージ
ユーモアたっぷり世界中の誰でもわかるポスターやトリック・アートを作ったグラフィック界のトップランナーでした
「フクダのヴィナス」（1984）ミロのヴィーナスの胸像の上に有名人の顔をペイントしたシリーズ！
立体！
種類が色々あります しらべてね
「自己防衛」（1974）ピサの斜塔がくずれないようにするアイデアポスター。笑えます！
かっこいいポスターだなあ…まさに天に向かって唾を吐く
いい例えだね！ぼくも昔イライラしてそれやったら顔に唾かかったよ！人って愚かだよね！
当時
うわぁぁ
若い父さん
父さん本当に愚かだなあ…
この「NO MORE」というポスターも有名！手作業で作られてるよ！今ならパソコンで作るだろうねえ
パソコンでやればよかったのに！
「NO MORE」（1968）国際反戦ポスターコンペに出品。とおくからみるとガイコツ。近くで見ると1268発の爆弾。3.5cmの切った紙製の爆弾を2日間手作業で並べたそう…！
当時はないからね
その後
父さんのデザインが賞を取ったぞ！
スマホ画面
NEWS
まちの画塾の先生が快挙ー！デザイン賞！
有名作家もお祝い
さすがっす天才です！
へい天才！うちの画塾にデザイン科志望が殺到してるよ
オレって天才では…？
スゲー
ビギナーズラック…

トラちゃんコメンタリー
マンガに出てきた用語解説
ヒマなときよんでね〜!

お父さんが知らなかったデザイン用語

デザインを安請け合いしたトラちゃんのお父さんにいろんな専門用語が伝えられます。**アラベール**とは紙の種類の名前です。柔らかい風合いと優しい手触り、ナチュラルな印刷が特徴で、案内状によく使われる紙です。**箔押し**とは印刷の方法で、金型をつくって紙に箔を圧着させるやり方のこと。**特色**は印刷時の特定色のインクのことです。通常の印刷では、家庭用のプリンターと同じ様にシアン、マゼンタ、イエロー、ブラック（**CMYK**）の4種類のインクを混ぜ合わせて様々な色を表現しますが、特色はあらかじめ調合された色のインクのことで、CMYKでは表現しきれない微細な色合いを再現できます。なので今回の市美術館からの依頼は、「多色刷りの版画」と捉え直せば父さんにとっても馴染みのある制作かもしれません。**色校**は、納品になる印刷物を刷りはじめる前にデザイナーやクライアントが色合いを確認するための、少部数の印刷物のこと。**トンボ**は印刷物を成型するためにカットする場所を指定する線のことで、印刷物の枠外に描かれます。**カラーモード**、**レイヤー**は、Adobe Illustrator などのデザインソフトの機能です。カラーモードには主にデジタルデータをつくるために使う**RGB**（レッド、グリーン、ブルー）と、印刷物をつくるために使うCMYKがあります。レイヤーとは文字、図形や画像といったオブジェクト同士の構造のことです。例えばいくつかの図形を組み合わせて「顔のイラスト」をつくった時、「顔」というレイヤーの下に「目」というレイヤーをつくり、その中に「白目」「黒目」「まつげ」といった図形を置く、といった構造をつくることで、自分が後で見返した時や、他の人が編集する時に楽になります。

溝引き

筆で直線を書く方法で、筆と専用の棒をお箸のように持ち、専用の溝のついた定規の溝に棒を当てて書きます。もちろんデジタルで描く時には全く使わないテクニックです。

お父さんのデザイン参考書

お父さんが机に積んでいる参考書の著者のひとり、**向井周太郎**は1932年生まれのデザイナーで、デザイン教育者です。ウルム造形大学、ついでハノーヴァー大学のインダストリアル・デザイン研究所に勤めた後、1967年に武蔵野美術大学の基礎デザイン学科設立の中心人物になり、基礎デザイン学会の会長も務めています。お父さんの机の上にあるのは著書の『**デザイン学—思索のコンステレーション**』。もうひとつの本の**大貫卓也**についてはきゅうり画廊で取り上げています。**ADC年鑑**は、1952年に設立されたアートディレクター団体・東京アートディレクターズクラブが発行している、その年の優秀なグラフィックデザインを収録した年鑑で、現在は『**日本のアートディレクション**』が正式な名称です。

ADC年鑑!
ADC
めちゃくちゃぶあつい本!

"Creative for all"

アメリカのAdobe社のコンセプトで、日本語にすると**「全ての人につくる力を」**となります。Adobe社はPDFの生みの親であり、またデザインソフトのIllustrator、画像編集ソフトのPhotoshop、DTPソフトのInDesign、動画編集ソフトのPremiere Proといったコンテンツ制作のデファクトスタンダードになっているアプリケーションを開発・販売しています。コンテンツの制作自体は他のアプリケーションを使っても可能ですが、クライアントや印刷所などとのデータのやりとりをする際に互換性の問題で必須になるので、Adobeのライセンスがないとコンテンツ制作は仕事になりません。

コラージュ

新聞や雑誌、写真などを画面上に貼りつける技法で、**ジョルジュ・ブラック**や**パブロ・ピカソ**が**キュビズム**の一環として**パピエ・コレ**をはじめたと言われています。パピエ・コレはフランス語で「貼りつけられた紙」を意味し、はじめは二次元の概念でしたが、次第に立体作品へと範囲が拡大していきました。現在ではデジタルでデザインする時にも使える技法となっています。

紙を切ってはって新しい作品に…
ペタペタ
チョキチョキ

福田繁雄

1932年生まれ・東京出身のグラフィックデザイナーで、当初は会社員として広告部に所属していましたが1958年からはフリーのデザイナーとして活動していました。1970年**大阪万博**の公式ポスターのデザインや**迷子のピクトグラム**で脚光を浴び、ポーランド戦勝30周年記念国際ポスターコンペの最高賞を獲得した**《VICTORY》**で世界的な名声を得ました。**《VICTORY》**については、「爆撃機が爆弾を落としているスケッチをたまたまさかさまに見て、爆撃機の中に爆弾が入っていくように見えた」ところから着想したと語っています。漫画内で紹介した作品の他に、切手や国旗シールでつくられたモナ・リザ像**《JAPON-JOCONDE 1989》**や、エッシャーのだまし絵を立体化した**《消えた柱》**などのトリック・アート的な作品も有名で、**「日本のエッシャー」**とも呼ばれました。1970年代からは東京藝術大学美術学部デザイン科でも教えています。晩年には日本グラフィックデザイン協会の会長も務め、2009年に亡くなっています。

福田繁雄
「消えた柱」(1984)

《自己防衛》

地盤沈下でピサの斜塔の傾きが大きくなっていることにイタリア政府が困っていたことを知って制作したアイデアポスターです。2つの斜塔が「人」の字のように支え合うものや、画面いっぱいに塔を並べるもの、だるま落としのように横分割して並べ直すもの、途中で傾きを逆転させたものや、近代的なビルで両脇を支えるものなど、平面だから可能なユーモアが描かれています。

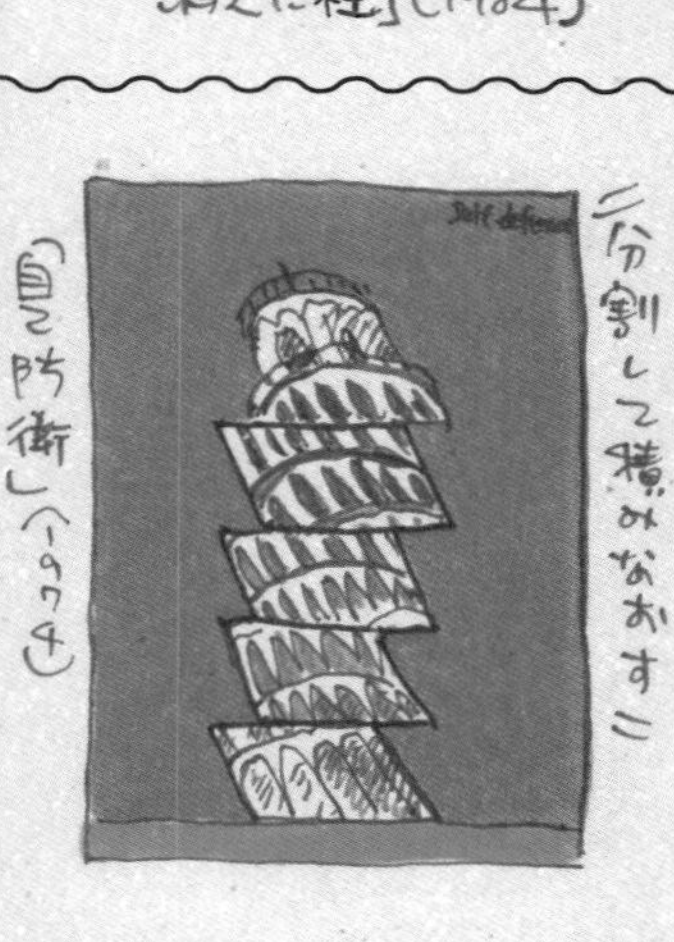
Self defense
分割して積みなおすこ
「自己防衛」(1974)

作品解説コラム連載

おまけページ きゅうり画廊

愛！

きゅうりのキューブリック

福田繁雄は1970年の大阪万博のポスターをつくったと漫画に描きました。というわけで今回のきゅうり画廊は別の万博からひとつ。

２０２５年に開催する大阪万博のロゴデザインが公募で決まったというニュースを見たとき、そういえば自分が唯一行ったことのある２００５年の万博、**愛・地球博**はどんなデザインだったかと調べてみたら、めちゃくちゃすごかった。文字のロゴでなく、シンボルマークにとても感動したのですが、**大貫卓也**というグラフィックデザイン界ではスターの方のデザインでした。としまえんの広告の「史上最低の遊園地」とか「プール冷えてます」とか、日清の「hungry?」とか、「ペプシマン」を手掛けたのもこの人ですね。他にもとにかくすごい仕事がたくさん！

そこからデザインに興味を持って、**ADC年鑑**のバックナンバーをパラパラリと見たのですが、２０１８年のグランプリが大貫卓也の全仕事作品集『**Advertising is**』でした。欲しくなりました。けど、もうプレミアがついていて、中古で8万の値がついていました。買えない……。すっごいカッコ良いし欲しいなーと思っていたら、新装版となって２０２２年に再販となったそうです。わーい！

そして、話を愛・地球博のシンボルマークに戻します。あのときは環境問題が大きなテーマだったけど、このマークは地球的なものにも、太陽的なものにも、循環するものにも見えるし、俗っぽく見ようと思えばリサイクルマーク的なものにも見えるけど、全然俗っぽくない。本人いわく単なるマークでなく、ポインター的な役割を持たせたとか。

もう愛・地球博で言いたいことの全部みたいなロゴで、ものすごい感動しました。全部じゃん。こんなシンプルなマークのデザインなのに全部じゃん。すっげえなあ。すっげえなあ。まさに象徴！

愛・地球博は実家が近くなのもあって、家族で行きましたけど、当時は小学生だし、モリゾーとキッコロと冷凍マンモスのことしか頭になかったので、当時はシンボルマークなんて目もくれませんでした。

美術もデザインもネットから炎上するようなことが増え、そういうのを見るたびに、美術好きとして傷つくようなこともありますが、こういうすごい作品で感動できたとき、改めてこの道に進んで良かったなと思います。

有名無名関係なく、すごい作品を見るとそう思いますが、トップランナーはずっとそう思わせていてくれと思ったりします。

（第8話）

ピカソに憧れる父さんの「ブルーピリオド」

お父さんの青春時代は、藝大入学を目指す苦学生でした。憧れのピカソにも苦労した時代があり、そのときの画風から「不安を抱える青春時代」のことを「ブルーピリオド」というようです。今回はトラちゃん両親のブルーピリオドも明かされました。

父さん ブルーピリオドのアニメがやってるよ
いいよ 父さんは藝大行けなかったし…
なんかごめん…
父さんの受験時代のこともおしえてよ！
どうして美術の道に進んだの？
ピカソの絵をみた瞬間に画家になろうと思いました
ブルーピリオドの主人公と真逆の発想…
美術っトラちゃん
さく パピヨン本田
8
むかしむかし美術予備校
受験のためにデッサンにはげむ若い父さんだよ！
わかーい
若い父さん
先パイ！これおわったら遊びにいきましょうよ！
若いりゅうたろう君
そんなヒマはない ピカソは一生で15万作品作ったんだ… 俺もこれがおわったら一人で制作だ…
先パイかっけえ～～ やべえ～好き…
あれ…？別人だよ！父さんがこんなにストイックなはずがない
昔はこうだったのよ この人
トラちゃんの父さん
画家。調子に乗ってたら虎になった。ちっとも人に戻れる気配がない。
トラちゃん
小学5年生。図工の賞をとって調子に乗ってたら虎になった。今朝ちょっと人間に戻っていた。
トラちゃんの母さん
この状況に特に戸惑いがない。ちょっと虎になってみたい。

※美術手帖「ピカソによる女性の扱いに抗議。スペインの美術教授らがピカソ美術館でサイレントデモ」
https://bijutsutecho.com/magazine/news/headline/24165
より

トラちゃんコメンタリー
マンガに出てきた用語解説
ヒマなときよんでね！

11月3日　まんがの日

11月3日は、日本漫画家協会などが中心になって制定した**「まんがの日」**です。11月3日は文化の日であり、かつ手塚治虫の誕生日でもあることがきっかけになっています。実はほかにも、手塚治虫の命日である2月9日、イギリスの風刺漫画誌『パンチ』の創刊日である7月17日が「まんが（漫画）の日」になっています。

『ブルーピリオド』

2017年から月刊アフタヌーンで連載されている、**山口つばさ**作の美術漫画で、ヤンキーの高校生が東京藝術大学を目指す姿や、入学した後の葛藤や成長が描かれています。『ブルーピリオド』というタイトルは、ピカソが青年期陰鬱な絵を描いていた時期を指す**「青の時代」**からとられています。作者の山口さんも東京藝術大学出身で、美大予備校や美大での生活が実体験を生かしてリアルに描写されています。2021年にアニメ化し、TBS系列などで放映され、Netflixでも観ることができます。2022年には展覧会が開催され、作中で登場人物が描いた絵画の原寸大の実物が展示されたほか、来場者がデッサンを体験できるコーナーや、現在活躍しているアーティストが予備校時代に描いた作品が展示されるコーナーが設置されました。

ちなみに「ピカソの絵をみた瞬間に画家になろうと思いました」といったお父さんに対し、トラちゃんが「真逆の発想」と言ったのは、『ブルーピリオド』の主人公が第1話冒頭で「ピカソの絵の良さがわかんないから それが一番スゴイとされる美術のことは理解できない」と言っているからですね。

ぼくも藝大行きたーい！
父さんは落ちた…

パブロ・ピカソ

言わずと知れた20世紀最大の芸術家パブロ・ピカソは、地中海に面したスペインの港町マラガで1881年に生まれました。幼少期から絵画教師の父親から絵の手ほどきを受け、美術学校に入学し頭角を現します。1900年からはパリとバルセロナを行き来し、1904年以降はパリを拠点にします。イベリア彫刻、アフリカ彫刻の影響から生まれた1907年の**《アヴィニョンの娘たち》**は**キュビズム**の先駆けになりました。第一次世界大戦後は、イタリア旅行や結婚を機に**写実主義・古典主義的**な作風を強め、この時期にはロシア・バレエ団の舞台装置や衣装も担当しています。結婚生活の破綻や**シュルレアリスム**からの影響から破壊的な**表現主義**作品を描くようになり、1937年には、スペイン

ピカソの「ゲルニカ」！(1937)
縦349cm×横777cm

内戦に参加したドイツによる爆撃の惨禍を描いた**《ゲルニカ》**をパリで開催された万国博覧会に出展します。第二次世界大戦後は南フランスを拠点に陶芸や彫刻、版画を含めて旺盛な制作活動を展開し、1973年に南フランスのムージャンで亡くなりました。

キュビズム

キュビズムは「立体派」とも呼ばれる、20世紀を代表する芸術運動です。伝統的な写実主義に対して、キュビズムに先行する**フォービズム**では「色彩」を解放しましたが、キュビズムでは対象を幾何学的に還元して描くことで「形態」を解放しました。キュビズムは、自然を幾何学的形態として捉えようとした**セザンヌ**や、黒人彫刻の影響で**ジョルジュ・ブラック**や**パブロ・ピカソ**が開始し、彼らの作品に刺激を受けたアーティストに広がって、1911年のアンデパンダン展を契機に社会的にも知られるようになりました。対象を細分化して構築する様式を**「分析的キュビズム」**と呼び、さらに**ファン・グリス**らが、キュビズムによって細分化された要素で現実を再構成する**「総合的キュビズム」**へと発展させ、文字やコラージュが導入されました。

ジョルジュ・ブラック
《Violin and Sheet Music: "Petit Oiseau"》(1913)

〝ピカソは一生で15万作品作ったんだ〟

ピカソは1973年に91歳で亡くなるまでに、1万3500点の油彩画とデッサン、10万点の木版画やエッチング、3万4000点の挿絵、300点の彫刻や陶器を制作したと言われています。ちなみにピカソの生まれてから死ぬまでの日数を数えると約3万3400日ですから、単純に計算しても1日に4〜5点、木版画・エッチングを除いても2日に3点は作品をつくっていたことになります。

ドラ・マール

ピカソの**《泣く女》**のモデルとしても知られている写真家・画家で、1907年にフランスで生まれ、アルゼンチンで幼少期を過ごしました。思春期以降はフランスで学び、反ファシズムの政治運動やシュルレアリスムに関わりながら写真家として活動していました。1936年にピカソと出会い愛人として関係します。その時期に画家としても作品を発表しはじめますが、うつ病を発症し、1946年頃には作品の発表をやめてしまいます。しかし作品はつくり続け、晩年はカメラを用いずに印画紙の上に直接物を置くなどして感光させるフォトグラムの作品の制作に取り組み、1997年に亡くなりました。

ピカソ美術館のサイレントデモ

2021年5月に、バルセロナの美術学校エスコーラ・マッサーナで教えている、アーティストでフェミニストの**マリア・ロピス**が学生たちとおこなったデモで、美術館側もデモを静観し、館長から「美術館で人々が自分自身を表現することは素晴らしいことです。それは議論が行われるべき場所なのです」というコメントが出ています。ピカソに関しては、2018年にもアーティストの**エマ・サルコヴィッチ**がMoMAで、**ミシェル・ハートニー**がメトロポリタン美術館でそれぞれ抗議運動をしています。

メッセージが書かれたシャツを着て美術館に!
PICASSO BARBA AZUL
PICASSO LA SOMBRA DE DORA MAAR
←「ピカソ、ドラマールの影」

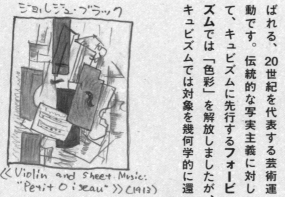

作品解説コラム連載

おまけページ きゅうりズム画廊

キュウリズム

きゅうりのキューブリック

漫画でも紹介した**ドラ・マール**について取り上げてみます。今回のイラストは彼女の**フォトモンタージュ**作品です。

ドラは商業写真家としてハイセンスな作品を多く残しますが、芸術家としてのフォトモンタージュ作品が特に有名です。

フォトモンタージュというのは写真をコラージュしたり、二重露光で写真を合成したりするグラフィックデザインの手法です。今だとフォトショップでやるやつですね。視覚的なわかりやすさから、フォトモンタージュは**プロパガンダ**目的でよく使われていたのですが、**シュルレアリスム**を追求した彼女の作品は同時代の他のフォトモンタージュ作品と比べて、解釈をこちらに委ねるような、芸術性が高いものでした。最先端の広告写真を撮っていたこともあって、モダンで垢抜けたビジュアルのかっこ良さが目を惹きます。

ちなみに**ピカソ**が**《ゲルニカ》**という大作を制作していたときはずっと彼に密着して撮影し続けました。

ドラは当時、ピカソの陰に隠れて注目されづらかったそうですが、多方面にかなり才能があった人物でした。思想家でもあったし、絵画作品も多く残しました。

特に最近は再評価の動きが活発で、2019年にはパリのポンピドゥー・センター（ここで展示される作家は確実に歴史に残るってくらいすごい美術館）で彼女の特別展が開催されて大盛況でした。作家としての知名度が、勢いをつけて広まっています。日本だとまだ彼女の認知度は低く、ピカソが描いた**《ドラ・マールの肖像》**が知られているくらいです。ピカソ関連の本でもピカソのミューズ扱いで終わりのものが大体ですので、彼女を扱った企画展が日本であれば観に行きたいなー、日本語で書いてある図録とかあればいいなーと思います。

彼女の人生についてとピカソとの関係については、漫画で突っ込んで描かなかったのですが、興味のある方はぜひ調べてみてください。強すぎる才能って本当に人を狂わせるんだなと本気で思います。『ブルーピリオド』の主人公はいいやつでよかった。

（第9話）

銃を撃って作品をつくりたい！

作家としても活動しているトラちゃんのお父さんは、後輩のりゅうたろう君の推薦により、海外で展示をすることになりました。残された画塾のメンバーで、新しい美術作品のアイデアを話し合いますが、なかなか人と違うことは思いつかないようです。

りゅうたろう君が推薦したこともあって父さんの展示が決まりました。大きな展示なのでしばらく滞在制作に行きます!
そろそろ売れたい
グループ展とはいえ大きな展示だからがんばってくるよ
おみやげ買ってくるからね〜
レジデンス〜〜
ぼくの背中で行くから交通費タダです!
いってらっしゃーい
便利だなあ
画塾
トラの先生は展示の仕事でお休みです
さすが先生すごいなあ!
海外だったの!?
パスポート忘れてたっ!
バリーン
美術のトラちゃん
パピヨン本田 ⑨
フランスの美術の名所ポンピドゥー・センター
ズーム通話
きました〜フランスの展示大変ですけど先パイと頑張ります!
オエ〜りゅうたろう君マッハ5で飛ぶから…
すげえ!ウルトラマンと同じ速度だ!
フランスまで行ってるんだ…
トラちゃんの父さん 普段から調子に乗ってたら虎になってしまった。
りゅうたろう君 めちゃくちゃ売れてる若手作家。登竜門を突破して竜になる。
トメ吉くん 中学2年生。反抗期なので猫になる。トラちゃん家の経営する画塾の生徒。
トラちゃんの母さん この状況に特に戸惑いがない。
トラちゃん 小学5年生。図工の賞をとっていい気になってたら虎になってしまった。

オレも海外行ってみたいなあ
海外行ったら何してみたい？
本物の銃撃ってみたい！
中学2年生だなあ
キャンバスを銃で撃つ作品とかつくったら新しいと思うんだ！
パーン
ブラボー ブラボー
パーン
パーン
トメ吉さんかっこいいー
それもうやった人いるよ！ニキ・ド・サンファル！
くっそー美術家の人らはなんでもやりすぎだよ！
スキマ産業だなあ
というわけで今日はニキ・ド・サンファルを紹介します！元々はモデルをしてて美術はやってませんでした
フランスの作家 絵画・彫刻 映像もつくる！
ニキ・ド・サンファル (1930−2002)
学校では演劇を学ぶ。ファッションモデルもしてた
精神疾患の治療の為に始めたアートセラピーがきっかけで有名な射撃絵画をあみ出します！
「射撃絵画」 パーン (1961〜)
絵の具をつめた袋や石こうをキャンバスにはりつけて銃で撃つ。彼女がうけてきた暴力を表す。
彫刻！
ニキといえばコレ！
「ナナ」シリーズ (1965〜)
今までの彫刻ではなかった女性がつくる新しい女性像！
射撃絵画は大注目されますがすぐやめました！その後つくる彫刻「ナナ」シリーズが彼女の代表作になります！日本にもニキの彫刻はたくさんありますよ！
日本のニキの野外彫刻
ベネッセの「蛇の樹」
すわれるよ
ファーレ立川の「会話」
野外彫刻といえば裸婦像が多い日本にニキの彫刻は新しかった…
「タロットガーデン」イタリアにあるニキが20年以上死ぬまでつくった彫刻公園。
しらべてみてね！
うーんどの作品も新しいだけじゃなくて芯があるな…自分にもできるかどうか
昔、母さんがやりたいままやった岩船山ナパーム絵画
ドカーン
まずはやりたいままに好きにやってみよう！
母さんはやりすぎだよ
今は人と違うことは思いつかないかもしれないけど続けたらきっと大丈夫
自分だけの作品をめざしてたくさん頑張ろう！トラの先生も数だけはうってたから！
オレも自分だけのセンスめざして数うつよ！そんで銃も撃つよ！
銃はあきらめてないんだ…
帰ってきた父さん
いやー展示は大成功！はいおみやげ
評論家も先パイのことセンス抜群だって！
おみやげ フランスの甲冑
わー
おみやげのセンスがわるい…

トトラちゃんコメンタリー
マンガに出てきた用語解説
ヒマなときよんでねー!

〝レジデンス〟

アーティストが普段と違う土地に滞在し、作品の制作やリサーチをすることは昔からありましたが、最近はアート振興組織や現地のアーティストが滞在制作を支援する制度・仕組みを設けていることが増えています。そういった制度や、制度を利用した滞在制作のことを**アーティスト・イン・レジデンス**と呼びます。現地で開催されるアートフェスティバルなどの形で、作品発表の機会とセットになっていることもあります。絵画・造形だけでなく、パフォーミング・アーツや演劇、ダンスの制作が対象になることもあります。現代のアーティスト・イン・レジデンスのはしりとして、1974年に創設されたドイツの**クンストラーハウス・ベタニエン**が知られています。日本でも様々な事業が運営されており、国際交流基金が設立し現在は京都芸術センターが運営しているウェブサイト「AIR_J」などで調べることができます。アーティスト本人にとっては新たな見聞・経験やインスピレーション、人脈や発表の場を得る機会になり、現地の人たちにとっても、地域振興や外部の視点を経由して自分たちの土地を捉え直したり、普段とは違う刺激を得たりする機会になっています。

ポンピドゥー・センター

現代アートの擁護者だった**ジョルジュ・ポンピドゥー**大統領が発案し、1977年に開館したパリの複合文化センターです。建物は**レンゾ・ピアノ**、**リチャード・ロジャース**などが設計していて、国立近代美術館、公共情報図書館、映画館やギャラリー、多目的ホールなどの施設で構成されています。**パレ・ド・トーキョー**から移転してきた国立近代美術館は18世紀からの歴史があるリュクサンブール美術館のコレクションを源流とし、1905年以降の作品10万点以上を所蔵しているヨーロッパ最大級の近現代アートのコレクションになっています。

ニキ・ド・サンファル

1930年生まれのフランスのアーティストで、幼少期にニューヨークに移住し、青年期にはモデルとして活躍していましたが、1952年にフランスに帰り、1953年に神経衰弱の回復のために絵画を描いたことからアーティストを志しました。1961年に**射撃絵画**を発表したことで注目されるようになり、後の夫でスイス出身のアーティストである**ジャン・ティンゲリー**と共に**ヌーヴォー・レアリスム**運動に参加します。1963年からは**《花嫁》**シリーズなど女性をテーマにした彫刻作品を発表し、1965年には友人の妊娠をきっかけに制作した、多彩に着色した豊満なポリエステルの女性像**《ナナ》**シリーズの発表をはじめます。1970年代からはタロットカードをモチーフにした彫刻庭園**《タロット・ガーデン》**の制作を進め、1998年にイタリア・トスカーナに開園したガーデンには現在でも訪れることができます。1982年には夫のティンゲリーと共作で、ポンピドゥー・センターに隣接したストラヴィンスキー

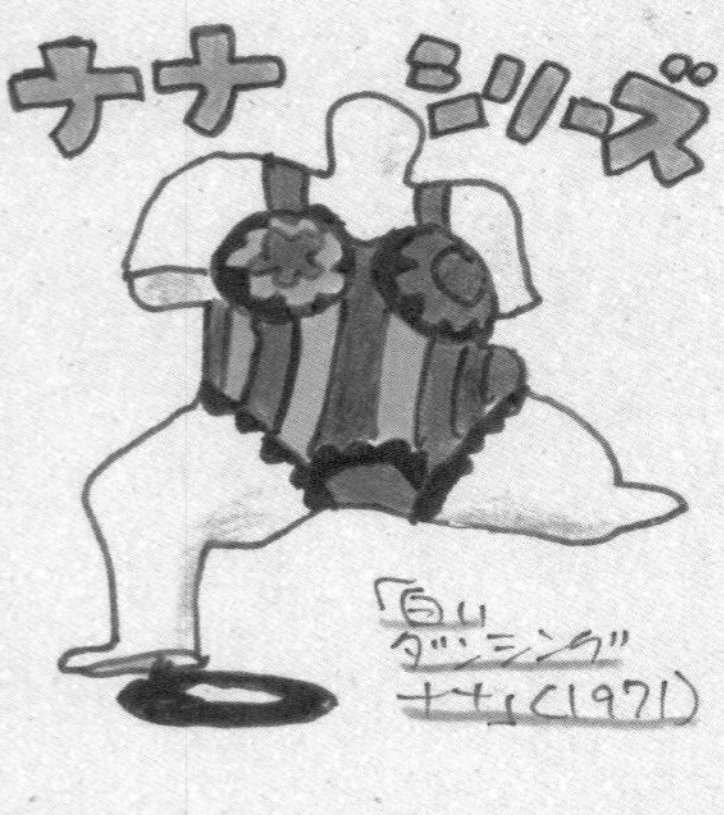
ナナ シリーズ
「白いダンシングナナ」(1971)

広場に噴水のオブジェ**《自動人形の噴水》**を制作しています。2002年にアメリカ・サンディエゴで亡くなりました。日本では、ニキと親交があったコレクターの**YOKO増田静江**が1994年栃木県那須町にニキ美術館を創立し、多くの作品が展示されていましたが、2011年に閉館になっています。

射撃絵画

ニキ・ド・サンファルが1961年に発表した作品形式で、絵具を入れた缶や袋を石膏で画面に貼りつけ、銃で撃つことで絵具を飛び散らせて制作するという、絵画と彫刻、パフォーマンス・アートの要素を持った作品です。射撃絵画は彼女の代名詞のひとつになった作品ですが、ニキ自身はその射撃絵画の制作を2年ほどでやめています。

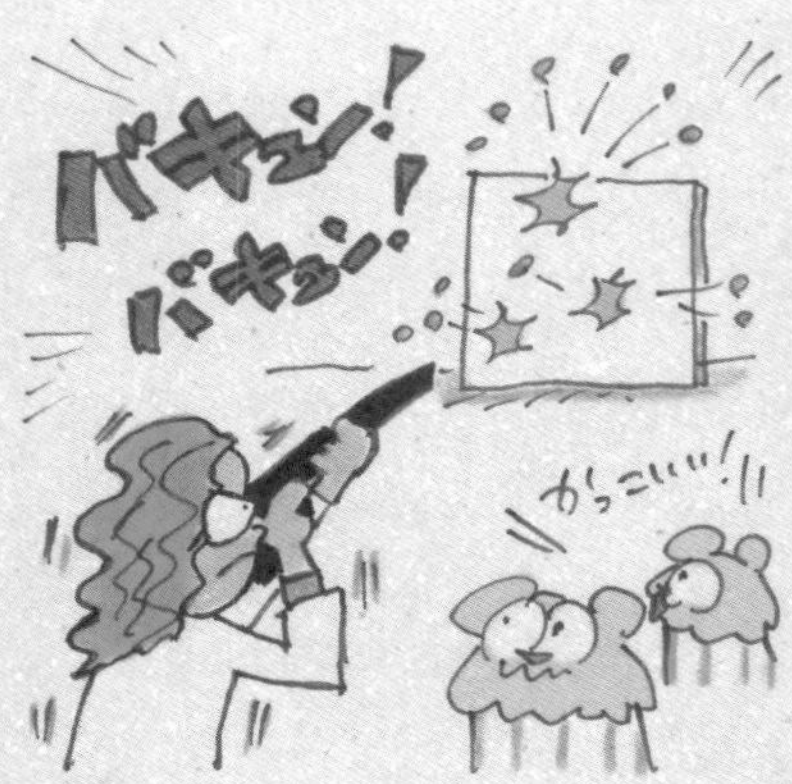
バキューン!
バキューン!
かっこいい!!

日本にあるニキの野外彫刻

今回の扉絵でトラちゃんが乗っているのは、ファーレ立川で観られるニキ作の**《会話》**という野外彫刻です。知らないと「ちょっと変わったベンチ」くらいの雰囲気で街に馴染んでおり普通に座れます。漫画で紹介した**《蛇の樹》**が展示されている東京都多摩市のベネッセコーポレーション本部前には、同じくニキ作の**《恋する大鳥》**も展示されています。箱根・彫刻の森美術館では《ナナ》シリーズの一作**《ミス・ブラック・パワー》**、鹿児島県の霧島アートの森では屋内に**《青色のドーン》**、香川県のベネッセハウスミュージアムでは**《会話》《らくだ》《象》《猫》《腰掛》**、福岡県の福岡 PayPay ドーム隣の地行中央公園では**《大きな愛の鳥》**、三重県総合文化センターにはきゅうり画廊に書いた通り**《La Grande Temperance》**が展示されています。

「恋する大鳥」(1974)

「青色のドーン」(1995)

「猫」(1991)

岩船山

岩船山は、栃木県栃木市にある標高172mの山で、採掘場の跡地になっています。**爆破シーン**の撮影ができることから、スーパー戦隊シリーズなどの特撮ヒーローものや刑事ドラマ、時代劇のロケ地として使われたことで有名です。最近は観光客向けに**ナパーム爆破**などを体験できるツアーも企画されています。ニキの射撃絵画はキャンバスを銃で撃っても穴があくだけですが、トラちゃんのお母さんがやった「ナパーム絵画」は、キャンバスが爆破されたあと一体何が残ったのでしょうか。ちなみに岩船山には死者の霊の集まる場所とされてきた歴史もあり、実は心霊スポットとしても有名です。

ドカーン

作品解説コラム連載

おまけページ きゅうり画廊

ニキ！

きゅうりのキューブリック

三重県総合文化センターの図書館前にそれはそれはでかい《**ナナ**》シリーズの像が野外設置されてます。

このイラストは《**La Grande Temperance**》という作品で、自分が生まれて初めて見た彫刻です。このあたりに住んでいたのもあって、乳児のときにはもう見ていた気がします。学校行事や図書館を使いに文化センターへ行くたびに目にしていたので、見た回数はかなりのものです。

かつて公共の野外彫刻といえば、裸婦像で自由や平和を表現することがポピュラーでした。そんな時代に裸婦ではない新しい女性像の造形で自由や解放を表現した**ニキ・ド・サンファル**の彫刻が、自分の生まれる前から地元にずっとあるというのは誇らしいです。誇らしいので紹介しました。

でも、この像が地元にあることがいいなと思えたのは、ニキについて調べだした大学生くらいのときのことです。像は自分が小さい頃から何も変わっていないのに、見る自分の意識が変わるだけで、こんなに感動できるのかとそのときビビりました。

ずっとなんとなく見続けていたものが、全く別のものに見えたのです。差別と戦い、無理解と戦いを繰り返してきたニキの意思を受け継いでこの作品を設置したのだな、とか思えて。

漫画では東京で見られるベネッセの《**蛇の樹**》やファーレ立川の《**会話**》を紹介しましたが、よければ三重県総合文化センターも近くに立ち寄ったら見てもらえると嬉しいです。近場には三重県立美術館とリニューアルした博物館があります。

最寄り駅は津駅なんですが、観光だと大体みなさん伊勢とかに行くんで、立ち寄らないかもしれませんが……。

漫画の1ページ目で出したフランスのポンピドゥー・センターのすぐ隣には、ニキが夫の彫刻家のティンゲリーとつくった噴水広場があります。トラちゃんのお父さんとりゅうたろう君も見に行ったのでしょうね。ちなみにお父さんたちが展示をしたのはポンピドゥー・センターではないですよ（そうだとしたらすごすぎる……）。

（第10話）

どうすれば作品は評価される？

鍋パーティを開いたトラちゃんたち。どうやらお父さんはうっぷんが溜まりまくっている様子です。売れたいのに売れなかったり、妥協したくなかったり、評論家に酷評されたり……。焦るお父さんを横目に、今回は美術評論家を紹介します。

キャラ紹介

トラちゃん
小学５年生の男の子。図工の賞をとって調子に乗っていたら虎になる。欲しいクリスマスプレゼントはスイッチのソフト。

トラちゃんの父さん
普段から調子に乗っているから虎になる。欲しいクリスマスプレゼントはやる気スイッチ。

トラちゃんの母さん
この状況に特に戸惑いを感じていない。意外とクリスマスデートとかしたい。

りゅうたろうくん
めちゃくちゃ売れてる若手作家。登竜門を突破して龍になる。トラちゃんの父さんにクリスマスプレゼントをもう買っています。

トメ吉くん
中学２年生。トラちゃん一家の経営する画塾の生徒。反抗期なので猫になる。革ジャンとサングラスが欲しい。

途中の記憶ないけど昨日のパーティ楽しかったなあ！これからものんびりやっていこうな！
先輩の前の個展のレビューがネットに載ってるらしいです！
やったあ！どれどれ
ガオオオオ
くたばれ評論家!!
時とともに焦りが露骨になってる…
見る目のない評論家ばっかりだどうやったら評価されるのか
トラ先生が絶対グランプリを取る岡本ラ太郎賞《おかもトラたろうしょう》をつくるなんてどうかな？
時代を創造する者は誰か―俺だ！
絶対俺が勝ちます
岡本ラ太郎賞《おかもトラたろうしょう》
賞金200万（自費）
それだっ！
プライドないのだろうか
というわけで今日は20世紀後半に一番影響力のあった評論家クレメント・グリーンバーグについてです
いよいよ評論家紹介しちゃったよ…
理解されづらい当時の抽象画を有名にした！
アメリカの美術評論家
ポロックすげえ
クレメント・グリーンバーグ 1909−1994
ポロック えーい！ びちゃ
絵の具をしたたらせがいたポロック！彼をスターにしました。
画家のポロックが有名になったのは彼の力が大きい当時のアメリカの抽象絵画を説明する手立てを作って押し上げた人です
一番有名な評論は「アバンギャルドとキッチュ」当時の美術を彼の推す難解で新しいアバンギャルド（前衛）と大衆に迎合したキッチュ（後衛）に分けた！
ぼくキッチュでポップな作品好きだけどなあ
彼は絵画でしかできないことを追求したモダニズム絵画は「平面性」に向かうと書いた。
（とにかく空間のない絵？）
デ・クーニング
ハンス・ホフマン
ポロック
当時の抽象表現絵画が何を目指したか、読めば入門になるかもしれません…！
グリーンバーグの批評を否定するがごとくその後、ポップアートはふえ続ける…！
ウォーホル
リキテンスタイン
ポップアート 大衆文化をモチーフにした超具象的な作品！
ポップ＆キッチュ！
クーンズ
現代でも人気 わかりやすい！
今はキッチュをモチーフにした表現の方が王道かもしれないね！美術作品も美術批評も評価は時代とともに変わるのさ！
なるほどなー
だから岡本ラ太郎賞《おかもトラたろうしょう》で新しい時代を開く作家を出すんだ！
それは父さんが勝つだけだろ
グリーンバーグについての本を読むのもいいけど映画「ポロック」を見るのも彼について知る一つかもしれません
エド・ハリス監督・主演「ポロック」（2000）画家・ポロックと妻のリー・クラズナーの半生を描いた伝記映画
グリーンバーグ
ポロック
ポロックのことを気にして何回も彼のアトリエに足を運ぶグリーンバーグが出てきます
ポロックの最初の個展はおもしろくないと言うけど気にして何回もアトリエに行く。病むポロックを心配したり、ポロック夫婦のケンカにまきこまれて所在なさげなグリーンバーグをみれます。
岡本ラ太郎賞《おかもトラたろうしょう》の審査を脳内で厳正にやったら急に出てきた若い天才に負けた…
岡本ラ太郎賞授賞式
やったー
パチパチパチ
まあまあ
ぐすん…
まあまあ
美術が甘くないことはよく知ってるからなあ…

トラちゃんコメンタリー!
マンガに出てきた用語解説
ヒマなときよんでね!

"くたばれ評論家!!"

藤子・F・不二雄の漫画『エスパー魔美』の有名なエピソードのタイトルです。画家である父親の個展、その中でも特に主人公の魔美をモデルに描いた絵について、かなり辛辣な批評が書かれているのを見た魔美は書いた美術評論家に抗議しに行きます。ところが逆に魔美が評論家から「情けや容赦は批評に無関係」「芸術は結果だけが問題」と諭されます。当の父親も「公表された作品については、見る人全部が自由に批評する権利をもつ」「それがいやならだれにも見せないことだ」と言います。藤子・F・不二雄の漫画家としての矜持が伝わってくるエピソードです。

くたばれ評論家!
うわー
まほうだー
やめなよ父さん…

"岡本ラ太郎賞"

岡本太郎の名前を冠した賞のオマージュですね。実際には没後すぐの1997年からはじまった岡本太郎現代芸術賞（通称、TARO賞）というものがあります。当初は「岡本太郎記念現代芸術大賞」としてはじまりましたが、2006年に現在の名前に改称しています。主催は岡本太郎記念現代芸術振興財団と川崎市岡本太郎美術館で、結果発表の後、川崎市岡本太郎美術館で入選作品の展覧会が開催されることもあり、若手現代アーティストの登竜門になっています。ちなみに漫画に出てくる「時代を創造する者は誰か」というキャッチコピーは岡本太郎のベストセラー『今日の芸術』のサブタイトルで、TARO賞は主催者から「まさに『時代を創造する者は誰か』を問うための賞」と位置づけられています。

クレメント・グリーンバーグ

1909年にニューヨークで生まれた美術批評家です。アート・スチューデンツ・リーグとシラキューズ大学で学んだ後、『パルチザン・レビュー』誌の編集を務め、『ネーション』誌で美術、文学の批評を担当します（どちらも政治を中心に文化についても扱う雑誌で、いわゆる美術雑誌ではありません）。20世紀最高の美術批評家のひとりとされ、表現された主題や、コンテクストを前提にした批評ではなく、芸術そのものの持つ形式を批評の対象にする**フォーマリズム（形式主義）**の批評を推進したアメリカの第一人者として知られます。1961年に発行された自選批評集『**Art and Culture（芸術と文化）**』をはじめとする彼の著書は残念ながらどれも全訳されていませんが、「**アバンギャルドとキッチュ**」などの彼の主要な論文は、日本では『**グリーンバーグ批評選集**』（藤枝晃雄・訳、勁草書房、2005）で読むことができます。1994年に生まれ故郷のニューヨークで亡くなってい

Clement Greenberg:
Selected Writings
グリンバーグ批評選集

ます。

ジャクソン・ポロック

1912年生まれのアメリカのアーティストです。グリーンバーグと同じアート・スチューデンツ・リーグで学び、WPAの連邦美術計画（若手アーティストに公共アートの制作をさせる公共事業）に画家として参加した後、ペギー・グッゲンハイムの今世紀ギャラリーで個展を開いた頃から独自の表現を切り拓きはじめます。その後アメリカを代表する画家としての名声を得ることになります。床に広げたキャンバスに、筆やスティックから顔料を飛散させて線を描く**ドリッピング**または**ポーリング**と呼ばれる手法は**アクション・ペインティング**の代表ともされ、後の**ハプニング**の源流にも位置づけられています。若い頃からアルコール中毒に悩まされ、1956年に44歳の若さで自動車事故により亡くなりました。

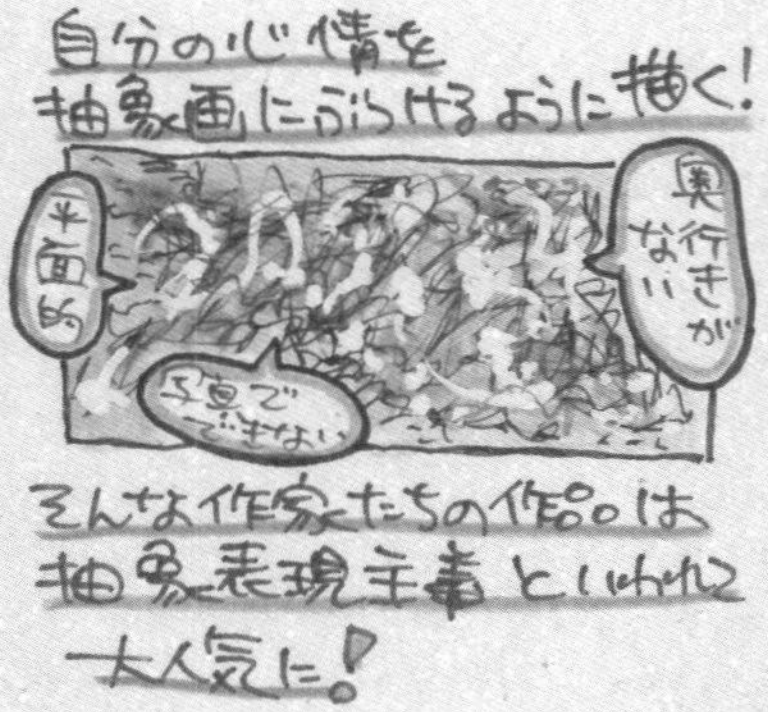
自分の心情を抽象画にぶつけるように描く!
奥行きがない
平面的
写真でできない
そんな作家たちの作品は抽象表現主義といわれ大人気に!

モダニズム

モダニズムとはつまり**近代主義**のことで、この言葉はアートに限らず文学などでも使われています。一般に「それまで伝統とされてきたことからの脱却」を目指す立場のことを指します。アートの世界では、既存のスタイルから脱却し、まだ見ぬ新しいスタイルを追求するプログレッシブな態度がモダニズムの本質とされていて、理念的にはほぼ**アバンギャルド**（前衛）と重なります。グリーンバーグの批評では絵画のモダニズムを、絵画の**メディウム・スペシフィシティ**（素材や媒体に固有の性質）である平面性が純化していく過程として捉えていて、ポロックをはじめとする同時代のアメリカの**抽象表現主義**をその観点から評価しています。

「アバンギャルドとキッチュ」

アバンギャルドは元々フランス語の軍隊用語で、侵攻路を切り拓く先遣部隊のことを指していましたが、次第に「社会変革の先頭に立って戦う者」「過去の秩序を否定・破壊する者」という意味へと変わっていきました。**ダダ**や**シュルレアリスム**がアバンギャルドを名乗った頃からアートの世界でも使われはじめ、様々な新しく生まれる潮流と結びつきます。グリーンバーグは、既存のブルジョア文化を批判し、絶対性を探究して芸術の地平を切り拓いていく作家をアバンギャルドと位置づけました。一方の**キッチュ**はドイツ語の「まがいもの」から来た言葉で、大衆文化的な美意識のことを指します。グリーンバーグにとっては批判の対象でしたが、漫画内でも紹介した通り、ウォーホルをはじめとした**ポップ・アート**の作家は、逆にキッチュの中に芸術性を見出しました。

『ポロック』

エド・ハリスが監督・主演した2000年公開の映画で、**スティーブン・ナイフェ**と**グレゴリー・ホワイト・スミス**によるピュリッツァー賞を受賞した1989年発行の伝記『**Jackson Pollock: An American Saga**』を原案にしています。この作品でポロックの妻を演じた**マーシャ・ゲイ・ハーデン**は、同作でアカデミー助演女優賞を受賞した他、エド・ハリスもアカデミー主演男優賞にノミネートされています。

エド・ハリス マーシャ・ゲイ・ハーデン
ポロック
2人だけのアトリエ
日本版映画ポスター!

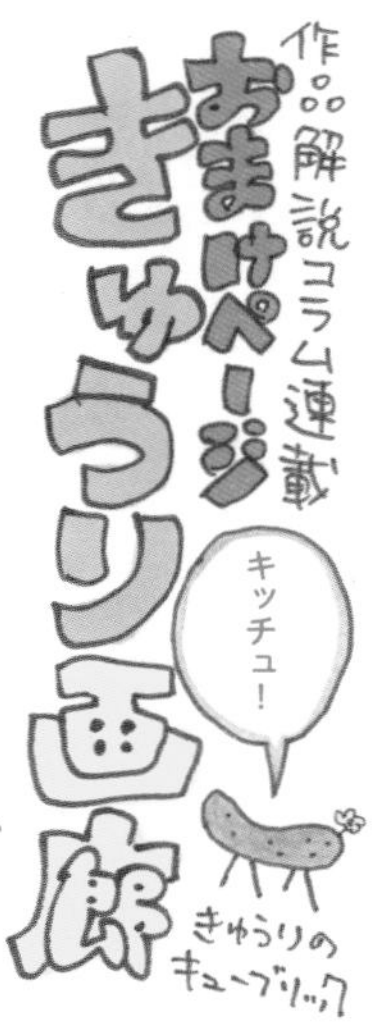
作品解説コラム連載
おまけページ
きゅうり画廊
キッチュ！
きゅうりのキューブリック

今回は漫画でも紹介したアメリカの美術批評家、**クレメント・グリーンバーグ**についてもう少し詳しく解説します。

グリーンバーグ（１９０９〜１９９４）はアメリカのリトアニア系ユダヤ人としてニューヨークに生まれました。同地のシラキュース大学を卒業し、美術批評をはじめた人物です。当時はヨーロッパが美術の中心でしたが、理論面から美術をアメリカに持ってきた人物でもあります。

漫画で**キッチュ**という言葉を使いましたが、これはドイツ語の「低俗」「悪趣味」「陳腐」という意味になります。グリーンバーグはこうした言葉を使い「**アバンギャルドとキッチュ**」（１９３９）という論文を書いており、**アバンギャルド**と対置する形でキッチュについて書いています。論文の中でアバンギャルドは「卓越した歴史意識を持って既存のブルジョワ文化を批判し、芸術的な作品／行為を通じて文化の推進と絶対的なものの探求を試みる作家たち」（星野太）とある様です。元々、美術作品についてよく知っている人たちは、教養として美術についての知識を蓄えていたのですね。詰まるところ特権階級。アバンギャルドはそうした人たちが持っている文化を批判し、更なる探求に誘うという試みだったと思います。

ただ、いっぽうで叩き潰して更なる促進を狙う方法には、人々を扇動するプロパガンダの様なものがあるのではないのかとグリーンバーグは考えます。

ここで、時代背景についても少し触れましょう。ときは第二次世界大戦下。当時は人々を戦争に駆り出そうとするプロパガンダとしての美術があふれていました。グリーンバーグは、それとまた異なるもの（美術館やギャラリーに展示される作品）との区別が気になったのではないのかと思います。

その区別として、人々を扇動するプロパガンダとしての表現と、美術の卓越化（＝アバンギャルド？）をもくろむ表現を峻別したのですね。ただ、最近だとそのジャンルの区別自体ないまぜになってきてますよね。例えば、美術館よりもアートギャラリーの方が市場にさらされることで、日進月歩、新たな作家たちが多く輩出されています。こういったところからも20世紀で培われた価値の転倒が起こっているのかもしれません。

『グリーンバーグ批評選集』
（編訳・藤枝晃雄）
を読むぞー！
ムズっ！
美術って
むずかしい
なぁ…
グリーンバーグ批評選集

（第11話）家にサンタがやってきた！

クリスマス・イヴにおうちで飾りつけを楽しんでいるトラちゃん一家。ありったけの電飾をツリーにつけてみたら、とある美術作家の作品が思い浮かびます。その作家は今や世界的にも知られるようになった具体美術協会のメンバーでした。

クリスマス前になるとサンタさんがトラちゃんにプレゼントのリクエストを聞きにきます
メリクリ
トラちゃん！プレゼントは何が欲しい？サンタの国でつくってあげよう
今年はポケモンのゲームがいいな！
プログラミングから頑張るぞ！
サンタさんはつくらないでください！
やったあ！ゲームのキャラが喋るまでつくれた！
トラットモンスター
やあ。ぼぼくとぼうけんのせせかいいにしゅぱつ
すごいやサンタさん！
おもしろーい
カタ
カタリ
カタ
カタ
二人とも寝なさい
美術のトラちゃん
パピヨン本田
⑪
クリスマス・イヴ
ひゃーさむ～い
毛むくじゃらだから全く寒くないなあ
冬はトラのままでいいや
賛成～
ワイ
ワイ
SALE
ワイワイ
TOYSHOP SHIKA
トラちゃんの父さん
普段から調子に乗っていたら虎になる。ユーミンの「恋人はサンタクロース」を聴くとなぜか泣く。
トラちゃん
小学5年生の男の子。図工のコンクールで賞をとって調子に乗っていたら虎になる。クリスマスソングは母さんの影響でシーアを聴く。
トラちゃんの母さん
家族が虎になったが戸惑いがない。クリスマスソングと言えばJUDY AND MARYの「クリスマス」。YUKIになりたかった時がある。
いつかトラのお父さんの火の輪くぐりを見てみたいなあ
サンタさん！人に戻して！

おうち
クリスマスに買い物行くと変なものいっぱい買っちゃうなあ
使い道がなくなったら作品の素材にしましょう!
何でも美術のネタとして見ないでよ…
パチー
ジングルベル
冬専用サンタかき氷マシーン(音楽つき)
雪だるまガスコンロ
ジングルベル
リンリン
足付きのスズ
トナカイルンバ
ブィーン
ピッカ
とりあえずツリーの準備だ!家にあった電飾全部つけちゃえ!
ピカ
田中敦子の作品みたいだ
電気服ツリーと名づけましょう
ホント美術のことしか頭にないなあ…
ピッカ
というわけで今回は作家の田中敦子について紹介します
画家&「具体」初期メンバー
田中敦子(1932−2005)
海外で特に有名
前衛芸術グループの具体美術協会のメンバーで日本の前衛を牽引した一人として世界で有名!
「第一回具体美術展」出品「ベル」(1955)
すごい音だよ
ボタンを押すとコードにつながれた20コのベルが順に鳴る。
作品「黄色い布」(1955)
ただの黄色い布をかべにはってそれを「絵画」だと言った。カッケイー!
特に有名なのがカラフルに塗った電球管球で作った「電気服」!彼女はこの服を着てパフォーマンスもした!
ピカー
電気服(1956)
ピカ ピカ
エナメルでぬられた200コの電球の服。実際に見るとキレイというよりコワイ…
クリスマスツリーみたいでキレイ!着てみたいなあ!
感電の危険もあるからこれを着て電気を入れる瞬間は死刑囚みたいだと恐怖したそうです
こっわ…
「黒い三ツ玉」(1962)
エナメル塗料でぬる抽象画を多く制作した。
2007年のドクメンタでの作品。野外に巨大なピンクの布。田中はピンクが嫌いだそう。
ちなみに彼女が所属していた具体美術協会は今や世界的に有名で日本の美術史を語る上では欠かせません!
「具体」1954年に吉原治良が結成した前衛グループ!
やることはただ一つ!だれもみたことがない作品をつくれ!
吉原治良
評価の基準が「ええ」と「あかん」しかない。彼が「あかん」と言えば展示できない。
変な人ばかりの美術の麦わら海賊団…
紙をやぶる!
バリ
村上三郎
足は手で描くより十倍パワー!
白髪一雄
ドゥ
足で描く
バリ
嶋本昭三
えのぐ入りビンをなげる!
☆他にもメンバーがたくさん!
寝る時間
今年もミッション成功!これは母さんへのプレゼント!
わーい ありがと
ママがサンタにキスをした…
ウト ウト
メリークリスマス!

トラちゃんコメンタリー
マンガに出てきた用語解説
ヒマなときよんでね!

田中敦子

1932年生まれ大阪出身のアーティストで、1955年に後の夫である**金山明**や、漫画の第3話でも紹介した白髪一雄などのアーティストと共に**具体美術協会**に参加し、1965年まで活動しています。具体美術協会脱退後は奈良県明日香村で制作を続けました。1956年発表の**《電気服》**が高い評価を受けたほか、漫画でも紹介している**《黒い三ツ玉》**(滋賀県立美術館所蔵)のような電球と配線をモチーフにエナメル塗料で描いた絵画を制作し、1993年にはヴェネチア・ビエンナーレにも出展しています。2000年代以降にも展示や展覧会が開かれるなど、国内外で高く評価されていましたが、2005年に肺炎で亡くなりました。

《電気服》

1956年に第2回具体美術展で発表された、田中敦子の代表作です。電気配線でつくった骨組みを、合わせて200個近い色とりどりの電球でデコレーションした「ドレス」で、1957年の「舞台を使用する具体美術」では田中自身が身にまとって発光させています。日本国内だけでなく海外でも高く評価された作品で、最初の発表から30年以上経った1986年にパリのポンピドゥー・センターで行われた「前衛芸術の日本 1910-1970」展のために再制作されたほか、1994年にニューヨーク・グッゲンハイム美術館で行われた「戦後日本の現代美術」展やロサンゼルス現代美術館や東京都現代美術館で行われた「アクション 行為がアートになるとき 1949-1979」展、そして田中の没後の2007年にはドクメンタにも出展されました。電線と電球は、彼女の絵画作品にとっても重要なモチーフになっていきます。

《ベル》

1955年の第1回具体美術展で発表された、観賞者がスイッチを押すと、2メートル間隔に並べられたベルが順に弱まりながら鳴っていくという作品です。電気配線という、《電気服》をはじめとする彼女の作品に共通するモチーフが表れた意味でも重要な作品です。

ドクメンタ

ドイツ中央部の都市カッセルで1955年から開催されている現代アートの国際美術展です。1972年の第5回以降は5年に一度開催され、2022年で15回を迎えています。当初はカッセル出身のアーティストで建築家の**アーノルド・ボーデ**がディレクターを務めていましたが、第5回以降は毎回ディレクターが変わり、その都度違うテーマ性を持った美術展になりました。世界的にもヴェネチア・ビエンナーレに匹敵する重要な国際美術展とされています。**ロゲール・ビュルゲル**がディレクターを務めた2007年の第12回ドクメンタでは、2005年に亡くなった田中敦子の作品の中から《電気服》や、1955年に発表した10メートル四方のピンク色の布が日光を反射する作品の復刻が展示されました。

具体美術協会

前衛芸術家の**吉原治良**が結成し、1954年から1972年まで活動した前衛芸術団体です。人間と物質との直接的な関わりから生まれるアートを志向し、計21回の具体美術展や、独自の展示施設**グタイピナコテカ**の運営など活発な活動を展開しました。1956年に発表した**「具体美術宣言」**の中で、「具体美術は物質を変貌しない。具体美術は物質に生命を与えるものだ。具体美術は物質を偽らない。具体美術に於ては人間精神と物質とが対立したまま、握手している」とその精神を表しています。フランスの美術批評家**ミシェル・タピエ**から**アンフォルメル**と位置づけられ海外にも紹介されて、**ハプニング**の先駆者のひとつとしても評価されています。1970年の大阪万博にもみどり館での展覧会や「具体美術まつり」の開催といった形で参加しています。1972年に吉原が亡くなった後に解散しますが、1980年代中頃から国内外で回顧展が開催されるなど再評価され、2010年代以降にも回顧展が企画されるなど現代に至るまで日本の現代美術史において重要な位置を占めています。

グタイピナコテカ！
GUTAI PINACOTHECA

吉原《よしはら》治良《じろう》

1905年大阪生まれのアーティストで、具体美術協会のリーダーであり、一部上場企業である吉原製油の社長でもありました。油会社の跡取り息子として生まれ、関西学院高等商業部を卒業していますが、在学中から絵画に打ち込み、卒業後には**藤田嗣治**などに師事し、**東郷青児**らと共に**二科会**でも活動していました。1954年に具体美術協会を設立し、メンバーを導いただけでなく、自身も「円」をモチーフにした抽象絵画が評価されています。また自身が社長を務めていた吉原製油でもアーティストとしての才覚を活かし、工場のレイアウトに関わったり製品のデザインを手がけたりしていました。吉原製油は2003年に味の素製油、ホーネンコーポレーションと合併してJ-オイルミルズになっています。

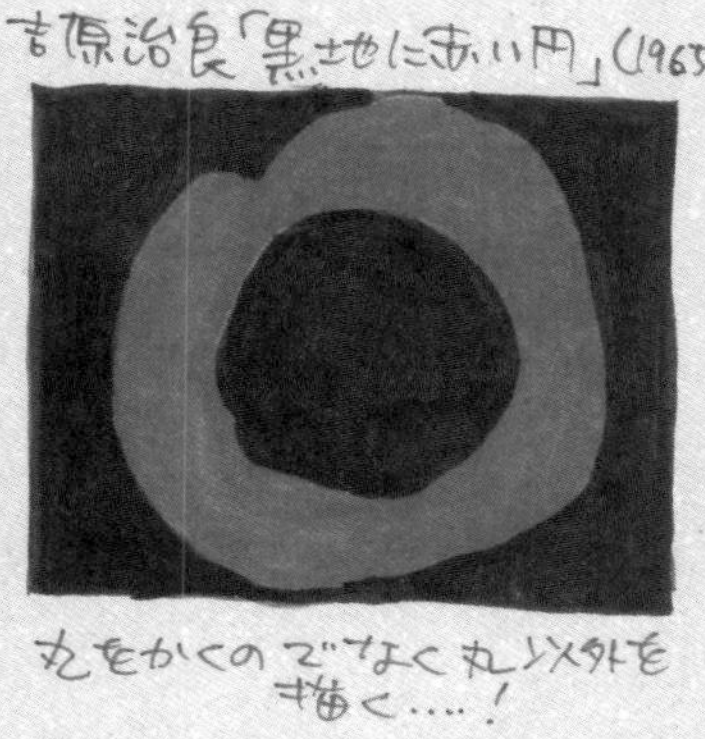

吉原治良「黒地に赤い円」(1965)
丸をかくのでなく丸以外を描く…！

“ママがサンタにキスをした”

冬になるとよく流れているクリスマスソングで、原題は**「I Saw Mommy Kissing Santa Claus」**です。1970年に**ジャクソン5**が発表したバージョンが有名ですが、1952年に発売されたジミー・ボイドが歌ったバージョンがオリジナルです。

おまけの1コマ
クリスマスプレゼントの時計です！
めっちゃいい時計じゃないか…昔はどんぐりだったのに…
昔
先輩！めっちゃいい形のどんぐり見つけました！
先輩って今日誕生日ですよね これあげます！
絵のモチーフにするぞ～
クソほど貧乏学生時代
ガルル…
嬉しさと嫉妬が混ざって変な顔になってる

作品解説コラム連載

おまけページ

きゅうり画廊

具体的！

きゅうりのキューブリック

今回のきゅうり画廊は、**具体美術協会**についてもう少しだけ書いてみようと思います！

自分が具体について初めて知ったのは2012年に国立新美術館で開催された**「『具体』ーニッポンの前衛　18年の軌跡」**という回顧展でした。高校生だった頃、当時の画塾の先生に連れられて見に行ったのですが、内容は全然わかりませんでした。基本的にものすごく不勉強だったので、理解できなかったんですよね。

画塾の先生は「わかんなくても財布に金があったら、見た展示の図録は買っておけ」って結構な強さで言っていたので、図録は買いました。当時、他にもたくさん展示の図録を買いました。

それから全然読まなかったのですが、今になってその蔵書が効果を発揮してきています。漫画の資料になります。漫画の資料じゃなくても、読みたくなるタイミングってわからないので、買っといてよかったと思います。レッツ図録！

具体はリーダーの**吉原治良**によってつくられたのですが、彼は実業家で、専業の美術家ではありませんでした。

「従来なかったものを作り出さねばならない」という指針で、とにかくオリジナリティをメンバーに追求させました。それが**田中敦子**だったり、紙を突き破る**村上三郎**だったり、足や体全体で絵を描く**白髪一雄**だったりしたので、当時の批評家はわからず、無視していたそうです（他にもたくさん歴史に残るメンバーがいるので調べてみてね！）。

当時、具体はただ単に売名のために変なことをしているだけじゃないか、とか言われたそうですが、現代から振り返ってみれば、彼らの作品は、ただ変なだけじゃなくて面白かったし、売名も本気でやっていました。

それが一番よくわかるのは、日英2ヶ国語の機関誌『**具体**』を発行していたことでした。当時、世界を視野に2ヶ国語で機関誌を出している美術団体は具体くらいで、それを海外含む美術関係者に郵送していました。あの、画家のポロックも機関誌を持っていたようです。

吉原治良は最初から世界を視野に入れ、出版物を通じて、ものすごく戦略的に具体の活動を広めていきました（さすが実業家！）。天然で面白いことをして、人気になった人たちというわけじゃないんですね。

彼らが現代に生きて美術をやっていたら、どういう作品をつくるのでしょうか。誰も見たことのないものを現代でつくろうと思ったら、どういうものができるのでしょう。それを広めるには、どういう戦略をとったのでしょう。YouTubeを使ったりSNSでバズらせたりするのでしょうか。それとも……。

もう面白いことなんて昔の人たちにやられ尽くしたんだと思ってしまうときもありますが、高校生の頃に無理やり買わされた図録をめくったら、そんなことはねえぜって言われた気がしました。

イラストは村上三郎
「作品（６つの穴）」（1955）

（第12話）

マンガ家として成功した異色の美術家とは？

お正月太りしたお父さんの体型を戻すために毎年餅つき大会をしているトラちゃんズ。今回は漫画家志望のユミさんと一緒に、トラと縁深い美術家を見ていきましょう。

2022年は寅年なので
トラちゃんの年です！
ぜひ新年もごひいきに！
タカ
フジ
ナス
大晦日
ただ蕎麦を食べるだけの年末はサイコーだなあ！
父さん 年越し蕎麦はわんこじゃないよ…
ズゾゾー
BEER
お正月
正月のお笑い番組ってなんでも面白く思えちゃうよねえ〜
錦鯉みてると父さんも頑張ろうって思えてくるよ
父さん！そんなに食べてばっかじゃあ太るよ！
へーき へーき
酒
絵画・立体 デザインなんでも
ウルトラ画塾
OPEN
きたれ
受験から絵のスキルUPまで
美術のトラちゃん
⑫
1月3日
うおおおお！
戻れ体重うううううう！
あけましておめでとうございます〜
お寿司買ったんでみんなで食べましょ〜
いらーん！
魔よ去れ〜い！
りゅうたろう君
寿
ローストビーフ持ってきた！
先生オメデトー
トメ吉くん
母さん
画塾の生徒たち
テキパキ
毎年お正月明けは父さんが痩せるために画塾で餅つき大会を開催します
トラの動体視力！
みんなが美味しいものを持ってくるので毎年餅つきで痩せることはありません
トラちゃんの父さん
調子に乗ってたら虎になりました
トラちゃん
小学5年生。同じく虎になりました

この人はユミさん仕事をしながら週に一回ここにデッサンを習いにきてます！趣味で漫画を描いてるんですって！
あら もう始まってる！先生方たのしそうですね！体は絞れましたか？
ワイ ワイ
ペッタン
ペッタン
あっ ユミさん あけましておめでとう
モッチ モッチャ
おめでとう～！例年どおり諦めてますよこの人！
お寿司もお肉も美味しいなあ…！
獺祭もあります
みんな新年の抱負とか考えた？
今年こそ赤塚賞を獲ります！
いいね！漫画頑張ってね！
ぼくはモデル体型！
おだまりなさい
パク
パク
パク
では新年は寅年ということで漫画家として有名な美術家のタイガー立石さんを紹介します！
絵画・マンガ 絵本にデザイン 彫刻も
タイガー立石（1941-1998）仕事によって名前を変えていました！
ネオン絵画《富士山》（1964）
ピカ
日本的なポップアートをつくるがどうせなら本当にポップスをやろうとマンガを描きだす
最初は尖った前衛美術家として注目されていたけどなぜか漫画家として成功した異色の作家です！
タイガーポップ（1966）
ニャロメ
キッショーメ
マンガ「コンニャロ商会」
マンガやマンガを元にしたイラストを数々発表！赤塚不二夫と仲が良く「ニャロメ」というキャラは立石の作品から生まれた！
後期は絵本を多く描いた！
「とらのゆめ」（1984年）
シュールレアリズム的だったり、だまし絵の要素が浮遊感をもってかかれる。
でも日本で有名になりすぎることを嫌って27歳でイタリアに移住！その後も美術以外に漫画・広告・絵本と幅広く活躍した真の意味でポップアーティスト！
とらのゆめは読んだことあるよ！
他にも小さい子供に向けて美術の楽しさを伝える絵本も描いていたんだよ
百虎奇行（1989）
絵画作品もいつ描いたのだと思うくらい大きくてこまかい絵が超たくさんある。
絵本「顔の美術館」（1994）
タイガー立石は色んなことをやった人ですが、その全ての根底に美術への愛があるように思えます。
安定して同じことをし続けることを嫌った人だったけど美術はずっと愛していた
ちなみに1月16日まで埼玉県立近代美術館とうらわ美術館の同時開催でタイガー立石の大回顧展がやっています！
過去最大規模のタイガー立石の個展！巡回展のラストが埼玉近美とうらわです！
絶対みたちが……！
ふふん私もう観ましたよ漫画好きなんで！
大タイガー立石展
今までマンガやイラストの商業画家として有名だった彼の様々な側面に大量の作品でせまる！
一体何者なんだこの人はと思います!!!
※現在は終了しています
夕方
ユミさん！電車が混んでるみたいだけど帰りは大丈夫？
あっじゃあ飛んで帰ります
ユミさんは漫画の沼にハマって以来水をかぶると朱雀になります
パシャッ
ボンッ
ゲッ
カッケー
シャワー浴びたら新作描こっと
お湯を浴びたら元に戻るんだから便利だよなあ…

トラちゃんコメンタリー!
マンガに出てきた用語解説
ヒマなときよんでね!

赤塚賞

集英社が主催している、1974年にはじまったギャグマンガの漫画賞で、初代審査委員長は**『おそ松くん』『天才バカボン』**などで知られる**赤塚不二夫**が務めていました。年に2回選考があり、2023年12月で受賞者発表は第99回を数えますが、最高位の賞である「入選」になったのは2023年6月の発表の時点で歴代6作品しかない、大変な狭き門です。とは言え、準入選やさらに下の佳作の受賞者からも多くの有名漫画家が出ており、例えばお父さんが若い頃に市街劇の原作にした**『キン肉マン』**の作者である**ゆでたまご**（原作・嶋田隆司と作画・中井義則の2人組）も、1978年開催の第9回赤塚賞に『キン肉マン』のパイロット版で準入選して漫画家デビューしています。

ギャグマンガの神様
ありがたやー
おがんじゃう!
赤塚不二夫!

タイガー立石

本名は立石紘一で、1941年生まれ福岡出身のアーティスト、漫画家です。漫画家としては「タイガー立石」の名義を使っており、アーティストとしては本名の他**「立石大河亞《たいがあ》」**の名義も使っています。1961年に上京し、1964年には画家の**中村宏**と**観光芸術研究所**を設立するなど、**反芸術**や**ポップ・アート**のアーティストとして活躍します。1965年からは**ナンセンス漫画**を描きはじめます。この時期には赤塚不二夫とも交流があり、赤塚の有名なキャラクター・**ニャロメ**の名前はタイガー立石の作品**『コンニャロ商会』**の台詞からとられています。1969年からイタリアに移住し、現地で絵画制作の他、当時タイプライターやコンピュータを製造していた伊オリベッティ社配下の、エットレ・ソットサスの工業デザイン研究所にも勤務していました。1982年に日本に帰国後はアート制作に加えて絵本作家としても活動し、絵だけでなく文も担当した**『とらのゆめ』**や、詩人の**谷川俊太郎**がつくったしりとりに絵をつけた**『ままです すきです すてきです』**（1986年に福音館書店『こどものとも年少版』として発表。1992年に単行本化）などの代表作を残しています。谷川俊太郎は「タイガー立石さんが描いてくださった世界は、ことばとことばが結びつく時現れる、人間の想像力の不思議にあふれています」と評しています。1998年に56歳で亡くなりました。

ネオン絵画《富士山》

タイガー立石のアーティストとしてのデビューは、1963年の**読売アンデパンダン**に出展した、ブリキのおもちゃや流木を貼りつけた絵画**《共同社会》**ですが、《富士山》も同

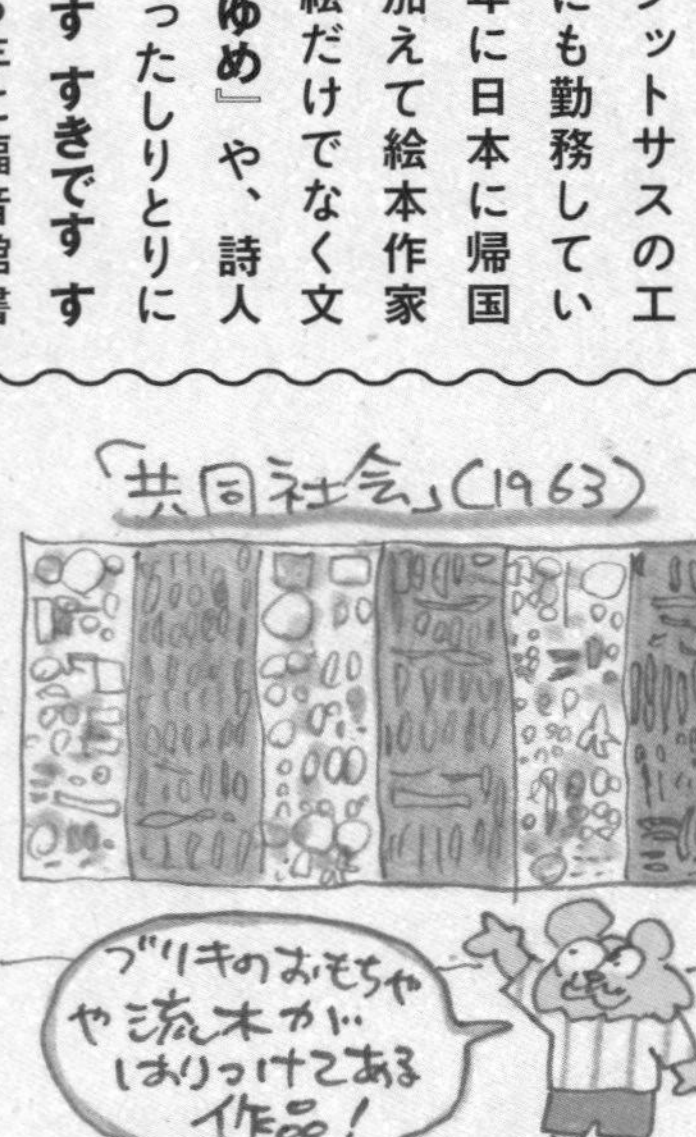
「共同社会」(1963)
ブリキのおもちゃや流木がはりつけてある作品!

じく読売アンデパンダンへの出展を目指して制作された作品です。ネオンライトを組み合わせて富士山をかたどった作品で、タイガー立石はこの作品の制作のためにネオン会社で働いていたという逸話も残っています。富士山は虎と同様、タイガー立石の作品に何度も出てくるモチーフのひとつです。

《百虎奇行》

１９８９年に発表された絵画で、タイガー立石の故郷・田川市美術館に所蔵されています。メタモルフォーゼしていくとらなど、１９８４年に発表した絵本『とらのゆめ』に出てきたモチーフがふんだんに盛り込まれた作品です。

『とらのゆめ』

タイガー立石の絵本作家としてのデビュー作です。１９８４年に福音館書店の月刊絵本『こどものとも』の11月号として発表され、１９９９年に単行本化されています。夢の世界を歩きながら姿を変えるとらを描いた絵本で、発表の15年前のスケッチブックにも、この絵本のアイデアになるデッサンが描かれています。

『顔の美術館』

１９９４年に福音館書店の月刊絵本『たくさんのふしぎ』の1月号として発表され、１９９８年に単行本化されています。表紙になっている**ジュゼッペ・アルチンボルド**の野菜や果物からできた顔や、**歌川国芳**の裸の人が集まってできた顔、キュビズム期のピカソが描いた顔や、**フランシス・ベーコン**が描いた歪んだ顔など、古今東西の様々な画家が描いてきた「顔」の絵を模写し、そのつくりを解説した絵本です。

〝水をかぶると朱雀になる〟

高橋留美子の漫画『**らんま１／２**』では、中国の「呪泉郷」なる場所にあるいろいろな泉に落ちると、「水をかぶるとその泉でかつて溺れた動物に変身し、お湯をかぶると元に戻る」体質になってしまうとされています。劇中の多くの登場人物が武術の修行に訪れ、案の定泉に落ち、若い娘やパンダ、ブタにネコやアヒルなどに変身する体質になってしまっています。朱雀は中国由来の想像上の動物で、東を守護する青龍、西を守護する白虎、北を守護する玄武と共に、南を守護する「四神」のひとつとされ、鳥の形で描かれます。四神の信仰は日本にも輸入され、例えば平安京は東に川（青龍）、西に大通り（白虎）、北に丘陵（玄武）、南に湿地（朱雀）という、四神の考え方に沿った最良の地相の場所に造られたと言われています。ところで、トラちゃん親子（虎）とりゅうたろう君（龍）がいて、ユミさんが朱雀になるということは、トラちゃんのまわりには玄武（一般に亀や、亀と蛇が合体した姿）になってしまった人がいるのかも？

作品解説コラム連載

おまけページ きゅうり画廊

ガオー!

きゅうりのキューブリック

今回の漫画では**タイガー立石**さんを扱いました。彼は最初に本名の**立石紘一**、途中からタイガー立石、晩年は**立石大河亞**の名義を使っています。漫画でも紹介した大回顧展「大・タイガー立石展 世界を描きつくせ!」では、タイガー立石で総称されていました。

タイガー立石は、パピヨン本田の活動の指針になっている作家の一人です。彼は日本の漫画を引用して、和製ポップ・アートのような作品を活動初期からつくっていたのですが、どうせポップ・アートをやるなら本当にポップスの方をやってみようと考えだします。ここでいうポップスとは、漫画やイラスト、グラフィック等の大衆向け商業作品のことですね。そうして描きはじめた漫画が人気を得るのです！すごい！

そのエピソードをずっとかっこいいなと思っていて、自分も漫画を描いたりしてみたわけです。この『美術のトラちゃん』も美術作家が漫画を描くなら、タイガー立石にならって虎の主人公で描こうと考えてできました（タイガー立石さんは虎の漫画や絵をたくさん描いていたのです）。パピヨン本田というペンネームも構成としては、タイガー立石と同じです。明らかにパピヨンよりタイガーの方が強いですけど。

現在、タイガー立石さんの漫画や絵本の仕事の方が有名すぎるため、なかなか美術作家としての仕事が注目されづらいところがあります。ネットで調べてみても彼の肩書きは真っ先に漫画家と出てきます。

そこで２０２１年の11月から２０２２年の1月にかけてやっていた大回顧展です。うらわ美術館と埼玉県立近代美術館の２館同時開催で、今までで一番大きい彼の個展でした。めちゃくちゃに面白かったです。漫画やグラフィックの仕事をしながら、よくこんなにも描いたなと思うくらいたくさんの絵画作品が残っていて、埼玉近美が絵画をメインに、うらわ美術館が漫画や絵本の仕事をメインに展示していました。

同時代の他の作家と比べて異質というか、単純にポップスの才能が凄まじいのが見て取れて面白かったです。自分の憧れです。

現在は残念ながら会期が終わってしまいましたが、この漫画をきっかけにタイガー立石に興味を持ってくれる方がいたらとても嬉しいです。

（第13話）

デカくてキャッチーな作品をつくる！

作品の展示会をひかえたトラちゃんのお父さん。取材に来たテレビクルーに「美術とは人生（キリッ）」と語ります。「全国デビューだ！」と思いきや、後日に実際の放送を見てみると……？

もうすぐ展示をひかえた父さんに地元ケーブルテレビの取材が来ました！
カガミ
キリッ
あなたにとって美術とはなんですか？
キリッ
「人生」…ですかね…
これって情熱大陸だっけ？
あのインタビューが面白かったらしくて全国ゴールデンで放送されることになったんだ！
全国デビューだ！展示にもたくさん人が来るぞ！
ワクワク
フンフン！
さすが先輩！録画しました！
あのインタビュー面白いところ何もなかったけどなあ…
美術のトラちゃん
さくパピヨン本田 ⑬
衝撃映像！アートラ！
世界びっくりテレビのお時間です！最初のびっくり映像は絵を描くトラさん！
わあすご〜い！
芸術はボクの命です！
丁寧にインタビューにも答えてくれました！
この次は絵を描く象！動物美術対決！
今度個展を開催するそうです！
忘れてたけどボクら虎だった…
ガーー
キャラ紹介
トラちゃん
虎になってしまった小学5年生です。最近はキングヌーがお気に入り。
トラちゃんの父さん
普段から調子に乗るから虎になる。キングヌーは嫉妬の対象。
トラちゃんの母さん
この状況に特に戸惑いがない。紅白で藤井風にハマる。
りゅうたろう君
売れっ子作家。登竜門を突破して竜になる。歌も上手いんだよ。
トメ吉くん
中2。反抗期だから猫になった。カラオケで友達に「猫」を歌わされがち。

先輩！不本意な取り上げられ方だったかもですがこれで展示に人がいっぱい来ると思いますよ！
それはそれでハードル上がってやだなあ…ボクの作品地味だし…
売れたいって言ってるわりに小心者なんだよなあ…
まさに尊大な羞恥心と臆病な自尊心！
アッハッハ
仕方ない！今からデカくてキャッチーな作品作ろう！
横浜のガンダムサイズ！
デカくてビカビカのすげえメディア・アートのロボとか！
TORA CHAN
ピカー
スゲー
うおー
りゅうたろうさんは竜であることツッコまれないよね…なんでだろうな
人気すぎて気にされなくなっただけじゃないかな
完全二足歩行を目指しましょう！
では今日は日本のメディア・アートの先駆者である久保田成子さんを紹介します！
ヴィデオ黎明期の先駆者
久保田成子（1937－2015）
アメリカで活動した前衛作家
SONY
アメリカに行く前ハイレッドセンターの展示に参加！
その時は女性用下着をカベに展示！
映像作品を映したテレビモニターを使ったヴィデオ彫刻が特に知られてます！最近評価がどんどん増している作家！
若くしてアメリカに移住！当時の先端技術のヴィデオを美術作品にいち早く取り込んでその可能性を広げた人です！
ヴィデオ彫刻「韓国の墓」（1993）
夫・パイクが韓国に帰国した時のビデオと韓国の墳墓を合わせた彫刻
「デュシャンピアナ：階段を降りる裸体」（1975）
4段の階段1つ1つにヌードの女性が階段を降りるビデオがうめこまれている。
「ヴィデオ・ポエム」（1970）
布袋の中から久保田がうつるモニターがのぞいている。
父さんも最先端技術やってよ！宇宙行くとか
それはムリ
彼女の作品は日本だと中々みれないけどいま東京都現代美術館で大回顧展をやってるからまとめてみるチャンス！
これもみれます
デュシャンピアナ（マルセル・デュシャンの墓）
2月23日まで！
※現在は終了しています
巨大なヴィデオ彫刻。無限に続くビデオは圧巻！
夫の現代美術家のナムジュンパイクとは影響を受け合って彼がモチーフの作品は多いです！
個展「ナムジュンパイクと私の人生」（2007）
彼との人生をふりかえった個展
晩年彼の闘病を支えている間作品を作れなかったけどそのことも彼女は後に作品にした
書籍「私の愛、ナムジュン・パイク」
久保田がパイクとの日々を語った本。この男しかいないと思って、彼と似た場所に行ったり似たことを考えたり…。
展示当日
展示入口
物販コーナー
作品よりグッズがよく売れてる…母さんこんなのいつ作ったの？
テレビ効果を生かすなら今だと思って作ったの！
ワラ ワラ ワラ ワラ
トラクッキー
ポストカード
トラキーホルダー
ください
くださーい
かわいー
母さんは商売が上手いんだよなあ

トトラちゃんコメンタリー
マンガに出てきた用語解説
ヒマなときよんでねー！

〝絵を描く象〟

もちろん象が自ら芸術に目覚めたわけではなく、人間に仕込まれた芸で、タイにある「エレファント・キャンプ」という施設で体験できました。日本でも千葉県の「市原ぞうの国」に、タイ人の象使いからこの芸を仕込まれた象が暮らしていて、作品を購入することもできます。

横浜のガンダム

横浜・山下ふ頭に開館した期間限定施設「ＧＵＮＤＡＭ ＦＡＣＴＯＲＹ ＹＯＫＯＨＡＭＡ」に２０２０年12月から展示されている実物大18ｍの初代ガンダム像は、なんと歩きます。実物大ガンダムはこれまで横浜を含めて7箇所に設置されており（いくつかは公開終了）、例えば２００９年にお台場に設置された初代ガンダムは「首が動く」、２０１７年からやはりお台場に設置されているユニコーンガンダムは「装甲が動いて通常モードからデストロイモードに変形する」など、どれも何らかのギミックがあったものの、脚を動かすことはできませんでした。横浜の初代ガンダム像では背中を巨大なアームで支えていて、歩いたりしゃがんだりできることを売りにしています。あくまでアームの補助があっての動きなので、りゅうたろう君が言うように「**完全二足歩行**」ができるわけではありませんが、技術的に二足歩行が可能になったとしても危険なので一般公開は無理なことでしょう。当初は２０２２年に公開終了の予定でしたが、コロナ禍により２０２４年3月まで延長になったことがアナウンスされています。

ウィーン
ゴゴゴ…
でけー

久保《くぼ》田《た》成子《しげこ》

１９３７年生まれ新潟県出身のアーティストで、水墨画家の祖父の影響もあり絵をはじめ、高校生の頃に**二紀展**に入選しています。東京教育大学（現・筑波大学）で彫刻を学び、卒業後は東京で中学校の教員として働きながら前衛アーティストとしての活動を開始します。前衛舞踏家だった叔母のつながりでハイレッド・センターやオノ・ヨーコと知り合い、彼らの制作にも参加しています。日本での前衛芸術活動に限界を感じて、オノ・ヨーコを介して知り合っていた**フルクサス**のリーダーである**ジョージ・マチューナス**を頼りニューヨークに移住し、フルクサスとして活動をはじめます。この時期の作品としては、女性器に筆をつけて描くパフォーマンス《**ヴァギナ・ペインティング**》が有名で、マチューナスと後の夫**ナム・ジュン・パイク**に依頼されたとも言われています。１９７０年代以降、**ヴィデオ・アート**の先駆者だったパイクの影響もあり、元々学んでいた彫刻と映像作品とを組み合わせた**ヴィデオ彫刻**の作品を発表するようになり、漫画で紹介した《**ヴィデオ・ポエム**》《**デュシャンピアナ**》《**韓国の墓**》などの作品が生み出されました。１９７７年にパイクと結婚し、１９９６年に彼が脳卒中で倒れた後もパイクが２００６年に亡くなるまで介護しながらアーティストとして活動を続け、自身は２０１５年に亡くなりました。

パイクの介護の様子の記録映像は、《セクシャル・ヒーリング》という作品にしています。

メディア・アート

絵画や彫刻のような伝統的な表現形式から脱却して、映像やコンピュータ、サウンドやライト、ヴァーチャルリアリティやプロジェクションマッピングといったメディア・テクノロジーを利用して制作されたアート作品を指します。絵画・彫刻に対して、より時間軸・空間軸に開かれた表現を可能にすることが特徴のひとつです。

《デュシャンピアナ》

マルセル・デュシャンと親交があった久保田は、デュシャンの死後に**《デュシャンピアナ》**と題した彼にインスパイアされたヴィデオ彫刻のシリーズを制作します。**《デュシャンピアナ・階段を降りる裸体》**は、彼の絵画作品の代表作のひとつ**《階段を降りる裸体、No.2》**で一枚の絵の中で表現された、人間の動きの連続性を、階段という彫刻とヴィデオという動きのあるメディアで再構成した作品です。久保田の代表作のひとつであり、MoMAにも収蔵されています。**《マルセル・デュシャンの墓》**は、自身がデュシャンの墓参りをした時の映像を映したモニターを床から天井まで連ね、そのモニターを鏡に映してあたかも無限に続いているような印象を与える作品です。《デュシャンピアナ》シリーズとして、他に**《ヴィデオ・チェス》《ドア》《自転車の車輪》**などの作品が制作されています。

「デュシャンピアナ：自転車の車輪」
(1983-1990)
くるくる
モーターで車輪がまわる
小型モニターがくっついていて風景の映像が流れる。
イス

《ヴィデオ・ポエム》

送風機で膨らませた寝袋のような袋の切れ目から見えるモニターの中に、何かを発音しているような久保田の姿が映っている、という作品です。メッセージの内容は、作品の外に文字で掲示されていて、「V」の音で韻を踏んだ、女性性とヴィデオを讃えるポエムになっています。

《韓国の墓》

夫であるナム・ジュン・パイクが久しぶりに韓国に戻り、墓参りをするのに同行した際に撮影した映像を、久保田がその美しさに魅了された韓国の伝統的な墓の形の彫刻に埋め込んだ作品です。1993年に制作された作品ですが、漫画で紹介している2021年の「Viva Video! 久保田成子展」（新潟県立近代美術館～国立国際美術館～東京都現代美術館を巡回）が日本での初公開になりました。

●お母さんが売ってたグッズ

おまけの1コマ
アイシングクッキー
トラパパキーホルダー
ぐお〜
ポストカード
(勝手に撮ったよ)
売れてるやつばっか売れやがって！
押すとパパがしゃべるキーホルダー
ぬいぐるみ

作品解説コラム連載 おまけページ きゅうり画廊

おはよ！
きゅうりのキューブリック

漫画で**久保田成子**を紹介したので、彼女のパートナーの**ナム・ジュン・パイク**について書いてみようと思います。

ヴィデオ・アートの父と呼ばれる、世界でも有名なスター作家です。どんな点で有名かといえば、テレビモニターを使った**インスタレーション**を初めて発表した人です。今でこそ現代アートの展示に行けばブラウン管が積んであったり、モニターがたくさんあったりする展示をよく見かけますが、最初にそれをやりだしたのですね。

ナム・ジュン・パイク
「リ・タイ・ポ」
（1987）

さらに《**グッド・モーニング・ミスター・オーウェル**》（1984）という作品では、衛星放送を使ってニューヨークとパリを繋ぎ、パフォーマンスを世界同時配信しました。今ではインターネットを使ってパフォーマンスの映像を配信することは珍しいことではありませんが、当時は超画期的。世界で2500万人が見たと言われています。すごい……！

そのため彼は、**メディア・アート**の先駆者の一人でもあります（メディア・アートとは最新の技術的発明を組み込んだアートの総称です。他にも定義はあったりしますがざっくりと）。

《グッド・モーニング・ミスター・オーウェル》は監視社会を描いた**ジョージ・オーウェル**の小説『**1984**』に対してのアンサーとしてつくられたそうです。オーウェルが通信による監視社会を予想したのに対して、1984年にパイクは通信による新しいコミュニケーションの可能性を提示したのでした。

彼は最先端技術をただ使うとか、ただ賛美するだけでなくて、その可能性を科学者含む当時の誰よりも先に美術によって示そうとしました（余談ですが、現在はどっちかというと、現実世界の方がオーウェルが書いた世界に寄っていっているとか言われてますね。グッド・モーニング・ミスター・オーウェル！）。

その後もイラストで描いた《**リ・タイ・ポ**》などのヴィデオ彫刻や巨大なインスタレーションなんかを続々制作します。ぜひいろいろ調べてみてください。

東京都現代美術館での久保田成子展で、最後の部屋がナム・ジュン・パイクがモチーフの作品の部屋だったのですが、自分はその展示の中でその作品が一番ゾクゾクしました。なんだか彼女の著書の『**私の愛、ナムジュン・パイク**』という言葉がぴったりハマったようなそんな感じでした。

ゆる1コマ「現代アート vs NHK」
集金にきましたー
ぼくテレビもってなくて〜

(第14話)

『ドライブ・マイ・カー』に負けない映画を撮る!

美術とは「美の視覚的表現をめざす芸術」。舞台や映画も、決して異なる分野ではありません。今回は、映画『ドライブ・マイ・カー』の面白さに嫉妬したトラちゃんのお父さんが、家族を巻き込んで映画撮影をはじめました。

アカデミー賞・国際長編映画賞を獲って話題沸騰な『ドライブ・マイ・カー』を父さんが見に行きました！
ぼくもみたい！
※行く前
大きくなったらね！
面白かった！くやしい！父さんも映画撮る！
パンフレット
次は濱口監督に嫉妬してるの？
主人公も売れてる演出家でくやしかった！
プンスコ
プンスコ
そこもなんだ…
←PG12なのでトラちゃんはみれませんでした
『ドライブ・マイ・カー』はチェーホフの『ワーニャ伯父さん』を上演するお話だから父さんはチェーホフの『かもめ』をやるぞ！
映画ってお金かかるんでしょ？予算いくらなの？
お小遣い前借りして作るから3万円くらい！
サラ
サラ
執筆中！
『カメラを止めるな！』の100分の1!?
美術のトラちゃん
ポピヨン本田
⑭
そして日曜日の朝から映画版『かもめ』の撮影を始めました！
この映画ではチェーホフが求めた自然な演技を追求するぞ！
かもめをやるには役者が足りないのはどうしましょう？
寝坊したので朱雀状態のまま飛んで来ちゃったんですけど大丈夫ですか？
うんいいよ
ボキ
ボキ
足りない役は絵で描いてあとで合成します！
ロケ弁
1人1コまで
監督・トレープレフ役 トラちゃんの父さん
嫉妬ばかりしてたら虎になった
トリゴーリン役 りゅうたろう君
売れっ子なので竜になった
役者デビューだクラスで自慢できるぞ…
ユミさんです 社会人だけどノリはいいから来てくれるよ
ニーナ役 ユミさん
水をかぶると朱雀になります お湯で戻るよ
ソーリン役 トメ吉くん
反抗期なので猫になったよ
かもめの剥製
出ている役者が合成の絵以外動物なのは果たして自然なのだろうか…
新しいカメラ試したかったんだよね〜
見てるだけトラちゃん
虎になってしまった小学5年生！
カメラ係 トラちゃんの母さん
この状況に戸惑いがない

撮影は進み ニーナの独白シーン
私はかもめ…
朱雀だ…
バサァ
朱雀…
朱雀
「私はかもめ…」人生が思うように行かず居場所も宙ぶらりんになったニーナが自分をかもめに例えるセリフ
大迫力爆破シーン
スイーーードカーン
いやーなんとかクランクアップ！みんなほんとにありがとう！
トレープレフのワイヤーアクションイカしてましたね！
パクパク
パクパク
原作にそんなシーンありましたっけ？
この人の改変よ
邦画でよくあるやつだ…
PIZZA
ピザパーティ！
というわけで今回は近代演劇の巨匠！劇作家アントン・チェーホフを紹介します！
ロシアの劇作家
アントン・チェーホフ（1860－1904）
小説もかくよ！
チェーホフの四大戯曲
「かもめ」「桜の園」「三人姉妹」「ワーニャ伯父さん」
たくさんの名作があるけれど『かもめ』という作品の前と後で演劇はガラッと変わったと言われてます！
演出家のスタニスラフスキーがモスクワ芸術座で作った『かもめ』はそれまでの演劇で一般的だった大げさな演技をやめて自然な演技を追求した！
「かもめ」の初演は役者の演技が合わず失敗したが、その後演出家スタニスラフスキーが自然な演技を追求して大成功させた！
型にはまった演技はいらぬ！
←コンスタンチン・スタニスラフスキー
それまでのこぶしのきいた劇（日本だと歌舞伎が近い）から役になりきる演技の時代へ！
彼は悲劇っぽい作品を描くがユーモア短編作家出身なこともあり笑えるところも多い。
オレらの人生サイアクだー
人生は主観でみれば悲劇！客観でみれば喜劇をあらわす作品。
ゲフー
俺も演技勉強して菅田将暉になりたい！
がんばれ！
彼らがモスクワ芸術座でやっていた劇を観た土方与志はそれに超感動して日本に築地小劇場を作った！
築地小劇場（1924～1945）
小山内薫 土方与志
戦争中でも検閲とたたかいながら日本の劇の礎を作った！
当時劇といえば歌舞伎だった日本の劇を多様化させた中心地でした！
近年でもチェーホフに影響を受けたり、モチーフにしてる作品がたくさんあります
ゴールデングローブ賞で話題になった「ドライブ・マイ・カー」
主人公が演出家で「ワーニャ伯父さん」を演る。
三重を拠点にした劇団「第七劇場」
「かもめ」
チェーホフなど古典を新しい解釈で公演！
特に『ひょっこりひょうたん島』で有名な井上ひさしはチェーホフの研究家としても有名！
井上ひさし（1934－2010）小説家・劇作家
チェーホフの半生をモチーフにした戯曲「ロマンス」や、彼についての文章が多数！
完成して映画会社に売り込みました
反応どうだった？
私はかもめ…

コトラちゃんコメンタリー
マンガに出てきた用語解説
ヒマなときよんでね～!

『ドライブ・マイ・カー』

濱口竜介監督、**西島秀俊**主演の2021年の映画で、**村上春樹**の同名短編小説を原作にし、村上春樹の他の短編小説や『**ワーニャ伯父さん**』の要素を取り込んだ脚本になっています。カンヌ国際映画祭で脚本賞を含む3部門、アカデミー賞でも国際長編映画賞を受賞するなど様々な国際映画賞を受賞し、国内でも日本アカデミー賞をはじめ数々の賞に輝いた、2021年を代表する映画です。原作小説のタイトルは村上春樹の代表作のひとつ『**ノルウェイの森**』と同じくビートルズの曲名から取られています。

『ワーニャ伯父さん』

アントン・チェーホフが1897年に発表し、1899年に**スタニスラフスキー**率いる**モスクワ芸術座**が初演した戯曲で、**チェーホフ四大戯曲**にも数えられています。中年になったワーニャが、人生を無為に過ごしてきたことに気がつき、失恋から同じく傷ついた亡き妹の娘ソーニャに「運命の試練にじっと耐え生きていこう」と慰められる、というのがあらすじです。発表数年後にはロシア第一革命が起こる当時のロシアの陰鬱な世相の中、それでも生きていく姿が描かれ、「田園生活の情景」という副題がついています。

『カメラを止めるな!』

日本アカデミー賞をはじめ国内外の数々の賞を受賞した、**上田慎一郎**監督の2017年の映画『カメラを止めるな!』は、**制作費300万円**の低予算映画でありながら口コミから火がつき、興行収入が30億円を突破したことでも話題になりました。俳優・映画監督の養成スクールであるENBUゼミナールの映画制作ワークショップ企画として制作されていますが、クラウドファンディングでも支援を募っており最終的に150万円以上の支援が集まっています。

カメラを止めるな!
大ヒットした!
ポスター

アントン・チェーホフ

1860年生まれのロシアの劇作家・小説家で、**近代演劇の完成者**とも言われます。はじめは短編小説を中心に発表し、**ドストエフスキー**や**トルストイ**が去った後のロシア文学界で確固たる地位を築きました。劇作家としても活躍し、特にモスクワ芸術座によって上演された『**かもめ**』『ワーニャ伯父さん』『**三人姉妹**』『**桜の園**』のチェーホフ四大戯曲はロシアの**リアリズム演劇**を完成させた傑作であり、世界中の演劇・文学に影響を与えました。若い頃から結核を患い、『**桜の園**』が初演された1904年に44歳で亡くなっています。

コンスタンチン・スタニスラフスキー

スタニスラフスキーは1863年に生まれたロシア～ソ連の俳優・演出家で、彼が考案した演技メソッド、**スタニスラフスキー・システム**

は現在でも世界中で活用されていて、演技理論の代名詞になっています。1888年に芸術文学協会を設立してプロの俳優・演出家として名声を博し、1898年には現在まで続いているモスクワ芸術座を設立します。モスクワ芸術座では『かもめ』などのチェーホフ作品や、**『小市民』『どん底』**などの**マクシム・ゴーリキー**の作品を上演し成功を収めました。スタニスラフスキー・システムは、紋切り型の芝居がかった演技を否定した、俳優が「役を生きる」体験の芸術、リアリズムのための演技理論で、新劇以降の日本の演劇にも大きな影響を与えています。

築地小劇場

明治以降の日本の演劇を根本的に変えた運動が**新劇**です。「型」の伝承を重視する能・狂言、歌舞伎といった従来の伝統演劇を**旧劇**と位置づけ、それに対して俳優、演出家を中心にした座組がいちから戯曲に取り組んでつくりあげる、ヨーロッパの近代的な演劇が新劇と称されました。そのため今日に演劇と言われて想像される舞台芸術は、新劇運動の影響下にあると言えるでしょう。築地小劇場は、先行する**自由劇場**で新劇運動をリードした演出家の**小山内薫**が、弟子で伯爵だった**土方与志**と共につくった劇団および劇場で、日本最初の近代劇場と言われます。

第七劇場

1999年に当時早稲田大学に在学していた**鳴海康平**を中心に結成された劇団で、「国境を越えることができるプロダクション」をポリシーに海外でも多く上演しています。当初は東京を拠点に活動していましたが、2014年から三重に活動拠点を移しています。東京から地方に拠点を移した劇団としては、**こまばアゴラ劇場**を中心に活動していた**平田オリザ**率いる**青年団**が、2020年に兵庫県豊岡市に本拠地を移転したことも話題になりました。

井上ひさし

1934年山形県生まれの放送作家、劇作家、小説家です。放送作家だったキャリアの初期に人形劇**『ひょっこりひょうたん島』**の脚本を**山元護久**と共作し、同作にトラヒゲの声で出演していた**熊倉一雄**が演出する**劇団テアトル・エコー**作品の脚本を担当したところから、舞台の世界でも劇作家として活躍するようになりました。**『手鎖心中』**で直木賞を、**『吉里吉里人』**で日本SF大賞と読売文学賞を受賞するなど小説家としても活躍しています。2010年に亡くなるまで精力的な劇作・執筆活動を続け、チェーホフの半生を題材にした戯曲**『ロマンス』**は2007年の作品です。

●編集作業中

作品解説コラム連載 おまけページ

きゅうり画廊

私はきゅうり

きゅうりのキューブリック

今回のきゅうり画廊では**チェーホフ**の『**かもめ**』のあらすじに簡単に触れてみます。ネタバレが嫌な人は見ないでください！って言っても初演が1896年で100年以上も前の作品なので、ネタバレもクソもない感じですね。本当にざっくりとだけ書くので、知らなかった人はいつか戯曲を読むか、劇を見るかしてもらえると嬉しいです。

まず**トレープレフ**という作家志望の25歳くらいの若者がおりまして、保守的な演劇界に一石を投じるために新しい形式の戯曲を書き、恋人の**ニーナ**に演じさせます。けれど大物女優である母親や、その愛人の人気作家・**トリゴーリン**からは、野次られ馬鹿にされます。理解を示してくれる人はトレープレフを励ましてくれますが、ニーナがトリゴーリンに恋をしたのがわかり、それどころではなくなります（このイラストの、かもめを撃ち殺してニーナの前に差し出すシーンはこの辺りで出てきます）。

もう完全にニーナはトリゴーリンに夢中になり、絶望したトレープレフはピストル自殺を図るけど失敗。ニーナは家出してモスクワで女優を目指し、トリゴーリンと一緒になります。

2年後、トレープレフは人気作家になりますが、自分が嫌いだった保守的な形式に囚われた作家になってしまいました。そんな彼の前に、出て行ったニーナが突然にやってきます。どうやら女優としてうまく行かず、トリゴーリンとの間にできた子供が死んでしまったことがきっかけで、彼からも捨てられたそう。

それを聞いたトレープレフは「今でも君を愛してる」だなんて言いますが、彼女は言います。「まだトリゴーリンを愛しているの」。

このあと「**私はかもめ。違うわ。私は女優**」と、売れず惨めな生活をしているけども女優として生き続ける決意のような言葉を言い残して彼のもとを去ります。それを見送ったトレープレフはピストル自殺をするのでした。

死ぬほどざっくりまとめましたが、今回の漫画が『かもめ』ありきなので書きました。出てくる人たちは大体、芸術家か芸術家に憧れる人で、さらに大体誰かに恋をしています。これは100年前につくられた『ハチミツとクローバー』だと思って見てみましょう。

この作品はずっと他愛のない会話だけで進んで、派手だったりびっくりしたりするシーンはありません。本当に彼らの日常をのぞいているような内容です。そのため、本当に目の前に彼らがいるとお客さんに思い込ませるくらいの自然な演技力が必要な戯曲です。役者の力量がモロに出てしまうので、この劇団のチェーホフは最高だったけど、あの劇団はイマイチだったなとか結構あるのです。

●撮影中のNGシーン

ニーナ…たった今僕はこのかもめを撃ち殺した…
めちゃくちゃ剥製じゃないですか…
台座もついてるし…
これしか用意できなくて…

（第15話）

働くの向いてないし、作家で頑張る！

今では美術作家のお父さんですが、過去には就職活動をしたこともありました。しかし世間の風は厳しく、芸術の道を選びます。売れている作家のパーティにゲリラで突入したこともあるお父さんが、芸術界の性差別と戦うゲリラ・ガールズを紹介します。

父さんの画塾に社会人になった卒業生が顔を出しにきました！
わりと長くやってます
ウルトラ画塾
先生久しぶりっス 春から第一志望のデザイン会社に就職しやす！
へへへ
手《てぇ》つけられない生徒だったけどいい道行きやがって！ガルル！
あなたは就活全部ダメだったもんね…
父さん就活したことあるの!?
先生は昔どんなとこうけたんすか？
当時のGAFA《ガーファ》は全部うけておちたなあ…
Google Amazon Facebook Apple
ユーチューブ買収前だったなグーグル…
先見の明だけすごい…
美術のトラちゃん
パピヨン本田
⑮
今回は大学を出たばかりのまだ何者でもない父さんたちのお話です
なんだあの試験…マンホールのフタが丸い理由なんて知るかよ…
ザザーン
ザザーン
月が丸いからじゃないっすかね…
それかあ…
若い父さん やっぱり売れてない
BEER
先パイ。ボクら働くの向いてないし作家でがんばりましょうよ！
若いりゅうたろう君 まだ売れてない
CHU HI

そんなこんなで卒業後りゅうたろう君とパンクバンドを組みます
まじめに作家やりなよ…
オレの怒りをきけえぇ！
ズギャー
ギギャギャギャン ズギャン
THE BRAIN BREAK
ファンの比率が父さん2でりゅうたろう君8でした…
私は2の方ではあったよ！
いろんな売れてる作家のオープニングパーティにゲリラで参加しました
一曲うたいます！
お耳よごし失礼っ!!
オープニングパーティ
パフォーマンス？
だれ？
こんな余興あったっけ？
うおおおおお
これは大丈夫なの!?
ギリ許された時代だったかなあ…
というわけで今回はゲリラ・ガールズについて紹介します
ニューヨーク発のアーティスト集団
ゲリラ・ガールズ（1985結成）ゴリラのマスクがトレードマーク！
美術界の性差別と35年以上たたかってます
歴史があるよ！
よくならないのでまだ戦ってます
80年代から匿名でゴリラのマスクをかぶって差別と戦うパフォーマンスを続けています
かっこいいよねえ！
メトロポリタン美術館に入るためには女はヌードにならないといけないの？
マスク一つで誰でもゲリラ・ガールズになれるので世界中にメンバーがいるのもおもしろいです！
キャッチーなポスター！
Do woman have to be naked to get into the Met. Museum
（1989）
ヌード作品は85％が女性のモデルだが、女性作家は5％以下
リサーチを元にした事実や解決の提案をキャッチーに視覚化！
ゲリラ・ガールズ結成のきっかけはニューヨーク近代美術館（MOMA）
（有名作品を多く収蔵！）
で1984年に現代美術を総括すると謳い、ひらかれた特別展の出品女性作家が165人中13人だったから。当時の館長は
ここに展示されてない男は自分のキャリアを見直した方がいい
と言ったそう。女性作家をないものにしたこの言葉に彼女たちは抗議した。
若いメンバーがどんどん加入するから内容もずっと更新されていく！
ちなみに父さんのゲリラライブは何が原動力だったの？
純粋な嫉妬です…
オレのキャリアとは…
ちなみにメンバーは亡くなった偉大な女性作家の名前を自らにつけてます。
ケーテ・コルヴィッツ
フリーダ・カロ
オーガスタ・サヴェージ
メンバーは「フリーダ・カロ」や「久保田成子」など亡くなった女性作家の名を名乗る。男性中心で女性作家は名がのこりづらかった美術史への抵抗。
美術作家紹介
手元に美術入門書があれば見てみてください。95％以上紹介されてるのは男性作家です。
自分が昔から好きで読んでいる、101人の偉大な芸術家を紹介する本にのっている女性作家は3人でした。
りゅうたろう君が売れた時のオープニングパーティももちろん乱入したの？
GALLERY
ワイ ワイ ワイ
りゅうたろう個展
その時は外から見守るだけでした
結局小心者なんだよなあ…

トラちゃんコメンタリー
マンガに出てきた用語解説
ヒマなときよんでね！

GAFA

アメリカの巨大IT企業群の通称で、Google、Apple、Facebook（現在のMeta）、Amazonの頭文字を取っています。Microsoftを加えてGAFAMと呼んだり、Netflixを加えてFAANGと呼んだりすることもあります。2020年にはGAFAMの時価総額が当時の東証一部上場企業の合計を上回ったことが話題になりました。市場を支配している会社は時と共に変わるので特定の社名を含めずに示したい場合には、インターネット上に独占的な「場（プラットフォーム）」を提供してビッグデータと手数料を押さえるビジネスモデルからプラットフォーマーと呼ばれたり、単純にビッグ・テックや、テック・ジャイアントと呼ばれたりすることもあります。

〝マンホールのフタが丸い理由〟

答えを言ってしまうと、他の形をしていると、フタが縦になった時に穴の中に落ちてしまうかもしれないからです。例えば正方形のフタを縦にして、そのまま45度角度をずらすと、フタの一辺の長さよりも穴の対角線の長さのほうが約1.4倍長いのでいとも簡単に落ちてしまいます。フタが丸ければ、どんなに角度を変えても必ずどこかでフタが穴に引っかかるので、落ちることはありません。他に「運ぶ時に転がすことができるから」などの理由もあります。この問題が、Microsoftの入社試験での面接で出題されたという話が**『ビル・ゲイツの面接試験』**（ウィリアム・パウンドストーン著、2003、青土社）に書かれており、同書では、こういった「パズル面接」を行うことで、変化の激しい業界ですぐに陳腐化する知識や技能ではなく、より一般的な問題解決能力を測ることができるので、間違った採用を防止できるとしています。

ゲリラ・ガールズ

1985年から活動しているアート界の**フェミニズム・アクティヴィスト集団**で、リアルなゴリラのマスク姿がトレードマークですが、これは結成当時のメンバーが「ゲリラ（guerrilla）」を「ゴリラ（gorilla）」と書き間違ったことにヒントを得てパワフルな動物の姿をとったものです。漫画で紹介した1989年の黄色いポスター**《メトロポリタン美術館に入るためには女はヌードにならないといけないの？》**は、**ドミニク・アングル**（1780〜1867）の代表作**《グランド・オダリスク》**の女性像にゴリラのマスクを被せたもの。2023年には3月8日の国際女性デーに合わせて渋谷PARCOで個展が開催されました。

オーガスタ・サヴェージ

1892年にフロリダで生まれたアメリカの彫刻家で、1920年代にニューヨークで盛んになったアフリカ系アメリカ人文化の再興運動、**ハーレム・ルネッサンス**の一翼を担いました。1919年にフロリダ州パームビーチ郡の祭で賞を受賞したことから美術を学ぶようにすすめられ、1921年にニューヨークのクーパー・ユニオン（建築、美術、工学の大学で、当時は授業料が全額免除でした）に入学します。在学中から生活費を捻出するために公共施設の彫像制作の依頼を受け、全米黒人地位向上協会の創立メンバーである**W・E・B・デュボイス**をはじめ**マーカス・ガーベイ**、フレデリッ

ク・ダグラス、**ジェームズ・ウェルドン・ジョンソン**といった黒人民族主義や公民権運動の活動家や、ブルースの父とも呼ばれる**W・C・ハンディ**の彫像を制作するなど彫刻家として成功し、1939年のニューヨーク万博にも作品を提供していました。人種差別によりパリへの留学を断られたことからアートだけでなく政治の分野でも活動しています。名声を得た後には自身の美術教室やディレクターを務めたハーレム・コミュニティ・アート・センターで教鞭を執り、**ジェイコブ・ローレンス**や**グウェンドリン・ナイト**などが彼女の下で学びました。

オーガスタ・サヴェージ
彫刻!!
オリジナルはこわされて今はレプリカ!!
「ハープ」(1939)

フリーダ・カロ

1907年生まれのメキシコを代表する画家で、自身を題材にした作品で知られています。幼い頃から絵に親しみ、学生だった1925年に交通事故に遭い数ヶ月歩けなくなった時期に本格的に絵を描きはじめ、画家**ディエゴ・リベラ**に画才を認められたことをきっかけに21歳年上のリベラと結婚します。自身の流産や、夫リベラが自分の妹と不倫をしたことによる心の傷、メキシコの民族主義や共産主義への傾倒などを絵画で表現し、1930年代後半には国際的な名声を得るようになっていました。1939年にリベラと離婚するも、翌年に再婚、1940年代にはメキシコを代表する画家として認知されるようになり、制作と並行して文化事業や国立の美術学校での講義を受け持ちましたが、徐々に体調が悪化し、1954年に47歳で亡くなっています。

フリーダ・カロ
すごいまゆげ…
「いばらの首飾りとハチドリの自画像」(1940)

ケーテ・コルヴィッツ

1867年に東プロイセンの中心都市ケーニヒスベルク（現在はロシア領カリーニングラード）に生まれたドイツの画家です。17歳の時に絵を学ぶためにベルリンに旅立ち、1890年にケーニヒスベルクに戻ってからは貧しい人々や港で働く女性たちを描いた版画を制作するようになります。1891年に医師のカール・コルヴィッツと結婚し再度ベルリンに移住してからも画業を捨てず、自画像や身の回りの貧しい人々の生活を描き続け、版画家として評価されるようになりましたが、当時のドイツ皇帝ヴィルヘルム2世からは授賞を却下されます。第一次世界大戦が開戦してすぐに次男が戦死し、戦後には**《戦争》《プロレタリアート》**といった作品を発表します。戦間期にはドイツを代表する芸術家としての名声を博しますが、ナチス政権樹立後には制作を禁じられ、1940年に夫を病で、1942年に長男を戦争で亡くします。ケーテ自身も1945年4月、ナチス降伏の直前に亡くなっています。

ケーテ・コルヴィッツ
「失業」(1909)

作品解説コラム連載

おまけページ きゅうり画廊

ふるさと

きゅうりのキューブリック

この原稿を書いていたとき、ちょうどポケモンの新作が盛り上がっていたのですが、ニンテンドースイッチすら持っていなかったので、なんとなく世間から取り残されているような気がしていました。

高校生くらいまではゲームがめちゃくちゃ好きだったので、ゲームボーイからWiiあたりまでかなり遊んだ気がします。もちろんポケモンは大好きで、新作のたび買ってもらっていました。95年生まれだった自分にとっては、ずっと世界にゲームが当たり前にあって、ゲームの進化と一緒に人生を過ごしていたのです。

そして同時に95年生まれのまわりでは世がひっくり返るニュースが次々に起こりましたよね。阪神大震災や地下鉄サリン事件があって、小学生になるとゆとり教育がはじまって、信じて受けていた教育は失敗だったとか言われ、ハイジャックテロもあって。将来の夢を考える頃にはリーマンショック、高校に入ったあたりで東日本大震災があり、凄まじい波を画面越しに見ました。これから稼ぐぞなんて思ったらコロナ禍もはじまりました。

95年生まれというのは信じられるものがどんどんなくなっていく世代だったのかなと思います。小さい頃にいた神様も安全安心も将来も、誰も何も信じられなくなって。どこにも帰る場所がなくなったような、そんな気がします。

そう思っていたあたりに同年代の作家、**宮川知宙**の**《1995年の海》**という作品を見たのです。2017年の多摩美術大学での彼の卒業制作でした。4Kのでっかいモニターに白黒ゲームボーイ時代のポケモンの海のグラフィックが引用され、大きく映し出されていました。

そのグラフィックの海にはキャラクターもポケモンもいません。ただずっと無限に続いて、波が揺れていたのです。それは1995年に生まれた自分たちの原風景で、何回も冒険に出かけた海でした。

そこから彼と知り合って「こんなのもあるよ」と見せてもらったのが、このイラストの作品です。初代ポケモンの主人公が住んでいる最初の町のグラフィックを模写して自らドットで描き、カセットにプログラミングした作品でした。ゲームボーイをつけると、何も操作できず最初の町で草だけが揺れているのです。ドットを打ち込んだ少ない情報でしかないその画面が、正しく自分の帰る故郷のように思えたのです。

もしかしたら、自分はこの家を出て冒険に出かけた主人公かもしれない。でもまだ何もできずに、この家の中に囚われているのかもしれない。初めて作品を見たとき、たくさんの思いが頭によぎってバグったように動けませんでした。

そのとき初めて、故郷の風景画を買う人の気持ちがわかりました。アニメやゲームから引用して自分自身の原風景をつくろうとする作品はたまに見かけますが、彼の作品ほど身に迫って多くのことを考えさせる風景画は他にまだ見ていません。それを可能にするのが彼の作品の細部だったり、演出だったりするのでしょう。

だってゲームボーイでただポケモンを起動したときには同じ画面なのに、ここが故郷だなんて全く思わなかったのですから。

宮川知宙
「わたし（たち）が育った町」（2015）
うごかせない…
やりたい やりたい
Nintendo GAMEBOY

（第16話）

過激な作品づくりは疲れる？

トラちゃんは、実は小学校の学級委員長を務めるしっかり者。クラスで合唱をすることになったのですが、歌う曲がなかなか決まらず、ちょっと変わり者の図工の先生に相談しました。ところで、先生の名前の読み方って、もしかして……？

トラちゃんの小学校では6年生を送る会で5年生がクラスごとに合唱をします！
歌う曲はクラスごとに多数決です…
クラス投票の結果ベテルギウスと炎が同票になった
うたう曲こうほ
ベテルギウス 正正T
炎 正正T
旅出ちの日に T
学級委員長のトラちゃんがどっちか決めてよ！
かたやラブソングかたや死別の歌…
NINJA
放課後。トラちゃんが入っている小学校の図工クラブ！
トラ氏〜浮かない顔してどうしたのですか〜？
明日までに送る会の曲をベテルギウスか炎かボクが決めなきゃいけなくて…
キュキュキュ
コンパウンド
ええ〜そこはマカロニえんぴつ一択でしょう！
カーモデルにコンパウンドかけてる小学生のくせに
美術のトラちゃん ⑯
図工クラブ
カシャ
トラちゃん
ソウサク君
先生氏に聞いてみよう！さっきの話どう思います〜？
自分の車にコンパウンドかけてる…
コンパウンド
どっちも歌えばいいんじゃないかな？
綺麗でしょう？多分世界で一番かっこいい彫刻ですよ
ギャ ギャ ギャ ギャ
830
図工の先生
安藤壁穴《あんどううぉーるほーる》先生

いやー磨き疲れた…あれ？ソウサク君なんですかそのカーモデルは？
かっこいいいなあ！先生の車と交換しませんか？
イヤです！
成立したらどうするつもりだったんだろう
キュ
キュ
キュ
送る会では歌以外に出し物もあるからマジックの練習もしたんだよ！
スイ～
ポン
パチパチ
それはすごい！
超えてこないでほしい…一人でよくそれるなあ…
というわけで図工クラブの座学の時間ですよ！びっくりする出し物をする作家クリス・バーデンを紹介します！
出し物ではないと思うけど…
アメリカの作家
パフォーマンスにインスタレーション・立体
クリス・バーデン（1946－2015）
「Shoot」（1971）
ギャー
自分のうでをライフルでうたせた。本当は、かするだけのつもりがミスで貫通した。
自分の腕をライフルで撃たせた作品が有名です！
図工クラブで紹介するんだこれ…
初期は他に車に自ら磔刑になったり車に轢かれたりするような身を削るパフォーマンスで注目されました！皆さんは絶対にやらないでくださいね！
「Trans-Fixed」（1974）
車に磔刑のようにはりつけになって走る。本当に手のひらにクギをうちつけた。
「Deadman」（1972）
袋の中に入って車道にねそべって車にひかれる。
バーデン
ゴリッゴリッ
やりません…
「747」（1973）
絶対にあたらない距離ではあるが飛行機に向って銃をうつ。大問題になった。
学校の先生が教えてくれるのって印象派くらいだと思ってましたよ！
過激な作品で注目されるのに疲れて後期はクオリティの高い彫刻作品を作りました…！まるで私みたいですね
「Urbanlight」（2008）
歴史ある街灯を一ケ所に集めた。ロサンゼルスで人気の超映えスポットになってます！
先生の過去も怖そうだなあ…
リーダーとして何か決めるのは大変でしょうがきっとトラちゃんの成長につながります
選曲頑張ってくださいね
先生ありがとうでも僕コーヒー飲めないよ
これはコーラですよ
スッ
グラスないんですね
図工の先生にアドバイスもらって歌う曲しっかり決めれたよ！
トラちゃんすごい！
いい先生だねえ！
安藤壁穴《あんどううぉーるほーる》って先生なんだよ！
え…同世代で一番ヤバかった作家の安藤じゃん…今先生なんだ…
●昔
作家つかれたからやめるね
ええ…
ますます過去が怖くなってきた…

トラちゃんコメンタリー
マンガに出てきた用語解説
ヒマなときよんでねー!

・「ベテルギウス」
・「炎」

「ベテルギウス」はシンガーソングライターの**優里**が2021年に発表したラブソングで、TVドラマ『**SUPER RICH**』の主題歌に起用され、ストリーミングチャートで1位を記録するヒット曲になりました。対する**「炎《ほむら》」**は映画『**劇場版「鬼滅の刃」無限列車編**』の主題歌として2020年に発表された**LiSA**の楽曲で、作詞・作曲には同映画の劇伴《げきばん》を担当した**梶浦由記**も参加しています。タイトルの「炎」は劇中の中心人物である煉獄杏寿郎のキャラクターイメージから取られています。日本レコード大賞受賞や紅白歌合戦など、アニメソングの枠を越えたヒット曲になりました。

マカロニえんぴつ

2012年に結成し、2020年にメジャーデビューしたロックバンドです。作詞作曲も担当しているヴォーカルの**はっとり**さんは、**トラや帽子店**(1980〜1990年代に活躍した、子供の歌を多く残したバンド)からの影響を公言していて、マカロニえんぴつも「全年齢対象」をうたう通り、大人も子供も楽しめるやさしい曲調が持ち味です。

コンパウンド

ペースト状になった研磨剤のことで、紙やすりとは異なり、布で研磨剤を伸ばせるので曲面を磨くのに使いやすいのが特徴です。自動車の傷隠しに使うものや、カーモデルの表面を磨いて光沢を出すものなど、用途によって研磨剤の粒度や種類にいろいろなバリエーションがあります。ソウサク君がコンパウンドをかけている時にしている眼鏡は、細かい作業をする時に使う拡大鏡ですね。

"安藤壁穴"

もちろん**アンディ・ウォーホル**の名前をパロディした先生ですね。登場したコマで磨いている車はフォルクスワーゲンのビートルで、1938年から2003年までに2000万台以上生産され、史上最も多く生産された車と言われています。ポルシェの創業者でもあるフェルディナント・ポルシェが設計した大衆車の代名詞で、ウォーホルは晩年に発表した**《広告》**シリーズのひとつとして、このフォルクスワーゲン・ビートルをモチーフにした作品を制作しています。安藤先生はコーヒーの代わりにコーラを出していますが、コーラもウォーホルが繰り返し描いたモチーフのひとつです。そのうちの一作**《大きなコカ・コーラ》**が、2010年にニューヨークで行われたオークションで、3500万ドル(当時のレートで約**29億円**)で落札されたことも話題になりました。

Coca-Cola

「コカ・コーラ」(1962年からのシリーズ)

クリス・バーデン

1946年生まれのアメリカのアーティストで、過激な**パフォーマンス・アート**で知られています。バーデンはボストンで生まれ、幼少期はフランス、イタリアで過ごし、アメリカに戻って高校を卒業した後、大学で物理学と建築を専攻します。学生時代にはパフォーマンス・アートをはじめており、修士論文として**「5日間ロッカーに閉じ込められて水だけで生活する」**という過酷なパフォーマンスを行っています。同時代のアーティストがパフォーマンスの一回性を重要視していたのに対して、あくまでアート作品という意識が強かったバーデンは、自分のパフォーマンスを写真や映像に残すことが多かったのも特徴です。

「芸術とは何か」の範囲を強引に押し広げたバーデンは1978年から2005年までUCLAで教鞭を執りましたが、その後は過激なパフォーマンス・アートから離れ、彫刻作品やインスタレーションを中心に制作するようになります。2013年にはニューヨークのニュー・ミュージアムで大規模な回顧展が行われ、2015年にロサンゼルスで亡くなりました。

"身を削るパフォーマンス"

バーデンの1971年のパフォーマンス**《Shoot》**では、オーディエンスの目の前で、本物のライフル銃で腕を撃たせ、1972年の**《Deadman》**では当初の想定と異なり、本当に事故が起こったと思われ警察を呼ばれ、逮捕されてしまっています。1973年の**《747》**では、離陸したボーイング747に向かってピストルを発射する姿を写真に収め、FBIの捜査を受けています。1974年の**《Trans-Fixed》**では、アンディ・ウォーホルもモチーフにした大衆車の代名詞フォルクスワーゲンのビートルにキリストを連想させるポーズで磔になり、走る車の上で悲鳴をあげるというショッキングなパフォーマンスを行いました。

《Urban Light》

1920〜1930年代のアンティーク・ランプのコレクションを修繕して無数に並べた**パブリック・アート**です。2008年に発表され、現在は**ロサンゼルス・カウンティ美術館**（LACMA）で観ることができます。LACMAでは他にも**《Metropolis II》**などのバーデンの作品を観ることができます。

「Metropolis II」(2010)
巨大！
ミニチュアの街！
LACMA
「Urban Light」(2008)

印象派

19世紀後半にフランスを中心に起こった絵画の潮流で、**エドゥアール・マネ**に刺激を受けた**カミーユ・ピサロ**、**クロード・モネ**、**ピエール＝オーギュスト・ルノワール**、**エドガー・ドガ**などの画家が、当初は揶揄を込めて「印象派」と呼ばれたことに由来しています。写実性よりも、光や色彩から得る印象を重視した表現が特徴です。彼らが推し進めた**印象主義**の影響は絵画にとどまらず、**オーギュスト・ロダン**などの彫刻、**クロード・ドビュッシー**などの音楽、**アルトゥル・シュニッツラー**の文学など様々な芸術分野に広がりました。

ちなみに歌ったのはベニールギウス
友情の歌ともとれるから！
あと他のクラスが紅井蓮華だったからレーSAかぶりをさけて…

作品解説コラム連載

おまけページ

きゅうり画廊

おくれすぎ！

きゅうりのキューブリック

今回、漫画で取り上げたのがクリス・バーデンという激しい作家でしたので、きゅうり画廊も、同じくらいパンチのある作家を紹介しようと考えまして、**Chim↑Pom from Smappa!Group**（以下、チンポム）について書いてみます。

チンポムというのは2005年から活動している6人組のアーティスト集団です。別の媒体でもこのことについて書いたことがあるのですが、自分が現代美術に興味を持ったきっかけのひとつが2012年3月号の『**美術手帖**』なのです。その特集記事の「**REAL TIMES**」を監修していたのがチンポムでした。

当時高校生の自分は、彼らのことを渋谷駅にある**岡本太郎**の《**明日の神話**》に原発のメルトダウンの絵を追加でくっつけて炎上したというニュースくらいでしか知りませんでした。

「REAL TIMES」はそんな彼らが、とにかく世界の**アート・アクティヴィスト**（美術を表現手段にする活動家）を紹介しまくるという内容だったのですが、当時の自分は衝撃を受けまくるわけです。

そこそこの田舎に住んでいてインターネット環境もほぼなかったので、美術になんとなく興味があっても今どういう作家がいるか全然知らなかったのですが、これを読んで「美術めっちゃかっこええ！」「絵を描くだけじゃない！」と思ったのです。

それが結構自分の美術人生において重要なはじまりだったので、チンポムと『美術手帖』にはいまだに恩を感じていたりします。

『美術手帖』に載っていた彼らの作品もかっこよかったし、何よりこんなにかっこいい世界の作家をたくさん紹介してるチンポムは、おそらく日本で一番イカしてる作家グループなのだろうと思った高校生の自分は、2010年に発行されていたチンポム作品集を買うわけです。

「**日本のアートは10年おくれている。世界のアートは7～8年おくれている。Chim↑Pomからおくれている**」という宣言文からはじまるこの作品集をみて、当時何を思ったのか全然覚えていません。影響受けやすい自分のことだから「へえー!! そうなんだ10年おくれてんだ！」と受け入れてたのでしょうか。その後も体当たりで身を削って、作品を発表し続ける彼らを勝手にリスペクトしていました。

2022年に森美術館での彼らの個展がありました。「REAL TIMES」から10年の節目に見たいと思っていたので3月に行ってきました。

個展は思っていた通りチンポムの活動を総括する展示で、大規模な展示構成の中に自分が今まで写真や何かの展示で見てきた彼らの作品がありました。2012年3月号の『美術手帖』ですげえなあと思って見た彼らの作品を、ちょうど10年たった自分は、応援していたバンドが東京ドームで公演して手の届かない存在になるような、喜びと寂しさが混ざった複雑な感情で見ていました。

Chim↑Pom
（現 Chim↑Pom from Smappa!Group）
美術手帖 2012年3月号
「REAL TIMES」

（第17話）

卒業生の未来が眩しすぎる

トラちゃんのお父さんが経営する画塾では、毎年生徒の卒業式を開催しています。生徒の進路が決まって嬉しいけれど、明るい未来を目の当たりにして、ついつい嫉妬してしまったお父さんが、思い出の写真つながりで、写真家のシンディ・シャーマンを紹介します。

この春から美大に入学する画塾の生徒の卒業式をひらいた父さんです！
サクラサク！
卒業おめでとう
卒業するみんなのために黒板アートを描きました！
黒板に穴が…黒板アートで抽象表現は初めて見たなあ…
こういうのはイラストとか描くもんだと思ってた
みんな進路が決まってよかった！先生は誇らしいです
また遊びにくるね！絵がんばるよ！
絶対世界一のデザイナーになるんだ！
米津玄師のMVを撮る映像作家になるからね！
未来が眩しい…ガルルル…
こんな時まで嫉妬しないでよ父さん…
美術のトラちゃん
⑰
パシャッ！
画塾の外の桜の木の下で記念写真を撮ろう！
キレイな桜だねえ
ダミアン・ハーストの桜みたいだな…

タイムカプセルを埋めよう！
先生が穴を掘ってあげよう！
わしゃ わしゃ
タイムカプセル
トラの腕力すげえ〜
わしゃ
人を埋める深さ…
ことあるごとに埋めてたからいっぱい出てきちゃった…
あっ…これは5年後に開けるやつだ…
タイムカプセル
タイムカプセル
タイムカプセル
タイムカプセル
これ草間彌生の作品だ…！
ナルシスの庭
これなんて去年の写真じゃないか
では写真といえば写真家のシンディ・シャーマンを紹介しましょう！
急だなぁ…
自らが被写体のセルフポートレートで世界トップクラスの知名度の写真家です！
「Untitled #96」(1981)
写真家・映画監督 タペストリー作品も！
元祖自撮り
シンディ・シャーマン (1954－)
雑誌のみひらきをモチーフにした写真作品 上から見下される被写体。抑圧のイメージが強い
大衆映画のワンシーンやグラビア雑誌をモチーフにして立場の弱い被写体が受ける抑圧を表現しました
代表的なシリーズ「Untitled film still」
モノクロ映画に出てくる女性のワンシーンの様なセルフポートレート。古い女性像をあえて演じる。
#21
特に何の映画のパロディというわけではないが、まるで本当にある映画のよう…
#48 (全69枚)
中期からは外に見える写真もほぼスタジオ撮影。絵画をつくるように全てにこだわり作る。
映画監督として映像を撮ったり最近ではインスタでも写真を発表してるよ！
父さんも写真やってたの？
くらいよ
こわいよ
チャプ
チャプ
暗室が怖くて写真からは卒業しました
先生…最後に僕たちから感謝の言葉です…今まで本当にありがとうございました…
みんな…
キラ キラ キラ キラ
感謝の言葉で父さんが人間に戻った！
僕が東京藝大に（現役）合格できたのは先生のおかげです！
ボンッ！
にくい！
結局嫉妬で戻っちゃった…

コトラちゃんコメンタリー
マンガに出てきた用語解説
ヒマなときよんでねー！

サクラサク

「**サクラサク**」は合格の通知として最も有名な電報の文面で、早稲田大学の合格通知が発祥と言われています。不合格の場合は「**サクラチル**」となります。

　入試や試験の合格発表は、今ではインターネットでの発表やメールでの通知などが一般的ですが、昔は大学構内に掲示板を設けて、合格者の受験番号を貼り出して発表していました。自宅から通学圏内の大学なら直接確認しに行けばいいわけですが、例えば地方から東京の大学を受験した場合などは、合格発表を確認するだけでも一苦労です。１９８０年代からは郵便サービスの「レタックス」を利用して、大学から発表当日に合否通知をしてもらえるようになりましたが、それ以前は、大学の近くの知り合いに確認してもらって電話で教えてもらうか、知り合いがいなければ学生有志がアルバイトとして請け負っている合格電報のサービスを使って教えてもらっていました。電報は仮名《かな》しか使えず文字数により料金が変わるため、なるべく短い言葉で表現する必要がありました。そのためサクラサクやサクラチルという言葉が使われたのです。

黒板アート

　卒業シーズンに、先生やクラスメートへのメッセージを黒板に書いたり、イラストを添えたりする文化は昔からありましたが、それを写真に撮ってSNSでシェアするようになり、アート性の高い作品がバズるようになったことで、**黒板アート**というひとつのジャンルとして認識されるようになりました。２０１５年からは黒板メーカーの日学が「日学・黒板アート甲子園®」を主催しています。それとは別に、カフェの黒板看板にチョークで絵を描く**チョークアート**というジャンルも以前から存在しています。

〝黒板に穴〟

　お父さんが卒業生のためにつくった黒板に穴があいているアートは、１８９９年生まれのイタリア人アーティストの**ルチオ・フォンタナ**の代表作《**空間概念　期待**》のオマージュです。１９４７年に「**空間主義の第一宣言**」を発表し、空間を通じた形、色、音の表現を説いたフォンタナは、一色に塗られたキャンバスをナイフで切り裂いたり、ボツボツと穴をあけたりする《空間概念　期待》と題したシリーズを１９５８年から発表しはじめます。それまで平面芸術の**メディアだと思われていたキャンバス**が、空間を持った物体でもあることを再発見した重要な作品です。

ルチオ・フォンタナ
キャンバスを切り裂く
ビリー
「空間概念 期待」(1961)

〝ダミアン・ハーストの桜みたいだな〟

ダミアン・ハーストは１９６５年生まれのイギリスのアーティストで、動物をホルマリン漬けにするなどのセンセーショナルな作品を発表して現代アーティストの代表と評価されています。２０２１年には１００枚以上の巨大な《**桜**》の絵を発表し、２０２２年に日本でも同作の個展が開催されました。キャンバスにドットを打つ抽象画**ベール・ペインティング**を制作しているときに、それが木や庭に見えたことがきっかけで思いつき、抽象画と具象画の架け橋になる作品として制作されています。

草間彌生《ナルシスの庭》

1966年にヴェネチア・ビエンナーレで勝手に行ったパフォーマンスです。1000個以上のミラーボールを屋外の庭に敷き詰め、作家自らミラーボールを販売するというインスタレーションで、**草間彌生**の名前を世界に知らしめた作品です。発表後もニューヨークのグラスハウスなど様々な場所で展示され、

2022年からは、香川県直島のベネッセハウスミュージアムにオープンした、**安藤忠雄**設計によるヴァレーギャラリーに展示されています。

シンディ・シャーマン

1954年生まれのアメリカの写真家で、社会批評的な作風で知られています。エリー湖に程近いニューヨーク州立大学バッファロー校で美術を学び、学生時代は**スーパーリアリズム**（写真をトレースするなどの方法で、徹底的に写実に拘った絵画の潮流）の絵画を描いていましたが、1970年代後半に写真に転向しています。大学を卒業してニューヨークに移住後、様々な女性像に扮したセルフポートレート作品**《Untitled Film Stills》**シリーズを制作し、ニューヨークのアートシーンで注目されるようになります。その後も名画の登場人物に扮した**《History Portraits》**シリーズや、医療用マネキン人形に性的な表現をさせた**《Sex Pictures》**など話題作を発表し、1997年にはサイコ・スリラー映画『**オフィスキラー**』の監督を務めています。2017年にはインスタグラムのアカウントを公開し、アプリを使って加工したセルフポートレートを投稿している他、インスタグラムに投稿した写真をタペストリーで再現した作品を制作・発表しています。

暗室

現在では写真と言えばデジタルカメラで撮るもので、印刷も家庭用のプリンターでできますが、デジタルカメラが広まったのは1990年代後半のことです。それ以前、カメラと言えばフィルムカメラのことでした。フィルムには、光が当たると反応する感光剤が塗られています。撮影により光が当たって変成した感光剤がつくった像を定着させ、フィルムに影をつける工程を**現像**と言います。現像の際はフィルムを取り出して何種類かの薬品につけるのですが、光のある場所でこの作業をすると感光剤が全部反応してしまうので、光の入らない**暗室**で行います。現像したフィルムの像を、同じく暗室の中で、感光剤が塗られている**印画紙**に焼きつけることでようやく写真が完成します。ちなみに芸能人のポートレートを**ブロマイド**と言うのは、かつては感光剤として臭化銀（シルバー・ブロマイド）を塗った印画紙が使われていたからです。

作品解説コラム連載

おまけページ きゅうり画廊

激ヤバ

きゅうりのキューブリック

2022年の3~5月にダミアン・ハーストの描いた桜の絵画だけを集めた個展が東京の国立新美術館で開催されていました。プロモーションで名前だけ見かけたという方もいるかもしれません。ダミアン・ハーストは現在生きている作家の中ではトップ・オブ・ザ・トップの売り上げと人気を誇るスーパーアーティストです。そして彼の描いた桜の油絵の展示は、それはそれは賛否両論でした。と言うか、毎回このハーストという人物はそんな感じです。彼の描く絵は評論家からは大体不評だったりします。

桜の油絵は、絵を通して「生と死」を表現するというのが、大きなテーマであるそう。ダミアン・ハーストの作品は毎回「生と死」が大きなテーマになっています。自分が彼の作品を初めて知ったのは高校生のときです。きっかけは前回のきゅうり画廊に続き『**美術手帖**』で、その2012年7月号がダミアン・ハースト特集でした。

この特集を読んだとき、すごすぎて脳が弾け飛ぶかと思いました。いや、実際にちょっと弾け飛んでいたかもしれません。読んでから一週間くらい言動が変だった気がします。

そこで見たのは、サメや牛の死骸をそのままホルマリン漬けにした作品で、生々しいというより、そのまま「生」と「死」を超暴力的に閉じ込めた激ヤバ作品群でした。

「死んでるんだけど、めちゃくちゃ生きてるみたいな作品だ……。いや、これは作品と言っていいのか?」といろいろ考えました。見たのは写真だけでしたが、見たことがないものを見ると脳がパニくるんですね。

そして一番すごいと思ったのがイラストに描いた《**一千年**》という作品でした。ガラスケースの中に白い箱があり、その中でウジ虫が育ってハエが大量に増え続けています。ガラスケースの中のハエの食料はゴロンと置かれた血の滴る牛の頭。ハエはどんどん増えるのですが、中には一緒に電撃殺虫器（田舎のコンビニなどに設置されているやつ）が置いてあり、それに当たるとハエは死ぬ。そしてまた生まれて牛を食べて、運が悪いと殺虫器に当たって「バチッ」と音を立てて死ぬ、を繰り返し続ける。生き物の生きて死んでの世代交代をリアルタイムでガラス越しに見るという作品……。

知ったときあまりにもびっくりしたし、すごいと思って親に見せたら怒られました。こんなもん作品じゃないと。こんな生き物を殺すようなものが作品かとダミアン・ハーストを怒ってました、うちの親。

同じ「生と死」がテーマの作品ですが、桜の絵は親も好きかもしれません。ちなみに自分は、ダミアン・ハーストの桜の展示は見に行きました。純粋に絵を描きたかったんだと

インタビュー映像で答えるハーストの腹の底が見えなくて怖かったし、桜の絵の具の粒が思ったより荒く細かくてハエみたいで怖かったです。

（第18話）

デュシャンに勝てる美術家になりたい！

春になり、トラちゃんは6年生に進級しました。先生も代わって、図工の安藤先生が担任に。トラちゃんのお父さんと同級生の安藤先生は、実はとんでもない学生時代を送っていたのでした。

トラちゃんも進級して5年生から6年生になりました！新しい友達に新しい先生！
6！
家を覗く変な人がいたの！
母さん！それ新しい担任の安藤壁穴《あんどうぅぉーるほーる》先生だよ！
うわあ！安藤さんだ！
家庭訪問にきました〜
メキメキ
さすまた
ごめんなさいあまりにもあやしかったもので…
いえいえ大丈夫ですよ！
先生が何かしてたの？
特に何かしてたというよりオーラが…
オーラ…
過去が過去だからなあ安藤さん…
美術のトラちゃん
⑱
父さんと安藤壁穴《あんどうぅぉーるほーる》先生は古い知り合いです（※16話参照）父さんが大学に入学した時安藤先生は3年生でした
貴様らが1年坊主か…オレは3年の安藤壁穴《あんどうぅぉーるほーる》じゃあ…
え!?誰これ!?
貴様らに美術を教えてやる…
油画科とは思えない筋肉量でこわかった…
ゴゴゴ
ゴゴゴ
若いときの安藤壁穴《あんどううぉーるほーる》先生
若いときの父さん
今日のキャラ紹介
トラちゃん 6年生になりました！
母さん 家族が虎になったことに戸惑いはない
父さん 虎になった美術作家！画塾を経営
安藤壁穴 トラちゃんの新しい担任の先生です！

当時安藤さんは素手で石を彫ることを目指してて素手彫刻の安藤と呼ばれていました
うぉおおおおお！指が折れそうだぁ
ガンッ
ガーンッ
安藤さんそれで石彫れたことあるんすか？
まだっ！
それで3留してるんですね…
大理石
オレはいつかデュシャンに勝てる美術家になりたいんだ
ガシャガシャ
チェスボクシングなら一発で勝てますよ安藤さん
この人たち今二人とも指導者なんだ…
懐かしいなあ
というわけでお話の途中ですが今回はマルセル・デュシャンについて紹介します！彼から現代美術が始まったと言われています！
現代美術のレジェンド
死ぬのはいつも他人ばかり…
マルセル・デュシャン（1887−1968）
フランスの作家
「泉」（1917）
なんだコレ…
自分が委員をつとめる展覧会に偽名で出品した。あわてる他の委員の反応をみて楽しむ。
一番有名なのが「泉」という小便器をひっくり返してサインをしただけの作品！美術がひっくり返りました！
ピーン
全部工業製品！
「折れた腕の前に」（1915）
「瓶乾燥器」（1914）
「自転車の車輪」（1913）
「泉」から既製品をそのまま作品に転用する「レディメイド」という概念が広まり今ではスタンダードな手法になっています！
レディメイド
「つくる」ことよりも「えらぶ」ことの方が重要なのでは？
キャリアは画家としてスタート！様々な画風をものにしていた！
階段を降りる裸体No.2（1912）
チェスゲーム（1910）
キュビズム
セザンヌ風
ちなみにチェスの世界大会でフランス代表になるくらいのチェス好きで美術より真剣だったそうです
彼以降今もレディメイドは派生！独自の作品を作る作家がたくさん出る！
君もスターになれる！
今は桜をかいてるよ
ジェフ・クーンズ
ダミアン・ハースト
美術がよくわかんないイメージなのはこの人のせいでは…？
それにしても久しぶりですねえまさかこんな形でまた会うとは…
作家をやめて消息を絶ってからまさか先生になっているとは…
いろいろありまして
ズズー
あなたの色々はこわいんだ…
それはそうとトラちゃんは図工がとても上手で才能が溢れています
確実に僕ら側の人間ですよ
えっそれはヤダ…
安藤さんの側はちょっとなあ…

コトラちゃんコメンタリー
マンガに出てきた用語解説
ヒマなときよんでね～！

チェスボクシング

チェスの試合とボクシングの試合を数分間交互に行い、どちらかで勝ったほうが勝者という実在する競技です。フランスの漫画家、映画監督の**エンキ・ビラル**が描いた1992年の漫画『**冷たい赤道**』に登場し、2003年にオランダのパフォーマンス・アーティストである**イップ・ルービング**が**世界チェスボクシング機構（WCBO）**を立ち上げて実際に競技化しました。体重別に階級が決まっており、2023年現在も試合が開催されています。最初のラウンドはチェスなので、安藤先生はボクシングでは**マルセル・デュシャン**に勝てるかもしれませんが、ボクシングに行き着く前にチェスで負けてしまうかもしれません。

マルセル・デュシャン

1887年にフランスで生まれたアーティストで、**コンセプチュアル・アート**の父とも言われます。母親も絵を描き、兄2人も後に画家、彫刻家になる芸術一家に生まれたデュシャンは、兄についていき絵画を学んだパリで**印象派**や**フォービズム**、**キュビズム**の影響を受けます。漫画内で紹介した**《チェスゲーム》**で描かれているチェスを指している2人の男性は兄で、周りにいる2人の女性は兄たちの妻です。画家時代の代表作のひとつで、第13話で紹介した**久保田成子**もオマージュした1912年発表の**《階段を降りる裸体、No.2》**は、キュビズムの多角的な視点に時間経過の要素を加えた作品で、1913年にはニューヨークでも展示され大反響を巻き起こします。1915年にアメリカに移住しニューヨークを拠点にするようになり、この頃に代表作のひとつである**《彼女の独身者たちによって裸にされた花嫁、さえも》**（通称**《大ガラス》**）の制作をはじめます。文字通りの2枚の大きなガラスの間に、鉛の箔や埃などをはさんでつくられたこの作品は、オリジナルがフィラデルフィア美術館に所蔵されている他、東京大学駒場博物館でもレプリカを見ることができます。1910年代中盤からレディメイドの作品を制作しはじめ、**《自転車の車輪》《折れた腕の前に》**（ただの雪かきシャベル）や**《瓶乾燥機》**、デュシャンの代名詞とも言える**《泉》**（きゅうり画廊で詳しく紹介します）といった問題作を発表します。漫画では紹介してない代表作に、**レオナルド・ダ・ヴィンチ**の**《モナ・リザ》**の複製ポストカードにひげを書き足した1919年の**《L. H. O. O. Q》**や、「French window」とかけてフランス式窓の窓枠を黒く塗った1920年の**《Fresh Widow（なりたての未亡人）》**、自身のそれまでの代表作のミニチュアが詰まった1941年の**《トランクの箱》**などがあります。1940年代後半から1968年に亡くなるまでアート界から距離を置き、チェスばかりする日々を送りました。死後になって、**ギュスターヴ・クールベ**の絵画**《世界の起源》**を引用したジオラマ作品、通称**《遺作》**が発見されています。

事故でガラスが割れてる！
彼女の独身者たちによって裸にされた花嫁 さえも（1915～23）
ガラス製
むしろそれがいい！！

レディメイド

レディメイドとは大量生産された既製品から、製造された本来の目的を剥奪し、アート作品として陳列したもののことを言います。例えばデュシャンの《泉》なら「便器としての機能」を剥奪してアート作品としているわけです。そもそもレディメイドという言葉はオーダーメイドの反意語で、つまり既製品のことですが、デュシャンはその言葉を作品のカテゴリー名に変えてしまいます。デュシャンが最初に制作したレディメイド作品は１９１３年の《自転車の車輪》だと言われています。従来の作品制作を否定したレディメイドでは、制作におけるアーティストの役割はあくまで既製品の中から選ぶことであり、それによって鑑賞者のほうが「これはなんだろう」と意味を解読しはじめることを促します。後のポップ・アートやコンセプチュアル・アートの先駆けになったともいわれ、今日でも評価されています。

ダミアン・ハースト

ホルマリン漬けにしたサメや生きた蝶を作品として展示して物議を醸してきたハーストですが、１９８８年の《Sinner》や翌年の《Enemy》は、棚に既製品の薬瓶や人体模型が並べられているレディメイド作品であり、また日常にありふれたものを組み合わせてアートとして提示するポップ・アート作品でもあり、彼の作品に通底するテーマである「生と死」を扱った作品でもあります。１９９２年には、棚だけでなく薬局の部屋そのものをギャラリーの中に再現するインスタレーション《Pharmacy（薬局）》を発表し、彼の代表作のひとつになっています。

「Sinner」
(1988)
くすりやさん？。
薬がびっしり！

ジェフ・クーンズ

１９５５年アメリカ生まれのポップでチープな作品で知られるアーティストで、**キング・オブ・キッチュ**とも称されています。大学卒業後ニューヨークでセールスマンとして働きながら、**デヴィッド・サーレ**や**ジュリアン・シュナーベル**といった新表現主義のアーティストと交流し、また**バスキア**や**キース・ヘリング**、**ピーター・ハリー**などが住んでいたイースト・ヴィレッジのアートシーンに参加し、刺激を受けます。１９８０年に《The New》シリーズを発表します。文字通り新品の（掃除に使ったことのない）掃除機を透明なディスプレイに入れて陳列するこの作品は、デュシャンのレディメイドからの影響が大きいことをクーンズ本人も認めています。１９９４年から制作している《**セレブレーション**》シリーズは大道芸でよくある長細い風船をねじってつくった動物や花、ハートマークをステンレスで再現した作品で、中でも犬を再現した《**バルーン・ドッグ**》はクーンズの象徴とも言える作品です。

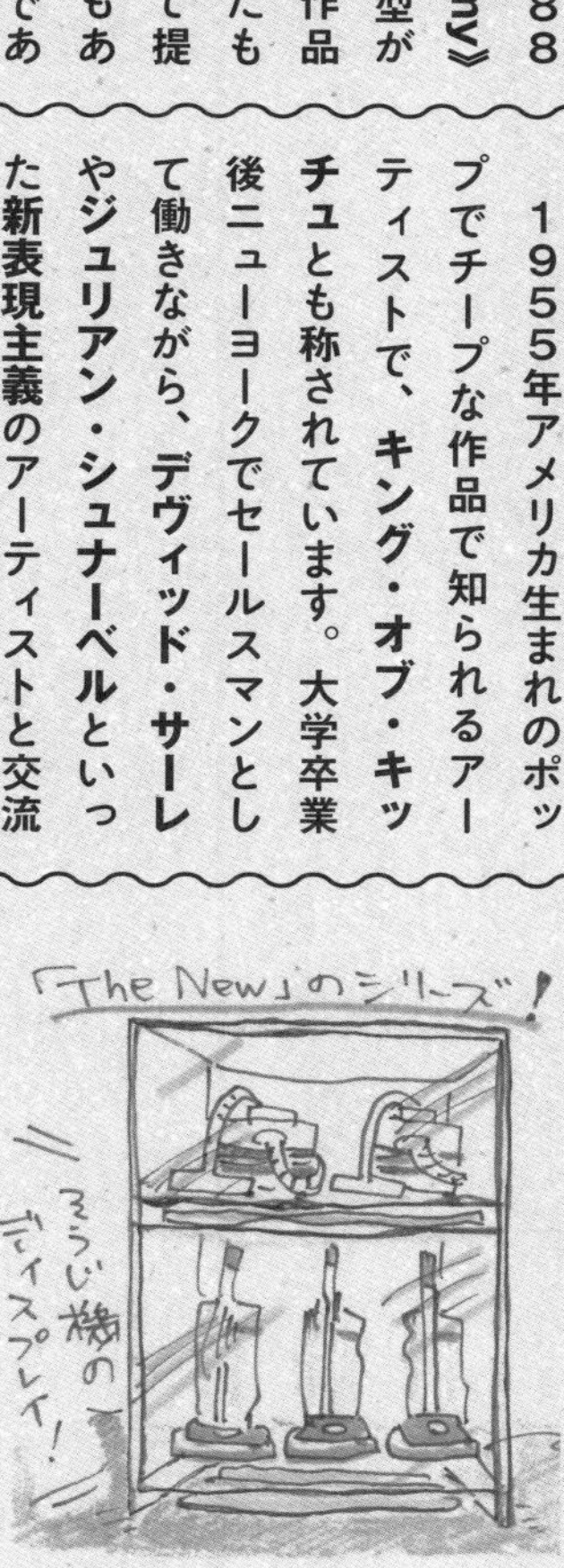
「The New」のシリーズ！
そうじ機のディスプレイ！

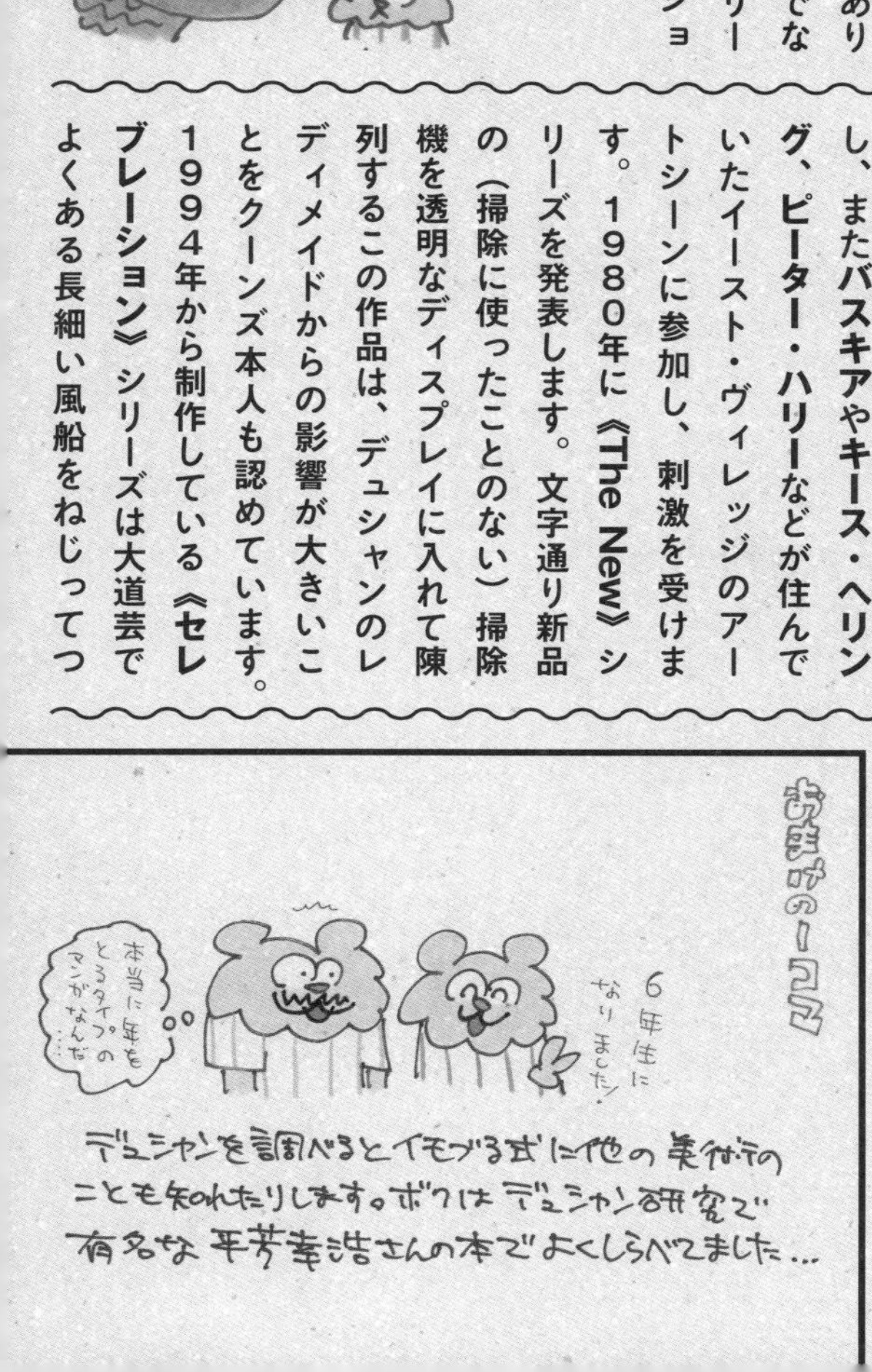
おまけの一コマ
本当に年をとるタイプのマンガなんだ…
6年生になりました
デュシャンを調べるとイモヅる式に他の美術のことも知れたりします。ボクはデュシャン研究で有名な平芳幸浩さんの本でよくしらべてました…

作品解説コラム連載

おまけページ

きゅうり画廊

トイレじゃん

きゅうりのキューブリック

今回は漫画でも取り上げた、現代美術のはじまりと言われている、**マルセル・デュシャン**の《**泉**》について書いてみようと思います。

デュシャンの《泉》は有名なので、写真を見た人も多いと思います。ちなみにこの作品は写真しか残ってないです。現代美術のはじまりの記念碑的な作品ですが、レプリカしか残っていません。

《泉》は1917年の 第一回アメリカ独立美術家協会展に出品されました。この展示は**アンデパンダン展**という無審査無資格でプロアマ問わず誰でも平等に出せる方式の展覧会でした（協会の会費だけは必要）。

こういう展示は若くて意欲的で、だけどもなかなか認められないような作家が作品を唯一出せる機会なのですが、ひっくり返しただけの男性用小便器が送られてきて、展覧会の委員たちはとても困りました。

送られてきた便器には「**R**《リチャード》**・マット**」というサインがされていました。

委員たちはこれを展示するかどうか議論してかなり悩んだそうです。会費を払っている以上、展示させないのは展覧会の平等の理念に反するためです。

その委員の一人がデュシャンでした。怖いですね。リチャード・マットという偽名で《泉》を出品して「**便器は美術か美術じゃないか**」という論争を委員会の一番近くで聞いて楽しんでいたのです。

結局デュシャンの《泉》は展示されることなく、ゴミと間違われて消失してしまいました。《泉》の現物を見たのは、第一回アメリカ独立美術家協会展の委員数人と、何人かの関係者のみでした。作品は何回も同じ便器を使ったりして再制作がされていますが、現物は写真だけしか残っていません。けれど、この展示拒否のニュースはデュシャンが雑誌に抗議文を書いたりしたのもあって広まり、若い作家に大きな影響を与えました。

このような既製品をそのまま作品に転用することを**レディメイド**と言い、漫画でも紹介しました。つくる以上に、選ぶことが作品になる。これって簡単そうだなと思いませんか？ 自分はそう思っていました。楽そうですし。

でも自分が以前、デュシャンの《泉》のレプリカを見たときに気がついたのですが、《泉》のビジュアルがものすごく良かったのです。目の前にあるものは便器なのに、何か別のヌード彫刻のように見えてきたんです。

ひっくり返した便器の曲線や全体のシルエット、元の便器の機能があいまって、ものすごくエロティックな彫刻に見えたのです。デュシャンの《泉》の出品を拒んだ委員の一人が《泉》は不道徳で卑俗だと言ったそうです。本物（レプリカ）の《泉》を見て間違ってはないなと思いました。

この造形の便器をひっくり返して台座に置き、それを作品とするなんてすごい思考だなと思いました。かなり綿密に考えられた作品でした。レディメイドも簡単じゃないんですね。《泉》ってつい理論だけで考えてしまいますが、彫刻としてもオーラがあったように感じました。レプリカでしたけど。

（第19話）

つくりたいものがなくなってから本番

売れっ子作家のりゅうたろう君が、スランプに陥り作品がつくれなくなってしまいました。トラちゃんのお父さんは心配しつつも、なぜかほんのり嬉しそうです。

売れっ子作家のりゅうたろう君がスランプで作品が作れなくなりました…スランプなので竜から人間に戻ってしまいました
しんぱいだんなあ…

ちょっとたのしそう…

NYでの個展と都現美での個展も近いのに作品が作れなくなりました…

あと森山未來と対談もしなきゃいけないのに…

ガルル…

りゅうたろう君
りゅうたろう君の仕事量に嫉妬しないで父さん…

大丈夫だよ！作りたいものがなくなってからが本当の作家なのさ！りゅうたろう君も本当の作家になったんだよ！

先パイも作りたいものがなくなってるんですか？

めちゃくちゃあるよ！

あるんだ…

りゅうたろう君もついにスランプか…フッフッフ
美術ットラちゃん
さく パピヨン本田
⑲
その後父さんの言葉ですぐにスランプを脱したりゅうたろう君の展示は大評判になりました
作りたいものがなくたって
ぼくは作家なんだなあ！
ピシャッ
スパパーン！
シュバババババ
ビシャー
父さんのおかげみたいだねすごいや！
立ち直りはや〜い
ガルル〜
都現美での個展
大成功！
りゅうたろう 大個展
対談
100万再生
雑誌は
ベタ褒め！
父さんしっかりしてよ

先パイのおかげで上手くいきました！
いつもアドバイスありがたいっす
人に教えるとかアドバイスに関しては上手いよね父さん
先生とかやろうかな…
先生じゃんか…
ニューヨーク
ちなみに父さんはスランプとかあったの？
浪人時代に絵が描けなくなったからNYでパフォーマンスしてたよ
なつかしい
WE ARE NINJYA ARTIST
KAWARA WARI
PAKI!
忍 NINJYA
りゅうたろう
父さん
ワーオ
クレイジー
草間彌生もNYでパフォーマンスしてたしと思ってりゅうたろう君と忍者のカッコして路上で絵を描いたりしました
1話目の話がここで繋がるのか
（トラちゃん1話目を見てね！）
というわけで今日は日本のスター作家の草間彌生さんについて紹介します
日本のスター作家
水玉の女王
草間彌生 (1929ー) 現在93歳！現役！
10歳のときの作品から水玉をかく
「無題（母の肖像）」(1939)
幼少期からの幻視や幻聴といった強迫観念をのりこえるために絵をかく。
水玉の絵画や彫刻がアイコンで知られて世界で人気！若い時は当時珍しくNYに渡って過激な活動で有名でした
※ 2022 年 4 月時点
NY時代
固い材料でなくやわらかい裁縫で彫刻をつくる。「ソフトスカルプチャー」当時斬新でした
「集合:1000艘のボートショー」(1963)
1968年反戦運動のゲリラパフォーマンス 裸の男女に水玉をかきつづける！「反戦ハプニング」！
ペタ
ペタ
外だからみんなびっくり！
当時のアートシーンは特に白人の男性を中心で作られていたのでアジア人女性だった草間はとにかく認められにくく苦労した！けど現代では彼女の功績は揺るぎないものになっています
日本各地の芸術祭にアイコンとして彫刻がある！
かわいい
美術を全然知らない人でもひきよせるほど人気がある！こわいくらいポップ！
瀬戸内でかぼちゃの彫刻見たことあるね
ナチュラルな天才だと思われてるけどかなり戦略をたててたたかってきた
若いときの作品は超スキャンダラス！
日本中のたくさんの場所で作品を見れるけど本人の歴史を知るともっと面白く見れるよ
美術で生きていくのが大変だった時代に試行錯誤した一人でした
NY時代に裁縫で彫刻を作ったりプリントのパターンの作品を作ったのも草間が最初だったけど後からやった男性作家の方が称賛を受けた
裁縫の彫刻にかべにはプリントの作品！
草間の「ボートショー」
かべがみ
ハンバーガー
ウォーホルのプリントの作品
オルデンバーグの裁縫の彫刻
アイデアを取られたと感じた草間はかなり心を病んでしまいました
触れたけど…
草間
彼女が敵視する作家が安く作品を売るポップアート展を開催するともっと安く作品を売った。
「ナルシスの庭」(1966) ミラーボールのインスタレーション1こを超安く売った。(2ドルくらい)
それでもまた作り続けて戦いました
りゅうたろうおつかれ会
展示にあった忍者みたいな絵がすごいよかったね
あれは描きたかったやつです
ジュー
ジュー
ソース

トトラちゃんコメンタリー
マンガに出てきた用語解説
ヒマなときよんでね！

スランプ

スランプ（slump）という言葉は「ガクッと落ちる」「ばったり倒れる」という動詞と、同じイメージの名詞の意味があります。そのため、特にアメリカでは日本の意味での「調子が上がらない」状態もスランプと言いますが、株価の暴落や不景気を指す際にもスランプを使うことがあります。

〝森山未來と対談〟

エイベックスが企画・運営するメディアミックス・アートプロジェクト「**MEET YOUR ART**」の一環として、2020年から同名のYouTubeチャンネルで〝アートと出会う〟をコンセプトとした様々な番組が配信されています。多くの動画で俳優・ダンサーの**森山未來**がMCを担当しており、活躍しているアーティストとの対談や、アート界の仕組みを勉強する講座の動画が2023年現在で300以上配信されています。「PICK UP アーティスト」として森山未來と対談が配信されているアーティストの作品は、プロジェクトのウェブサイトで販売もされているようです。

都現美

正式名称は**東京都現代美術館**で、東京都江東区にある美術館です。上野の東京都美術館の現代美術コレクションを継承して1995年に開館し、絵画や彫刻だけでなく建築、ファッション、デザインなど現代美術に関する幅広い展覧会が開催されています。2020年以降に行われた主な個展、回顧展には広告ディレクター・衣装デザイナーの**石岡瑛子**、画家・デザイナーの**横尾忠則**、ヴィデオ彫刻の**久保田成子**と各分野を代表するビッグネームが並んでいるので、お父さんが嫉妬するのも当たり前です。大型の現代アート作品が展示できる広大な空間を備えているなど、建築物としては日本最大級の美術館のひとつです。最寄り駅は大江戸線および半蔵門線の清澄白河駅ですが、東西線木場駅、都営新宿線菊川駅からの距離も大差なく、どこから歩いても15分近くかかる場所にあります。近年は近くにギャラリーが増え、清澄白河駅周辺にはアートの街というイメージも出てきています。

『美術手帖』

1948年に創刊し**美術出版社**が発行している、日本を代表する美術誌のひとつです。2017年からは紙の雑誌と並行してウェブマガジンとしても展開しています。2020年以降に特集が組まれたアーティストには**松山智一**、**Chim↑Pom**（現在の Chim ↑ Pom fromSmappa!Group）、**ゲルハルト・リヒター**、**五木田智央**などがいます。そう考えると、都現美で個展をして『美術手帖』で特集を組まれるりゅうたろう君のすごさがよくわかりますね。

美術手帖！
美術手帖
Chim↑Pom
美術手帖
「彫刻」ってなんだろう？
BT 美術手帖 6
草間彌生
オレも特集してほしい

〝草間彌生もNYでパフォーマンスしてたし〟

1960年代後半から草間彌生は絵画や彫刻の制作を減らし**ハプニング**と呼ばれるパフォーマンスを多く開催します。漫画でも紹介した、裸の男女に水玉模様を描くベトナム戦争への**反戦パフォーマンス**のうち、有名なものはウォールストリートのニューヨーク証券取引所の目の前で行われました。プレスリリースには「株でつくられたお金が戦争の継続を可能にしている。残酷で貪欲な、戦争権力体制に抗議します」と書かれています。パフォーマンス自体は警察によって15分で中止になりましたが、同時に、当時の共和党の大統領選挙候補者で、翌年大統領に就任することになるリチャード・ニクソンに、平和を希求する公開書簡を送っています。ニクソン大統領は実際にベトナム戦争からの撤退を実現しています。

草間彌生の幼少期とソフトスカルプチャー

第1話でも紹介した日本を代表する現代アーティスト草間彌生は、10歳頃から水玉と網模様をモチーフに幻想的な絵画を制作していました。漫画で紹介した《**無題（母の肖像）**》はその頃の作品で、当時母親には絵を描くのを止められていたと言います。13歳頃には太平洋戦争のため軍需工場で働いており、後の反戦作品に影響を与え、裁縫経験が**ソフトスカルプチャー**の制作に役立っているとも言われています。1957年に渡米し、翌年からニューヨークを拠点に活動し、ポップ・アートやパフォーマンス・アートの先駆けにもなりました。1960年代にはアーティストとしての名声を得ていましたが、1973年に療養のため日本に帰国します。1993年のヴェネチア・ビエンナーレに招待されてからは改めて世界的に脚光を浴びるようになり、世界各国での大規模な回顧展やファッションブランドとのコラボレーション、2017年には東京都新宿区に草間彌生美術館が開館するなど、現在も第一線で活躍しています。

草間彌生美術館
かわいいビル！

草間彌生の野外彫刻

瀬戸内の香川県直島にある《**南瓜**》は、一時期台風による破損で展示が中止になっていましたが、2022年10月から展示が再開になっています。直島には黄色いかぼちゃの他に《**赤かぼちゃ**》も展示されています。草間彌生の屋外彫刻は他にも、かぼちゃモチーフのものだけでも、福岡市美術館（福岡県）、大江戸温泉物語TAOYA志摩（三重県）、丸の内ストリートギャラリー（東京都）、外旭川サテライトクリニック（秋田県）に展示されています。その他に霧島アートの森（鹿児島県）の《**シャングリラの華**》《**赤い靴**》、十和田市現代美術館（青森県）の南瓜やきのこなどの複合彫刻《**愛はとこしえ十和田でうたう**》、大地の芸術祭（新潟県）の《**花咲ける妻有**》、クルックフィールズ（千葉県）の《**無限の鏡の間—心の中の幻**》《**新たなる空間への道標**》などなど日本各地で草間の野外彫刻を楽しむことができます。

「南瓜」（1994）
「赤かぼちゃ」（2006）
台風でこわれて2022年に再制作！

作品解説コラム連載
おまけページ きゅうり画廊
バーグのバーガー
きゅうりのキューブリック

漫画で少し出てきた**クレス・オルデンバーグ**の《**フロア・バーガー**》を描いてみました。彼はビニールや布など力を入れたら形が変わる柔らかい素材で日用品を彫刻にする**ソフトスカルプチャーシリーズ**や、日用品をそのまま巨大にした野外彫刻なんかで有名です。オルデンバーグはポップ・アート界のスタープレーヤーです。

自分が大学生だった頃、美術のことなんて全然知らなかったので、詳しい人に教えてもらっていたのですが、そのときに教えてもらった作家の一人がオルデンバーグでした。オルデンバーグがソフトスカルプチャーをグリーン・ギャラリーで展示した《**The Store**》の記録写真を見せてもらいました。それがすごくカッコ良くて衝撃だったのを覚えています。よかったら見たことない人は調べてみてください。かなりカッコ良いです。

そして、そのソフトスカルプチャーの作品の着想は**草間彌生**から得たのではという説があります。オルデンバーグは草間が裁縫で作品をつくっているのを見る前には、裁縫の作品がなかったそうです。ちなみにこの話は、**ヘザー・レンズ**が監督した『**草間彌生∞INFINITY**』という草間のドキュメンタリー映画の中にも出てきます。映画の中で、オルデンバーグの展示を見た草間に、彼のパートナーである**パット・オルデンバーグ**が「アイムソーリー」と謝ったというエピソードが草間の口から語られていました。それ以上は語られていなかったので詳しいことはわかりません。草間は当時の美術界ではマイノリティでした。そんな草間のアイデアをクレス・オルデンバーグが取ったことへの謝罪だったのでしょうか。パット・オルデンバーグは、クレス・オルデンバーグの作品をかなり手伝っていたので罪悪感があったのでしょうか。しかしこれらはただの想像で真意はわかりません。

そして草間の彫刻とオルデンバーグの彫刻は別方向に派生していきます。自分は当時の消費社会を踏まえたオルデンバーグのゴリゴリのポップ・アートがかなり好きです。イラストの《フロア・バーガー》は彫刻の歴史の中でも重要な作品になっています。

草間が裁縫でつくった突起物が大量についている家具や脚立、ボートなどのソフトスカルプチャーは、機会があればぜひ生で見てください。突起物ひとつひとつが男性器を模しているそうです。草間は自分の恐怖の対象を作品にして乗り越えようとしたそうです。実際にまとめて見ると物量に圧倒されます。

ちなみに、オルデンバーグは草間と年齢が同じで、このきゅうり画廊がウェブ掲載された２０２２年４月当時はご存命でしたが、残念ながら同年の７月に93歳で亡くなりました。同じく同世代で早くに亡くなったウォーホルと天国で仲良くやっていると良いですね。

《フロア・バーガー》の彫刻ひとつでもたどるといろいろな話が出てきます。調べながら作品を見ると新しい発見があるかもしれません。

（第20話）

大怪獣が現れた！

熱海に旅行に来たトラちゃん一家。仕事を忘れてのんびり観光するはずが、なんと巨大怪獣が出現してしまいました。そんな怪獣の街・熱海で特撮の神様である円谷英二さんについて解説します。

美術のトラちゃんは皆さんが読んでくださるおかげで20回目です！
VERY ARIGATO! 20
連載20回目記念で熱海で豪遊だ～たらふく食べるぞ～
本当は？
抱えてる仕事が全部嫌になって思い立って行ける観光地に逃げた…
だから鈍行で来れる熱海なのか…
明日は熱海の歴史を堪能するぞ！熱海城に行って歴史の勉強をしよう！
熱海城！
あれできたの戦後よ
そうなの!?
1959年に建てられて1962年にゴジラに壊されてるね
カン コン
ギャオオオオオ
美術のトラちゃん
さくぱピヨン本田 20
次の日 熱海城
怪獣が出たぞ～
グオオオオ
ワーワー
キャー
みんな熱海から逃げろ～
まだちゃんと観光してないのに…
トラちゃん
トラになった小学6年生！好きな特撮映画は「ウルトラマンX きたぞ！われらのウルトラマン」
温泉まんじゅう
海鮮丼
父さん
トラになった画家！すぐ調子に乗る。学生時代、庵野秀明に憧れて特撮を撮って滑ったことがある
母さん
家族がトラになったことに特に戸惑いがない。デザインが好きな怪獣：ギララ
熱海プリン

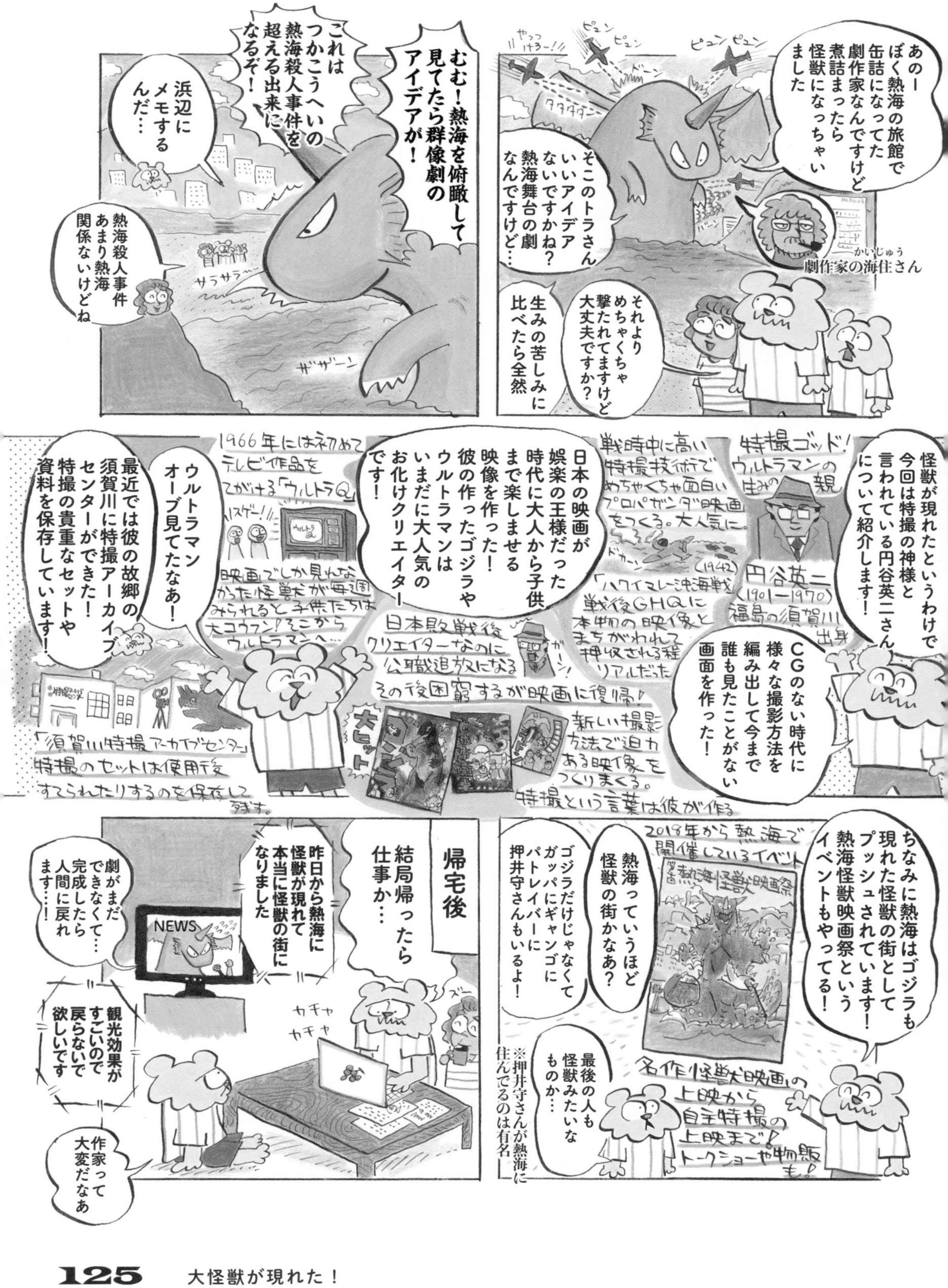

あのー ぼく熱海の旅館で 缶詰になってた 劇作家なんですけど 煮詰まったら 怪獣になっちゃい ました
ピュン ピュン
ピュン ピュン
やっつけろー！！
ドーン
タタタター
劇作家の海住《かいじゅう》さん
そこのトラさん いいアイデア ないですかね？ 熱海舞台の劇 なんですけど…
それより めちゃくちゃ 撃たれてますけど 大丈夫ですか？
生みの苦しみに 比べたら全然
むむ！熱海を俯瞰して 見てたら群像劇の アイデアが！
これは つかこうへいの 熱海殺人事件を 超える出来に なるぞ！
浜辺に メモする んだ…
熱海殺人事件 あまり熱海 関係ないけどね
サラサラ～
ザザーン
怪獣が現れたというわけで 今回は特撮の神様と 言われている円谷英二さん について紹介します！
特撮ゴッド！ ウルトラマンの 生みの親
円谷英二 (1901-1970) 福島の須賀川出身
戦時中に高い 特撮技術で めちゃくちゃ面白い プロパガンダ映画 をつくる。大人気に。
ドカーン
「ハワイ・マレー沖海戦」(1942) 戦後GHQに 本物の映像と まちがわれて 押収される程 リアルだった
CGのない時代に 様々な撮影方法を 編み出して今まで 誰も見たことがない 画面を作った！
日本の映画が 娯楽の王様だった 時代に大人から子供 まで楽しませる 映像を作った！ 彼の作ったゴジラや ウルトラマンは いまだに大人気の お化けクリエイターです！
日本敗戦後 クリエイターなのに 公職追放になる
ガーン！
その後困窮するが映画に復帰！
新しい撮影 方法で迫力 ある映像を つくりまくる。
特撮という言葉は彼が作る
大ヒット
1966年には初めて テレビ作品を てがける「ウルトラQ」
スゲー！
映画でしか見れなかった怪獣が毎週 みられると子供たちは 大コウフン！そこから ウルトラマンへ…
ウルトラマン オーブ見てたなあ！
最近では彼の故郷の 須賀川に特撮アーカイブ センターができた！ 特撮の貴重なセットや 資料を保存しています！
「須賀川特撮アーカイブセンター」 特撮のセットは使用後 すてられたりするのを保存しています。
ちなみに熱海はゴジラも 現れた怪獣の街として プッシュされています！ 熱海怪獣映画祭という イベントもやってる！
2018年から熱海で 開催しているイベント
熱海怪獣映画祭
名作怪獣映画の 上映から 自主特撮の 上映まで！ トークショーや物販 も！
熱海っていうほど 怪獣の街かなあ？
ゴジラだけじゃなくて ガッパにギャンゴに パトレイバーに 押井守さんもいるよ！
最後の人も 怪獣みたいな ものか…
※押井守さんが熱海に 住んでるのは有名
帰宅後
結局帰ったら 仕事か…
昨日から熱海に 怪獣が現れて 本当に怪獣の街に なりました
NEWS
劇がまだ できなくて… 完成したら 人間に戻れ ます…！
ズー
カチャ カチャ
観光効果が すごいので 戻らないで 欲しいです
作家って 大変だなあ

トラちゃんコメンタリー
マンガに出てきた用語解説
ヒマなときよんでねー!

熱海城

１９５９年につくられた鉄筋コンクリート製の天守閣風観光施設で、城内には展望台はもちろん、武家資料館やゲームセンター、浮世絵・春画展といった観光設備や催しがあります。熱海は鎌倉時代から湯治の地として有名で、鎌倉時代から戦国時代にかけては伊豆山神社領、江戸時代には大部分が幕府直轄領や旗本領でした。歴史的に熱海を本拠地にした大名がいなかったわけですから、天守閣のある城郭が江戸時代になかったのも当然です。

〝１９６２年にゴジラに壊されてるね〟

１９６２年の映画『**キングコング対ゴジラ**』のクライマックスシーンでは、ゴジラとキングコングの取っ組み合いの巻き添えを食って、わずか３年前に築城されたばかりの熱海城が壊されてしまいます。この映画の特撮技術監督は、漫画で紹介している**円谷英二**が務めています。熱海では怪獣映画祭など、この映画にちなんだ様々な観光イベントが行われています。

『熱海殺人事件』

劇作家、演出家の**つかこうへい**の戯曲における初期の代表作で、１９７３年に**藤原新平**の演出で**文学座**が初演し、１９７４年の岸田國士戯曲賞受賞作になっています。熱海で起こった平凡な殺人事件の捜査を通して、容疑者と刑事が成長していく物語で、初演ではメインキャストの刑事を、２０２２年から文学座の代表を務めている**角野卓造**が演じています。１９７６年につかこうへい本人によって小説化され、１９８６年にはつかこうへい脚本、**仲代達矢**、**風間杜夫**、**志穂美悦子**、**竹田高利**（コント山口君と竹田君）の出演で映画化されています。話が変わり、つかこうへいのもうひとつの代表作と言えば『**蒲田行進曲**』ですが、蒲田周辺も２０１６年の映画『**シン・ゴジラ**』でゴジラが出現したり、西六郷公園（通称「タイヤ公園」）に、明らかにゴジラを模したタイヤ製の怪獣が鎮座していたりと、ゴジラに縁のある場所となっています。

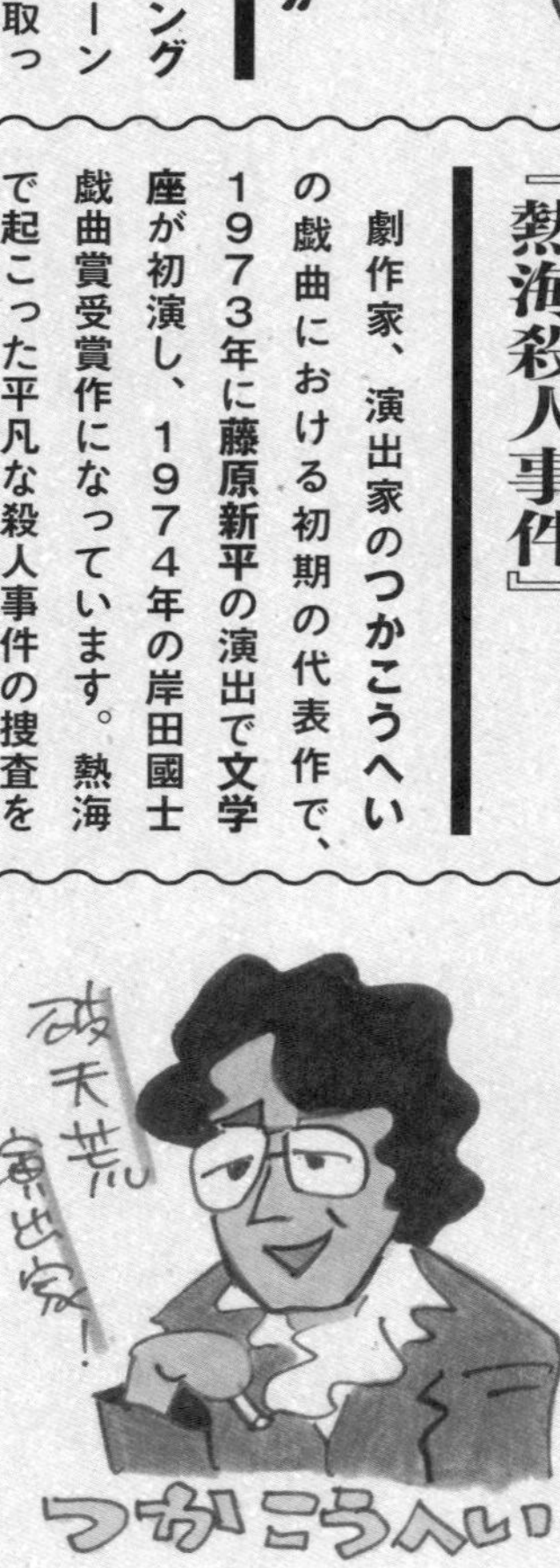
破天荒演出家!
つかこうへい

円谷英二《つぶらやえいじ》

１９０１年生まれ福島県出身の特撮技術監督で、ウルトラマンで知られる円谷プロダクションの創業者です。18歳でカメラマン助手として映画界に入ってキャリアを積み、１９３５年に現在の東宝の前身のひとつであるJ．O．スタヂオにてミニチュア撮影や、スクリーン映像を背景にした撮影などの特殊技術撮影を発展させます。1937年からは会社の合併に伴い東宝の所属になり、『**燃ゆる大空**』（1940）、『**ハワイ・マレー沖海戦**』（1942）などのヒット作の特殊技術を担当しました。国策映画の制作に関わったことで1948年に公職追放になりましたが、後に解け、戦争映画やSF映画に関わったほか、『**ゴジラ**』（1954）にはじまる怪獣映画を特技監督として制作します。1963年には、公職追放時代に設立した円谷映画特殊技術研究所の系統を汲む円谷特技プロダクション（1968年から円谷プロダクション）を設立し、1966年には『**ウルトラQ**』『**ウルトラマン**』が、1967年には『**ウルトラセブン**』がテレビ放送されました。1970年に療養のため静岡県伊東市（熱海市の隣）の別荘に滞在していた際に、狭心症で亡くなっています。

『ハワイ・マレー沖海戦』

円谷英二が特撮を担当した1942年の東宝の映画『ハワイ・マレー沖海戦』は、大本営海軍報道部が開戦一周年を記念して企画した映画で、太平洋戦争が開戦した真珠湾攻撃と、日本軍が大きな戦果を挙げたイギリス海軍とのマレー沖海戦に参加した兵士が描かれています。海軍によるプロパガンダ映画としては、当時の人気漫画キャラクターだったフクちゃんを使い、漫画の作者である**横山隆一**も脚本で参加した『**フクチャンの潜水艦**』（1944）も有名で、あいちトリエンナーレ2019に出品された**ホー・ツーニェン**の作品《**旅館アポリア**》でも取り上げられています。

あまりにリアルな特撮でみんなびっくりした！
ハワイマレー沖海戦
子どもの歓声で劇場がゆれたとか……

『ウルトラQ』

円谷プロが制作し1966年にTBS系列で放送された特撮ドラマです。『**トワイライトゾーン**』などのアメリカの怪奇ドラマの影響を受けたと言われており、毎回、怪獣が起こす事件に主人公の飛行機パイロットと報道カメラマンが出くわし、事件を解決したり見届けたりします。変身ヒーローは登場しませんが、**カネゴン**や**ケムール人**、**ガラモン**、**ペギラ**といった有名怪獣はこの番組が初出です。後番組の『ウルトラマン』はカラー映像なのに対して『ウルトラQ』はモノクロ映像ですが、2011年にカラー化されたDVDボックスが発売されています。

須賀川特撮アーカイブセンター

2020年に福島県須賀川市にオープンした、特撮資料の収集、保存、修復及び調査研究を目的とした市立の施設で、開館に際しては**庵野秀明**が理事長を務める特定非営利活動法人**アニメ特撮アーカイブ機構**（**ATAC**）が協力しています。一般客の来館・見学も可能です。

熱海怪獣映画祭

2018年から行われている映画祭で、過去の名作怪獣映画や特撮怪獣ドラマを上映したり、特撮ドラマ監督の**田口清隆**が主催する「全国自主怪獣映画選手権」をプログラムに組み込んだりしています。ちなみにお父さんの言う、ガッパは1967年の映画『**大巨獣ガッパ**』に登場する怪獣で、ギャンゴは『ウルトラマン』に登場する怪獣です。『**パトレイバー**』は1980年代後半〜1990年代前半にかけて人気を博したアニメ・漫画作品で、押井守はそのシリーズでアニメ監督として参加し、後に同作品の実写版を制作しました。どの作品も熱海にまつわるエピソードが存在します。

作品解説コラム連載

おまけページ きゅうり画廊

ドカーン！

きゅうりのキューブリック

回を増すごとにおまけの範疇を超えてきているきゅうり画廊も20回目です。今回の漫画では**特撮の神様**と言われている**円谷英二**さんを紹介しました。近年は特撮の注目度が高まってる気がしますね。

2022年には東京都現代美術館で、円谷英二さんと特撮黄金時代を支えた、ものすごい精度の高いミニチュアセットをつくる**井上泰幸**さんの展示をやっていました。それと**庵野秀明**さん、**樋口真嗣**さんたちの映画『**シン・ウルトラマン**』が2022年に公開、『**シン・仮面ライダー**』が2023年に公開されたので、きっと過去のウルトラマンや仮面ライダーも注目されたでしょう。

特撮と聞いて思い出す現代美術の作品が、イラストに描いた台湾の作家である**袁廣鳴**《ユェングァンミン》の《**トゥモローランド**》という作品です。短い映像がループする作品なのですが、ミニチュアセットでつくられた遊園地が突然爆発するだけの作品です。昔の特撮作品のような爆発をするのですが、それを見て興奮するとかすごい！と思うことはありません。ただ不穏です。

漫画家の**藤子・F・不二雄**さんの漫画で「**ある日…**」という話を思い出します。楽しく自主映画の上映会をしていたら、核戦争でなんの脈絡もなく急に世界が終わるというだけの作品です。《トゥモローランド》も「ある日…」も最近は特に思い出します。

《トゥモローランド》は2019年のあいちトリエンナーレで見たのですが、同じ作家の《**日常演習**》という作品も一緒に展示されていました。こっちのほうが有名です。

台湾では毎年30分間、市民全員が外出制限をされる**萬安演習**というものがあり、その時間の街は車も動いていないし、誰も外に出ません。《日常演習》はその様子をドローン撮影したものなのですが、まるで使われていない映画のセットのように静かで現実離れした街の光景の映像です。《トゥモローランド》も《日常演習》も戦争の影を主題にした作品で、初めて見たときのインパクトが強かったです。

円谷英二さんも戦争を経験して、戦時中には国威発揚映画の『**ハワイ・マレー沖海戦**』を撮ったし、『**ゴジラ**』も戦争の影が色濃い映画です。

エンターテインメントでも美術でも作品は時代を映すものです。今の時代の作家が何をつくっているのか注意深く見てみるのは面白いです。気になる展示があればぜひ足を運んでみてください。

（第21話）

五月病を吹っ飛ばせ！

五月病でやる気が出ないトラちゃんのお父さん。見かねたトラちゃんは、図工クラブでつくった「お父さんやる気スイッチ」をかぶせます。でもどうやらこのスイッチ、ちょっと過激な機能がついていたようで……。

5月のゴールデンウィークですが5月病でやる気が出ない父さんです
ダルーイ
5月はなんだかゆううつだ…やる気が出ない
父さんそれ毎月言ってるよね
1月は正月だからやる気が出ないし2月は正月ボケ3月は花粉症で4月は新年度でやる気出ない
ダッラ~
日本全国酒飲み音頭の歌詞みたいだ
図工クラブで「お父さんやる気スイッチ」をつくったんだ!これでやる気出してよ!
カポッ
やる気
テレビでみたことある!ひらがなにあわせて演技するやつでしょ!
つくるのに安藤壁穴先生が手伝ってくれたんだよ
あっじゃあやっぱやめる!やばい気がする!
お父さんやる気スイッチ
あいうえお
美術のトラちゃん
バチ
あ…アート思考でビジネスに勝機を…
い…イーロンマスクを超えるビジネスを…!
やる気
バチバチ
バチバチバチ
ちょっと壁穴先生!スイッチに変なことしたでしょ!?本当にやる気出てるしあとやる気の方向がなんかヤダ!
あっ…ごめんね今ゴールデンウィークでグアムにいるんだけど明日は熱海旅行に行くからその時なおしに行くね~
グアム~
先生
安藤壁穴《あんどううぉーるほーる》
トラちゃんの担任の先生
トラちゃんの父さん
画家。調子に乗ってたら虎になった!
ピピピー
お父さんやる気スイッチ
あいうえお
トラちゃん
小学6年生。虎になった!
トラちゃんの母さん
この状況に特に戸惑いがない
そのゴールデンウィークの休み方逆に疲れない!?

でもおもしろそう だから明日まで遊んでみましょ！お父さん やる気スイッチ㋒！
ビシッ
ピピピー
㋒れる作品は全部いい作品です！
うわ〜 本当にやる気いっぱいだ〜♡
このスイッチ アートビジネスにやる気がよりすぎてる…
でもせっかくやる気あるならこの人には絵をかいてもらいたいなあ！お父さん やる気スイッチ…㋓！
ピピピー
㋓…F一万号《エフいちまんごう》もってこい！
F1万号のキャンバス
㋓がいて やるこの世の全てを！
ガオ
そんなバカみたいな号数《ごうすう》 この世に存在しないよ…
じゃあお父さんがやる気いっぱいになったところで本当に死ぬ気で作品を作ったマリーナ・アヴラモヴィッチを紹介します！
パフォーマンスアートの伝説
旧ユーゴスラビア出身
マリーナ・アヴラモヴィッチ（1946－） 塩田千春は彼女の生徒だった。
「Rest Energy」(1980)
マリーナ
ウライ
弓矢をパートナーのウライとひっぱり合ってたおれ合う。一歩まちがえたら彼女の心臓に矢が刺さる。支えあいつつ命をにぎられる。
パフォーマンス・アートの母とよばれるほど有名な作家でどの作品も肉体を限界まで追い込む危険なものでした
肉体を酷使するパフォーマンスは自分の精神の解放のためだったり政治批判だったり観客の暴力性をさらけ出すための装置になったり…たくさんのメッセージになりました！
「Rhythm5」(1974)
メラ
大きな星型の枠に火をつけ中にねそべる。酸欠で死にかけるが何とか助けだされた。
1970年代からはじまる「Rhythm」シリーズ！一番有名なのが「Rhythm0」！(1974)
6時間何があっても彼女は動かない。部屋の机の上の鎖やロウソク拳銃を使って観客は彼女に何をしてもよい。みんなどんどんエスカレートして彼女を傷つけた。
しらべるとかなりコワイ…
ひえ…なんだかこわいないたそう…
ショッキングなだけでなくて深層心理の奥まで入るような作品は他のパフォーマーと一線を画しました。
日本で彼女の作品に泊まれる「夢の家」
ちょっとこわい
新潟「大地の芸術祭」にて！夢をみるためだけにつくられた部屋
ちなみに彼女の作品で「The Artist Is Present」という有名な作品があります
2010年に発表した「The Artist Is Present」アヴラモヴィッチとただ向き合ってすわるだけ。当時彼女は3ヶ月、1日に8時間すわり続ける。
戦争に心を痛めてウクライナ支援のためにパフォーマンスを再演しました
2022年オークションで作品に参加する権利を売って売り上げをウクライナに寄付した。
いや〜ごめんなさい もとにもどったよ！機械が暴走したみたい！これグアムのおみやげです！
㋔やすみなさい…
グダ〜〜
反動でゴールデンウィークはやる気が出なそうだ…絵かかなくていいの？
わー！
㋔とといやります…

コトラちゃんコメンタリー
マンガに出てきた用語解説
ヒマなときよんでねー！

「日本全国酒飲み音頭」

コミックバンドの**バラクーダー**が1979年に発表したコミックソングです。ディズニー映画『**シンデレラ**』の魔法使いの妖精のテーマ曲「**ビビディ・バビディ・ブー**」によく似たメロディにのせて、酒を飲む口実として正月や花見など各月の行事や気候を挙げていくなんとも脳天気な歌です。続く二番では、曲名の通り日本全国の都道府県ごとの特徴に酒を飲む口実をこじつけています。発表から数十年経っても学生の飲み会の定番コール曲として使われていました。

さけがのめるぞ〜
やっほ〜い！
酒

〝お父さんやる気スイッチ〟

NHK・Eテレの教育番組『**ピタゴラスイッチ**』のコーナー「**おとうさんスイッチ**」と、個別指導塾スクールIEのCMのキャッチコピー「**やる気スイッチ**」（2014年からは運営会社も「やる気スイッチグループ」に名称変更）を合わせたパロディです。「おとうさんスイッチ」のコーナーには毎回一般視聴者のお父さんが登場しますが、彫刻家としても活動している当時**ラーメンズ**の**片桐仁**のような芸能人が出演することもたまにありました。テーマ曲を歌っているのは元**たま**の**知久寿焼**とミュージシャンの**加藤千晶**、作曲はピタゴラスイッチの他の音楽も担当している栗コーダーカルテットの**栗原正己**です。

〝アート思考でビジネスに勝機を〟

「アート思考」は2020年頃からビジネス書のジャンルで流行しはじめたキーワードです。先立って「デザイン思考」、つまりビジネスの問題解決のためにデザイナーの制作プロセスを応用する考え方が広まりました。それに対してアート思考は、アーティストのクリエーションをビジネスに応用しようという試みで、『**世界のエリートはなぜ「美意識」を鍛えるのか？**』を先駆に、明確に「アート思考」をうたった『**13歳からのアート思考**』『**アート思考ビジネスと芸術で人々の幸福を高める方法**』などの書籍が発行されています。

〝F1万号〟

キャンバスサイズの規格は、長辺と短辺の比率の違いによりF、P、M、Sに分かれています。Fは「**Figure（人物）**」の頭文字で、人物画を描くのに適した形とされていますが、それ以外の対象を描いてももちろん構いません。数字は若いほどサイズが小さく、0号から500号まで25種類程度のサイズが規格として決まっています。ですので「1万号」のキャンバスというものは実際にはありません。長辺の長さが10号で530㎜、100号で1620㎜、500号で3333㎜であるところから類推すると、F1万号の長辺は10000㎜（10ｍ）以上になってしまいます。

マリーナ・アヴラモヴィッチ

1946年生まれユーゴスラビア

出身のパフォーマンス・アーティストで、**パフォーマンス・アートの母**とも言われます。１９７０年代はじめから**パフォーマンス・アート**を開始し、手のひらを開き指の間にリズミカルに本物のナイフを突き刺す**《Rhythm 10》**や、漫画でも紹介した**《Rhythm 0》《Rhythm 5》**といった前衛的かつ生命の危険がともなうパフォーマンス・アートを行います。１９７５年のオランダ滞在時にドイツ出身のアーティストである**ウライ**と出会い、翌年からユーゴスラビアを出て彼との共同生活をはじめます。１９８８年に関係が終わるまでに、**《Rest Energy》**をはじめ様々な作品をウライと共同制作しています。１９９０年代にはヨーロッパの様々な美術大学で教鞭を執り、中でもドイツのブラウンシュヴァイク美術大学では１９９４年から７年間パフォーマンス・アートを教えています。日本人では、空間に糸を張り巡らせたインスタレーションなどで知られ２０１５年のヴェネチア・ビエンナーレにも出品した**塩田千春**が、ブラウンシュヴァイク美術大学留学中に教えを受けています。

「リズム10」
(1973)
あぶなすぎる…
ダンダンダンダン

パフォーマンス・アート

絵画や彫刻といった表現の媒体の代わりに、アーティスト自身の身体をテーマと媒体にしたアート作品のことです。演劇や舞踏のような昔から存在するジャンルの時間芸術も広い意味ではパフォーマンス・アートになりますが、一般には、**ハプニング**や**フルクサス**のような20世紀以降の前衛アートの潮流にあるものを指し、観客や、場合によってはそれ以外の人をも巻き込んで初めてアートとして成立する作品を指します。例えば、第5話で紹介した**寺山修司**率いる**天井桟敷**が、脚本に従った演劇作品を劇場内で上演する分にはあくまで演劇の範疇ですが、同じく脚本に従っていても、阿佐ヶ谷の街のいたるところで無許可で上演し警察沙汰になった『**ノック**』は、演劇という形式を利用したパフォーマンス・アートの一種だったとも解釈できます。

《夢の家》

２０００年の第一回大地の芸術祭でアヴラモヴィッチが制作した作品で、日本有数の豪雪地帯・十日町の里山にある、築１００年以上の古民家を改修した体験型アートです。宿泊者は赤や緑などに塗られた部屋に決められた手順で宿泊し、その日に見た夢を翌朝書きつづり、後に作家が本にまとめる、という作品です。２０２３年現在も宿泊して作品の体験が可能です。

2012年に刊行!
「夢の本」夢の家に泊った人の夢をまとめた本。

おまけの1コマ
やる気やる気でないぞ～♪
やる気でないぞ～♪
ぬ～
そんな1年でよいのか…

作品解説コラム連載

おまけページ きゅうり画廊

チョキチョキ

きゅうりのキューブリック

漫画でも描いた**アヴラモヴィッチ**の**《Rhythm 0》**をネットで調べてみたら「検索してはいけない恐怖ワード」扱いをされていて、それがすごく一般に広まっていたのでビビりました。

「《Rhythm 0》は6時間のあいだ、来た観客が机にある道具を使って一切動かない彼女に好きにアクションしてもいいというもの。机には花とかカメラとかいろんなものがあるけど、鎖や拳銃まであって彼女は何が起きても観客に責任を問わないと書いてある。そうしたら観客はどんどんエスカレートして彼女をモノのように扱っていく。6時間の制限時間のパフォーマンスを終えてズタズタの彼女が動き出すと、観客は初めて自分のしたことの重大さにやっと気づいて逃げ出した。アヴラモヴィッチはパフォーマンスの最中このまま観客に殺されるのではないかという恐怖のあまり髪が白くなった」というようなことが、検索すると写真と一緒に書いてあります。

自分は検索してはいけないワードではないと思うので興味のある人は他の《Rhythm》シリーズ含めて調べてみてもいいかもしれません（でもナイフで指を切るような、明らかに痛そうな作品もあるのでやっぱり気になった人だけどうぞ……）。

この《Rhythm 0》が、作品というよりもスタンフォード監獄実験みたいな人間の本性を剥き出しにする心理実験的に扱われすぎているので、これをやったアヴラモヴィッチが超有名美術作家と知らない人もいそうだなとちょっと思いました。実はいろんな作品があるのです。ちなみに彼女は《Rhythm 0》当時はほぼ無名で、これがきっかけで有名になったそう。

そしてイラストに描いた**オノ・ヨーコ**の**《カット・ピース》**という作品は《Rhythm 0》の10年前にニューヨークで行われたパフォーマンスです。オノ・ヨーコがスーツを着て舞台に座っていて観客がそのスーツをハサミで切って好きな分持って帰っていっていいというもの。自分の自我を押しつける作品でなく、観客が選んで持っていくことができる作品をつくろうとできたそう。《Rhythm 0》もこの作品を参照しているだろうと思っていたので書いてみました。

これらの作品は、社会的な弱者が暴力的に何か盗られていくような状況にも見えます。これを当時、特にマイノリティだった東洋人の女性作家がニューヨークで発表するというのはかなり衝撃的だったそうです。参加する人は自分の暴力性に向き合わされるし、人にハサミを向けて皮膚の近くで動かすのはどんな相手に対しても怖いだろうと思います。これをつくったのが1964年でつくづく先駆的な作品をつくる人だなと思いました。

どちらも平和を望んでいる作家です。オノ・ヨーコは2022年に日本の渋谷含む世界の都市のデジタルサイネージに平和メッセージを発表していました。アヴラモヴィッチは漫画にも描きましたが**《The Artist Is Present》**の再制作をしました。この2つもぜひ調べてみてください。

（第22話）

マンガの賞に応募する！

お父さんの画塾に通う社会人ユミさんは、マンガ家を目指しています。賞に投稿する原稿を締め切りに間に合わせるため、トラちゃん一家とりゅうたろう君がお手伝いすることになりました。

父さんの画塾に通うユミさんはマンガ家を目指す社会人です！
水をかぶると朱雀になるよ
うわあああああ
今描いてるマンガの締め切りがどうひっくり返っても間に合わない！どこかにマンガを手伝ってくれる超優しくて絵が上手い人はいないものか！
ぼくたち絵うまいよ〜
マンガの手伝いやってみたい
りゅうたろう君イラストも上手いし頼んでみようよ
ガ〜ン…
日曜日。トラちゃん一家でユミさんの手伝いをすることになりました！
ぼくは夕方いくよ
マンガのアシスタントって楽しそうだなあ！Gペン買っちゃった！
ベレー帽とつけ鼻買っちゃった！
まんが道徹夜で読破した！
全員形から入るタイプだ…
ユミさんの家
みなさん今日は来てくれてありがとうございます！宅配ピザをとりました！
ドレミファピザ
原稿が一工程できるたびに一枚食べましょう！
ユミさん消しゴムかけ一枚やったのでピザ一枚食べていいですか？
ユミさん
トラちゃんの父さん
ケシケシ
シャッ
ブオー
バタバタ
トラちゃんの母さん
トラちゃん
消しゴムかけは10枚やってピザ1枚です！
22
美術っトラちゃん

せんぱ〜い みなさーん 手伝いに 来ましたよ〜！
ホワイト かけました！ ピザ！
ありがとうございま〜す！
ピザ どうぞっ〜〜！
ベタ 塗った！ ピザ！
ピザ！
ベルを鳴らすと ご飯がもらえる 猫みたいだ
ピンポーン
ぼくは背景を 描けばいいんですね！ このピザ×100 ってピザを 100枚描けば いいんですか？
あっ…書き間違いです…そこに ピサの斜塔を 100コ描きたくて… できますか…？
いいですよ〜
背景の 負担がデカ すぎる…
ムシャムシャ
サラサラ
シュバババ
というわけで今回は 日本の美術や美術以外にも 超影響を与えた大芸術家 岡本太郎について紹介 します！
日本の美術史の超スター
岡本太郎（1911ー1996） 芸術を世に伝えるため沢山メディアに出て おもしろおじさん扱いされる…
「傷ましき腕」（1936） パリにいた若い時の作品。相反する要素や表現を1つの絵にした「対極主義」 「うまい」「きれい」「ここちよい」絵を全否定！
実は彼の父親は 手塚治虫にも影響を 与えた人気マンガ家の 岡本一平！母親は 小説家の岡本かの子 という超芸術一家 でした！
名言の 「芸術は爆発だ」とか 超大作「太陽の塔」が 有名！変な芸術家という イメージが強いけど 超インテリで理論面 からも日本の美術を 押し上げた人です！
「太陽の塔」（1970） 大阪万博のテーマ館のプロデューサーに任命されるが「人類の調和と進歩」というテーマを全否定して土器のような塔を作る
塔中部にはテーマ展がある。原爆や公害のイメージも練りこんだ。
内部「生命の樹」
戦時中は召集をうけ軍隊に… 戦争経験も作品に影響
殺すな
ベトナム戦争に反対したメッセージ
渋谷駅にある「明日の神話」（1968） 原爆の悲劇…
芸術は爆発だ〜！
そのセリフは実は爆弾 みたいな爆発じゃなくて 精神を解放する静かな 爆発のことだそうです… キャッチーな言葉や 言動で大衆も引きつけた スターでした！
ドーン
「縄文土器論」
「みづゑ」（1952年2月号） 岡本太郎がこの論文をかくまで美術史上に縄文土器はなかった。
彼が書いた 「縄文土器論」によって 美術史で縄文土器が 初めて扱われ出した！ 研究者でもありました！
そして 岡本太郎のパートナーの 岡本敏子なくして 彼はありませんでした
超パワフル
岡本敏子 （1926ー2005）
とにかく岡本太郎という才能にホレて世に出すアシストをした。スケジュール、マネジメント、etc…
美の呪力
ちなみに太郎の本は彼がしゃべりまくることを敏子が口述筆記した。太郎死後は美術館、記念館をつくって彼の作品を残した…！
岡本太郎という作品の 半分は岡本敏子と 言っても言い過ぎでは ないかもしれません
ユミさんのマンガが 賞をとってる…
ピサの斜塔で ドミノ倒しする 絵がんばり ました！
みんな ありがとう〜 とくに りゅうたろうくん〜
審査評： 内容も面白いし 背景が圧巻！
パーン
サインくれ〜

トラちゃんコメンタリー
マンガに出てきた用語解説
ヒマなときよんでねー！

Gペン

Gペンとは、**ペン入れ**の際に使う**つけペン**の一種です。筆圧によって様々な太さの線をダイナミックに描けるのが特徴で、輪郭線を描く際などによく使われます。

漫画を描く際には、設計図にあたる**絵コンテ**（**ネーム**）でコマ割りや台詞を決め、それを元に原稿用紙に鉛筆で薄く下描きをしていきます。そしてインクをつけたつけペンで下描きの上からペン入れをし、インクが乾いてから（ときにはドライヤーで乾かします）消しゴムで下描きを消していきます。**トーン**（色や柄を表現するために使う、カケアミや模様が印刷されたフィルム）を貼ったり、**ベタ**（黒く塗りつぶすこと）を塗ったり、**ホワイト**（修正液）をかけたりして仕上げたものが原稿になります。

〝ベレー帽とつけ鼻〟

漫画の神様こと**手塚治虫**のトレードマークですね。トラちゃんのお父さんは手塚治虫のコスプレをしているわけですが、手塚治虫がベレー帽を被っていたのは、漫画『**フクちゃん**』などの作品で知られる先輩漫画家の**横山隆一**の真似だったと言われています。ベレー帽は元々、現在のスペインとフランスの国境にあるバスク地方の民族衣装が発祥とされており、アートの世界では古くは**レンブラント**（1606～1669）がベレー帽を被った自画像を描いています。手塚治虫の自画像では実際より鼻が誇張されていますが、手塚作品で鼻の大きいキャラクターと言えば、お茶の水博士や『**火の鳥**』のメインキャラクターである猿田が印象的です。

『まんが道』

藤子不二雄Ⓐの自伝的漫画で、この作品を読んで漫画家を志した人も多いと言われています。藤子・F・不二雄との少年時代の出会いからはじまり、デビューや上京、同時代の漫画家との交流などが描かれ、藤子不二雄以外の漫画家は多くが実名で登場しています。1970年に『**週刊少年チャンピオン**』で連載開始し、掲載誌を変えながら連載されました。1989年からも続編『**愛…しりそめし頃に…**』が描かれており、2013年に完結しています。1986年にはNHKでドラマ化もされました。トラちゃんのお母さんは一晩で全巻読み切ったそうですが、最も手に入りやすいと思われる電子書籍版でも全25巻あります。

ぜったいマンガ家になる！
がんばりましょう！

岡本太郎

1911年生まれの、言わずと知れた昭和を代表するアーティストです。東京美術学校（東京藝術大学美術学部の前身）を入学半年で中退して1929年に両親の渡仏に同行します。両親が帰国した後も1940年までパリに留まり、**アブストラクシオン・クレアシオン協会**への参加や、**アンドレ・ブルトン**、**マックス・エルンスト**、**マン・レイ**などシュルレアリストとの交流など前衛的な芸術活動を展開します。パリ大学で学んだ際に『**贈与論**』で知られる文化人類学者の**マルセル・モース**の影響を受け、また**ジョルジュ・バタイユ**とも交流し、彼が発起人の一人である**社会学研究会**に参加するなど、フランスで現地の思想や哲学を吸収します。帰国後は第二次世界大戦の中国戦線に出征し、終戦後は日本の**アバンギャルド**の先駆者として活躍しました。1954年に出版した著書**『今日の芸術―時代を創造するものは誰か』**はベストセラーとして一般読者に受け入れられただけでなく、**反芸術**を志向する日本の前衛アーティストに大きな影響を与えました。1970年の大阪万博では会場中央に**《太陽の塔》**を建て、プロデューサーを務めたテーマ展示では世界中の神像や仮面といった、後に国立民族学博物館の基盤になった資料を展示し、万博の進歩主義的な価値観に異議を唱えました。晩年にはパーキンソン病を患い、1996年に亡くなりました。

《明日の神話》

メキシコシティに開業予定だったホテルの壁画として1968〜1969年にかけて制作された原爆をテーマにした作品です。岡本太郎の最も巨大な作品のひとつでしたが、肝心のホテルが開業されず長らく行方不明になっていました。2003年に**岡本敏子**がメキシコシティ郊外で発見し、日本への移送・修復の後に2006年に公開。2008年からは渋谷駅のJRと井の頭線の連絡通路で公開されています。2011年5月には、当時の**Chim↑Pom**が**《明日の神話》**の一部に福島第一原発事故のモチーフにした**《LEVEL7 feat. 明日の神話》**を貼りつけるパフォーマンスを行っています。

「LEVEL7 feat. 明日の神話」
明日の神話の欠けた部分にこの絵をはりつける。

岡本一平／岡本かの子

岡本太郎の父親である**岡本一平**は1886年に北海道函館で生まれた画家・漫画家です。東京美術学校西洋画科を卒業した後に帝国劇場で舞台美術の仕事に携わり、1912年に東京朝日新聞社に入社してからは漫画家・イラストレーターとして人気を博しました。自宅で漫画家養成塾を開き、**近藤日出造**、**杉浦幸雄**といった後進の漫画家を育てています。その妻で太郎の母親である**岡本かの子**は1889年東京に生まれ、歌人・詩人として活動しながら1910年に岡本一平と結婚し翌年に太郎を産みます。**川端康成**との家族ぐるみの交流もあって1930年代には小説家として活躍しましたが、1939年に亡くなりました。かの子が亡くなった後に一平は再婚し太郎の異母弟妹をもうけ、1948年に亡くなっています。

岡本敏子

1926年に千葉県に生まれた**岡本敏子**は、秘書兼パートナーとして岡本太郎を支えましたが、法的には婚姻関係にはなく養女でした。岡本太郎の没後には岡本太郎記念現代芸術振興財団の理事長に就任し、東京・南青山の住居兼アトリエを**岡本太郎記念館**として公開し、運営にあたった他、著作やインタビューを通じても岡本太郎の再評価に尽力しました。《明日の神話》修復プロジェクトの最中、2005年に亡くなりました。

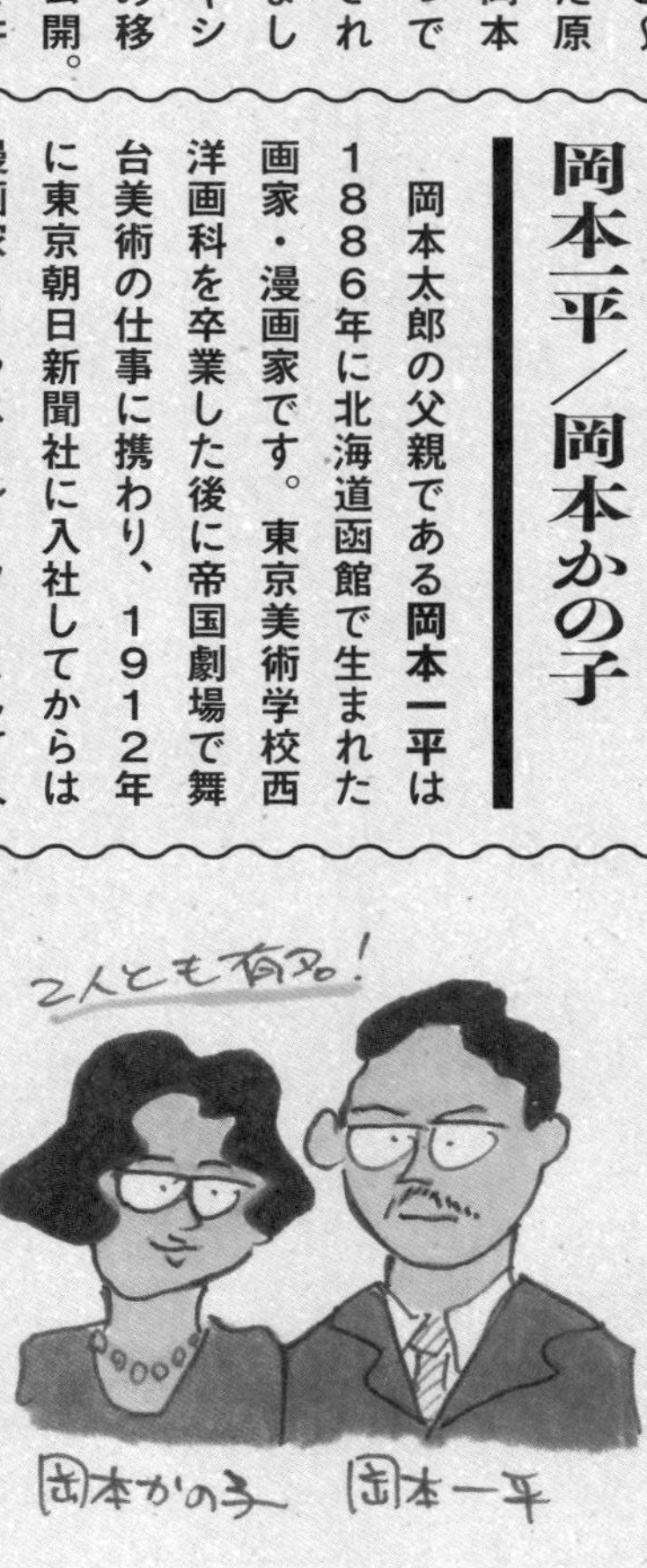

作品解説コラム連載

おまけページ きゅうり画廊

芸術は爆発だ！

きゅうりのキューブリック

12年前の2011年がちょうど**岡本太郎**生誕100周年ということで、当時テレビで岡本太郎特集が多く組まれていました。それが岡本太郎について知るきっかけだったかもしれません。まだ情報源と言えばテレビでした。そして生誕100年企画のひとつとしてNHKで『**TAROの塔**』というドラマをやっていて面白がって見ていたのを覚えています。その年の2～4月にやっていた全4回のドラマで、途中で東日本大震災があったのも覚えています。

岡本太郎役を**松尾スズキ**がやっていて、若いときの岡本太郎は**濱田岳**がやっていました。内容も配役も良かった気がします。岡本太郎の半生と太陽の塔のエピソードがメインのドラマでした。見たのが12年前なので、今もう一度見たいですね。「人類の進歩と調和」を目指した大阪万博の建築物の中で唯一残されたのが、そのテーマに逆行した土器のような太陽の塔だったとのこと。すごい！カッコいい！すぐに影響を受ける自分は太郎ファンになりました。

そしてさらに『TAROの塔』以上の衝撃をテレビ越しに受けることになります。岡本太郎特集の特番があって、その年の岡本太郎賞のレポートをやっていたのです。岡本太郎賞というのは川崎市岡本太郎美術館で毎年やっている公募展で表現形式自由、応募資格なしの公募展です。その年の大賞が**オル太**という多分その当時超若手の芸術家グループでした。彼らの《**つちくれの祠**》という受賞作がテレビ越しで見てもそれはそれはカッコよかった。それを見て自分だってと思ってすぐに机に向かって絵を描きはじめました。日曜の昼だった気がします（その後何年か経って岡本太郎賞に2回出してどっちも入選止まりでした）。

美術大学時代に飲み会に行ったときに、当時の助手みたいな人が酔って「岡本太郎以降、日本の美術界には本当の意味でのスターがいないんだ！」みたいなことを言っていたのを覚えています。その後の話を全部忘れたのでその人が何を言いたかったのかは全く覚えてないのですが、確かに芸術家に対しても大衆に対しても影響力を持った、岡本太郎ほどのスター作家は他にいないような気もします。

真意が勘違いされて広まっているとは言え「**芸術は爆発だ！**」ってすごい言葉ですよね。芸術に関する言葉でこれ以上に広まっている言葉を知りません。

自らメディアに出まくって芸術を世に広めた岡本太郎ですが、キャッチーな部分だけ知られて実際のすごさが知られていないところがあります。川崎市岡本太郎美術館や南青山の岡本太郎記念館にぜひ行ってみてください。見たことがない人は太陽の塔はいつか見てください。本当にすごいので。

12年前、岡本太郎についてテレビで知った
今年の太郎賞はオル太です！
ほえ～

（第23話）

地方芸術祭に出展する！

地方芸術祭に作品を出展することになったトラちゃんのお父さん。若い頃、りゅうたろう君と２人で向かった芸術祭で、失敗に終わった過去を取り戻しに向かいます。

地方芸術祭に出展することになった父さん山のふもとに巨大なオブジェを作るそうです！
芸術祭の超人気観光スポットになるようなオブジェを作るぞ～！
打倒！草間彌生！
いってらっしゃーい
おっきくでたなあ…
もらった予算はみ出さないように気をつけような！
シュイイーン
うわあぁはぇええ
先パイ油断するとすぐもらった額以上使っちゃいますもんね
トラちゃんが生まれる前は展示やるほどお金なくなってたからな～
美術のトラちゃん
さくらパピヨン本田
23
若い頃にも2人で芸術祭に出たことがありました。搬入の車で深夜高速を走ります…
制作費もらった額じゃ全然足りないや！超赤字だな！でもこの作品で有名になろうな！
今までの苦労がおつりくるくらい売れますよ！
若い頃のりゅうたろう君
若い頃の父さん
超売れたらりゅうたろうはオレのチーフアシスタントな！
…絶対ですよ！

まさか完成したとたんに歴史的台風が来るなんて…せっかく作った作品がコナゴナだ…
こわれただって…!? ふざけんじゃない！
キュレーター
キュレーター超怒ってたなあ…
ぐちゃ…
…なおせますかね…
この作品に持ってるお金全部使って、借りもしたからもうムリ…
君たちが作った作品好きだったのに残念だなあ
元気だしてくれよ
風や水には勝てないもんですね…
これあげる
地元の人
制作中声かけてもらえなかったから嫌われてるのかと思ってました…
君ら作ってる時顔怖すぎて東京から鬼がきたと思ってたから…
というわけで今回は風や水、現象を使った作品を作る作家の内藤礼さんを紹介します
自然と同化した作品！
1997年ヴェネチアビエンナーレにも出した「地上にひとつの場所を」
内藤礼（1961ー）
ムサビの視デ出身。
大人数が来る国際展であえて一人ずつしか入れさせない作品をつくった。大評判に
体験するインスタレーションを作るけれど、それはエンターテインメント的ではなくて、極限まで空間と人が一体化するようなものです！これは実際に見ないとわかりません！
瀬戸芸で行われている家プロジェクト。色んな作家が空家を作品化
中部
内藤礼が作品化した家「きんざ」は1人ずつ見る。
ずっとそばで見ていたくなる作品ですよね！
瀬戸内にある豊島美術館は、彼女の代表作「母型」というインスタレーションのためだけに建てられ世界的な人気があります！
瀬戸内国際芸術祭に行ったらみるべき「豊島美術館」の「母型」
建築家・西沢立衛と共作の美術館。水が意志をもったように地面をはって動く。美術館自体が作品。
実際に見るべきといったけど今年の10月から神奈川県立近代美術館の葉山館でも展示があります！
2022年10月22日～2023年1月22日まで
神奈川県立美術館 葉山館にて
コレクションされてるテグスとビーズが素材の「恩寵」や新作の展示！
※現在は終了しています
壊れた作品は地元の人たちと祭をして供養しました
ドンドコ
ドンドコ
ドンドコ
メラ
メラ
力石の葬式くらい盛りあがって最終的に芸術祭のメインイベントになってたよなあ…
キュレーターめっちゃびびってましたよね
ワイワイ
すごい！昔台風で壊れて見れなかった作品じゃん！
作品名『美術界のトラ』
なんと今回予算内…
ぞぞぞ
昔からトラ要素あったんだ…
起きられた！チーフやってよ！

トラちゃんコメンタリー
マンガに出てきた用語解説
ヒマなときよんでね～!

内藤礼

1961年広島生まれのアーティストです。1997年のヴェネチア・ビエンナーレに出展したインスタレーション**《地上にひとつの場所を》**は、1991年に東京の江東区にある佐賀町エキジビット・スペースで発表した初期の代表作で、ニューヨーク、パリ、イギリスなどでも展示されています。

インスタレーション

インスタレーション（installation）は、「取りつける」「就任する」といった意味の動詞インストール（install）の名詞形です。アートでは「展示や設置方法までを含めてアートである」という考えから、展示空間を含めて作品とする手法を指し、1970年代に用語として定着しました。近年は映像作品やサウンドによって空間を構成する映像インスタレーション、サウンドインスタレーションなども生まれています。インスタレーションはあくまで特定の展示空間に、一時的な展示期間の間だけ構成されるアートであるため、その意味で絵画や彫刻とは異なった表現手法と言えます。

"1997年ヴェネチア・ビエンナーレ"

ヴェネチア・ビエンナーレはイタリアのヴェネチアで1895年から2年に一度開催されている、世界的に大きな影響力を持つ現代美術の国際展です。正確には、ヴェネチア・ビエンナーレには美術部門の他に建築、映画、舞踏、音楽、演劇の部門があり、映画祭と演劇祭に関しては、ビエンナーレ（2年に一度）の名に反して毎年行われています。この映画祭がいわゆる**ヴェネチア国際映画祭**です。美術部門では、国単位出展され、優秀な展示には映画祭同様、**金獅子賞**が贈られます。

「Future, Present and Past」を総合テーマに1997年に開催された第47回ヴェネチア・ビエンナーレでは、日本館のコミッショナーをキュレーターの**南條史生**（現・森美術館特別顧問）が務め、内藤礼の《地上にひとつの場所を》が出展されています。この年は第21話で紹介した**マリーナ・アヴラモヴィッチ**と、**ゲルハルト・リヒター**が金獅子賞を受賞しています。

豊島美術館《てしまびじゅつかん》

2010年の第一回瀬戸内国際芸術祭のためにつくられ、現在でも公開されている、内藤礼と建築家の西沢立衛の共作でつくられた美術館……というより、内藤礼のインスタレーション《母型》のための巨大な空間装置です。

広さ40m×60m、高さ4・3mのオープンエアーの建造物で、中には《母型》だけが展示されています。鑑賞する人が美術館の中にいる時に感じた自然と建物との呼応や時間の流れ自体が作品となっています。

「豊島美術館」
自然と一体化してる!

西沢立衛《にしざわりゅうえ》

1966年東京都生まれの建築家で、同じく建築家の**妹島和世**《せじまかずよ》とのユニット**SAANA**として建築界のノーベル賞とも言われるプリツカー賞やヴェネチア・ビエンナーレ国際建築展金獅子賞を受賞するなど、世界的に評価されている建築家です。代表作としては内藤礼との共作の豊島美術館の他に、群馬県碓氷郡の**ウィークエンドハウス**や青森県の**十和田市現代美術館**、SAANAとしては石川県の金沢21世紀美術館やニューヨークの新現代美術館があります。

十和田市現代美術館

家プロジェクト

1998年からはじまったアート・プロジェクトで、現在は**ベネッセアートサイト直島**の一環として位置づけられています。直島・本村地区に点在している空き家を改修して作品化したインスタレーションで、現在までに7棟が作品化されています。鑑賞の際には普通に住人が生活する中を散策することになり、展示空間である空き家を、人々の生活と重ねて感じることができるプロジェクトです。内藤礼の他には**宮島達男**、**ジェームズ・タレル**、**杉本博司**、**千住博**、**須田悦弘**、**大竹伸朗**が作家として参加しています。

神奈川県立近代美術館

1951年に開館した、日本初となる公立の近代美術館です。はじめは鎌倉の鶴岡八幡宮の境内に開館し、1984年に本館の近くに別館が、2003年に本館から10kmほど離れた葉山に葉山館が開館し、2016年に本館が閉館（建物は鶴岡八幡宮に譲渡）になったため、現在は葉山館と鎌倉別館の2館で運営しています。**岸田劉生**や**片岡球子**、**棟方志功**、**北大路魯山人**といった近代美術から現在活躍している作家のものまで1万5000近いコレクションを収蔵しています。内藤礼の**《恩寵》**は2009年に旧本館で行われた個展のために、その空間に合わせて制作され、2016年に本館が閉館するまで同館のテラスに展示されていました。漫画で紹介した2022年に葉山館で行われた展覧会で7年ぶりに展示されました。

神奈川県立近代美術館
葉山館の入り口にあるのが
イサム・ノグチの「こけし」(1951)

"力石の葬式"

力石とは、漫画**『あしたのジョー』**の主人公・矢吹丈が少年院で出会ったライバルで、丈を上まわる読者人気を誇った先輩ボクサー・**力石徹**のことです。丈に体格で勝る力石は、プロの試合で丈と戦うために過酷な減量をした結果、試合には勝ったもののそのままリング上で倒れて死んでしまいます。力石の死は、連載していた講談社**『週刊少年マガジン』**の編集部に多くの弔電が届くほどの反響があり、またアニメ化の直前でもあったことからプロモーションの意味も含め、主題歌の作詞を担当した**寺山修司**が企画して、講談社の講堂で一般ファン参列の告別式が行われました。原作者の**梶原一騎**と作画の**ちばてつや**も参加し、後にちばてつやは「なんで力石を殺したんだ！とずいぶんせめられて、あの時は参った」と回想しています。

力石が死んだ〜
ホロリ…
あしたのジョー

作品解説コラム連載

おまけページ きゅうり画廊

きゅうりと申します

きゅうりのキューブリック

オルタナティブ漫画雑誌『アックス』で連載をしている**ファミリーレストラン**先生の初単行本『**レーズンラムと申します**』（青林工藝社）が2022年5月に刊行されました！ ファミレス先生は**国立奥多摩美術館**（第3話のきゅうり画廊参照）の副館長として活動もしていて、西東京のアートシーンを陰で支えるフィクサー的な存在でもあります。そして彼は彫刻家なのですが、つくった彫刻を漫画の中に取り込んでキャラクター化するので彫刻漫画家と呼ばれていたりします。

ファミレス先生がNHK『浦沢直樹の漫勉』に出たとしたら4日間密着のうち4日間は木彫を彫っているでしょうから、浦沢直樹さんは怒ると思います。そして彫った木彫の写真をパソコンに取り込んでフォトショでいじる工程には浅野いにおさんも膝から崩れ落ちると思います。

そんな尖った漫画をつくるのにファミレス先生本人は、ゆるい幸せがだらっと続いているが如く、とても穏やかで優しい人です。穏やかで優しいのですが、たまに『彼岸島』の丸太くらいでかい漫画のペンを自作してそれを持ってロープで吊られながら巨大な壁に空中漫画公開制作をしたりします。こんなに新しいのに本当になぜ『漫勉』に出られないのでしょうか。それはきっと単行本が出ていなかったからです。単行本が出た今、浦沢直樹さんに見つかるのは秒読みです。**みうらじゅん**さんは彼の才能を認めたらしく、ファミリーレストランというペンネームはみうらさんがつけたそうです。

自分はファミレス先生自身のことも漫画も大好きです。国立奥多摩美術館の館長の**佐塚真啓**さんもファミレス先生を天才だと褒めちぎっていました（佐塚さんに好きな漫画家は誰かと聞いたら秒で鳥山明と答えていました）。

ファミレス先生も自分と同じ武蔵野美術大学彫刻科を出ています。彫刻でも漫画でもファミレス先生は先輩です。まんが道はたくさんの人たちが通ってきましたが、誰も通っていない彫刻まんが道を開拓しているのは彼です。もし手塚治虫がファミレス先生を見ていたら、彫刻もはじめていたことでしょう。

そして僕もついこの間できた『レーズンラムと申します』を読みました。万人にはおすすめしません！ 僕は大好きですが、お母さんは大嫌いと言っていました。

（第24話）

感動で心もからだも震えちゃう…！

トラちゃんのお父さんの画塾に通うトメ吉くんは、中学校で演劇部に所属しています。脚本・演出担当で、天才劇作家の名前をあだ名にもつ先輩がスランプとのことで、お父さんにアドバイスを求めてきました。

父さんの画塾に通う中学2年生のトメ吉くんは演劇部に入っています！
久しぶりの登場！
夏の演劇大会にむけて練習がんばってるんだぜ！すっごくきびしい練習なんだ！
若い頃
先生も劇団やってた時はガラスの仮面にあこがれて泥まんじゅうをたべる練習したなあ…
ジャリ
ジャリ
その練習は絶対に意味がない…
けど脚本と演出担当の先パイがスランプで…先生！今度会って相談のってあげてよ！
演劇の相談なら任せてくれよ！
先パイはまわりからはブレヒトってよばれているんだ！
あのドイツの天才劇作家ブレヒトがあだ名なんて…一体どんなすごい子なんだろうか…
ポセヨン本舗 24
美術《ブレ》のトラちゃん
次の日の画塾
ブレヒト先パイです！感動で心が揺れると体が振動しちゃう体質なんだ！
はじめましてブレヒトとよばれてます！
トップガンとシン・ウルトラマンの余韻がまだおさまらない！どうしよう！あああああ助けてくれえええええ！
ブレ ブレ ブレ ブレ
グワン
ドチャーン
ガシャーン
チャリーン
そういう振れ人《ブレヒト》なの!?
トラちゃん
小学6年生。美術の賞をもらって調子に乗ってたらトラになった。
トメ吉くん
中学2年生。反抗期なので猫になった。
トラちゃんの父さん
画家。調子に乗っていたらトラになった。

※「三文オペラ」のあらすじはきゅうり画廊に書きました！ぜひ見てね！

トラちゃんコメンタリー
マンガに出てきた用語解説
ヒマなときよんでね！

〝ガラスの仮面にあこがれて泥まんじゅうをたべる〟

『**ガラスの仮面**』は1976年に連載がはじまり2023年現在未完の、演劇をテーマにした**美内すずえ**作の漫画です。「泥まんじゅう」とは、舞台の本番中に他の俳優のいじわるで舞台上で食べるまんじゅうが本物から泥まんじゅうに取り替えられていたが、主人公の北島マヤはそれを食べてかえって演技への情熱を取り戻す、という有名なシーンです。トラちゃんのお父さんがやったらパフォーマンス・アート的な意味合いへと変わってしまいそうです。『ガラスの仮面』本編は**五代目坂東玉三郎**や**蜷川幸雄**などの演出で何度も舞台化され、アニメ化、テレビドラマ化もされており、『**紅天女**』『**女海賊ビアンカ**』といった劇中劇も舞台化されています。漫画や演劇だけでなく、他ジャンルの創作文化にも大きな影響を与え、例えば『**蜜蜂と遠雷**』で2017年に直木賞を受賞した**恩田陸**の2006年の長編小説『**チョコレートコスモス**』も『ガラスの仮面』のオマージュであることを、著者が公言しています。

役者はみなガラスの仮面をかぶる！
おそろしい子
!!

〝トップガンとシン・ウルトラマン〟

どちらもこの漫画が掲載された年の2022年5月に公開されたヒット映画です。トップガンは正確には1986年公開の『**トップガン**』の続編『**トップガン マーヴェリック**』で、**トム・クルーズ**が前作から続投して主人公の戦闘機パイロット・マーヴェリックを演じています。『**シン・ウルトラマン**』は**庵野秀明**脚本、**樋口真嗣**監督による映画で、初代ウルトラマンの様々な要素を再構成しています。庵野秀明はウルトラマンファンとしても有名で、学生時代にもウルトラマンの自主制作をつくっています。『トップガン マーヴェリック』も『シン・ウルトラマン』も前作や原作が下敷きにあるので、それらを知っていると楽しめる映画です。ブレヒト先輩はその手の作品がツボなのでしょう。

〝くぁwせdrftgyふじこlp〟

パソコンで日本語入力する際、キーボードの上2列のキーを左から順に押した時に入力される文字列で、混乱や感動、パソコンの故障を表す**ネットスラング**として使われています。意味がわからない文字列の後ろに突如「ふじこ」という人名風の言葉が出てくるのが特徴です。キーボードのアルファベット配列は最上段の並びから**QWERTY配列**と呼ばれる、元々はタイプライター用に考案された配列です。タイプライターの機械内部でアームが絡まって故障が起こらないように、続けてタイプすることが多い文字を離したものだと言われています。

『プラン・9フロム・アウタースペース』

史上最低の映画監督とも呼ばれる**エド・ウッド**のSFホラー映画で、1980年出版の『**ザ・ゴール**

デン・ターキー・アワーズ』では**史上最低の映画**に選ばれています。本作の制作を含めたエド・ウッドの半生は、彼のファンである**ティム・バートン**が**ジョニー・デップ**主演で1994年に『**エド・ウッド**』として映画化し、そちらはアカデミー賞助演男優賞をはじめ多くの賞を受賞しています。

ベルトルト・ブレヒト

1898年生まれのドイツの劇作家・演出家・詩人で、「**叙事的演劇**」「**異化効果**」などの理論を提唱し、後続の演劇に大きな影響を与えました。1922年の戯曲『**夜うつ太鼓**』でクライスト賞（ドイツで最も権威ある文学賞のひとつ）を受賞し、映画化もされた1928年の『**三文オペラ**』で世界的な名声を得ましたが、ナチスによる政権掌握に危険を感じて亡命し、デンマークに拠点を移します。『**ガリレイの生涯**』『**肝っ玉母さんとその子供たち**』といった時代を反映した戯曲を執筆しながらも戦渦を逃れるために北欧諸国を転々とし、1941年からはアメリカに滞在しています。赤狩りから逃れて1949年にヨーロッパに戻り、ドイツの東西分裂以後は東ドイツを拠点にし、1956年に亡くなるまで劇作を続けました。

『夜うつ太鼓』

1922年に発表され、クライスト賞を受賞したブレヒトの初期の代表作です。帰還兵を題材にした戯曲で、自身も第一次世界大戦に従軍していたブレヒトが終戦後に発表しました。「異化効果」などの用語を使いはじめる以前の作品ですが、劇中で「ロマンチックに見るな」と書かれたプラカードを俳優が掲げるような、劇への同化を妨げるような表現がすでに試みられています。

『三文オペラ』

1928年にベルリン・シッフバウアーダム劇場で初演された、ブレヒトの代表的な戯曲です。イギリスの劇作家**ジョン・ゲイ**作の『**乞食オペラ**』を改作し、後にブロードウェイでも活躍した**クルト・ヴァイル**が作曲を担当しています。

『ガリレイの生涯』

ブレヒトによる代表的な叙事的演劇（カタルシスを否定して、観客に劇中の事件に対する批評性を要求する演劇）です。1943年にチューリッヒで初演された際にはナチス時代を背景として面従腹背を肯定的に捉える物語として描かれましたが、1947年にアメリカで再演された際には原爆の開発と投下という事件を経て、権力に屈する科学のあり方に批判的な作品に変わっています。

異化効果

ブレヒトが提唱した演劇の理論で、観客にとって当たり前だったことが「実は当たり前ではない」ということを意図的に示し、先入観を取り去ることで、観客の現状認識に変容を促すことを言います。

『チ。』

漫画家の**魚豊**《うおと》が2020年から2022年にかけて『**ビッグコミックスピリッツ**』に連載した、地動説を題材にしたフィクション作品です。2022年には手塚治虫文化賞を受賞しており、アニメ化もアナウンスされました。

作品解説コラム連載
おまけページ きゅうり画廊

三文《きゅうり》

きゅうりのキューブリック

今回のきゅうり画廊は**ベルトルト・ブレヒト**の『**三文オペラ**』のあらすじを書いてみようと思います。

場所はロンドン。犯罪王の**マクヒィス**という男は犯罪だったら盗みに殺しに大体なんでもやっています。人呼んで**マック・ザ・ナイフ**！ そんなマックは**ポリー**という若い娘と恋に落ちて結婚します。

けれどもポリーの父親**ピーチャム**はそれに大激怒。結婚を阻止しようとします。ピーチャムは乞食王と呼ばれていて、ロンドン中の乞食の元締め・ピーチャム商会のボスなのです（なんだそれ！）。乞食たちに乞食の衣装を貸し、そのかわりに儲けの上前をはねていました。

マックが今まで逮捕されていないのは、ロンドンの警視総監ブラウンが全部もみ消していたからでした。マックとブラウンは若い頃の戦友でズッ友だったのです。そのことを知ったピーチャムはマックを逮捕するようにブラウンを脅し、ポリーはマックに彼の逮捕計画を伝え、ロンドンから逃げるように言います。

二人は愛を誓い合って、マックは旅に出ますが行きつけの娼婦宿にいきます。そこでピーチャムに買収された元恋人**ジェニー**に売られて捕まります。一回脱獄してまた娼婦宿に逃げ込み、またいろいろあって捕まります。役として愛嬌もあるマックはわかりやすくクソ野郎です。

ピーチャムはブラウンに、もしマックを死刑にしなければロンドン中の手下の乞食を集めて女王陛下の戴冠式をむちゃくちゃにすると言いだします。これにはさからえずマックを縛り首にすることに。

マックは死刑前日、檻の中で演説します。「銀行をつくることの罪の重さと比べたら、銀行を襲うことはなんてことないでしょう。人を殺すことなんて、人を雇うことの罪の重さと比べたらなんてことない」と熱く語り、そして人々に許しを求めるバラードを歌います。

ついに絞首台にあがるマック！ どうなるマック！ と思ったらピーチャムがあらわれて「これはオペラなので、法律より慈悲が重んじられます」と言い、国王からの使者があらわれ死刑執行をとりやめます。王様は彼に城と地位と死ぬまでもらえる年金をあげてハッピーエンド。みんな喜んで歌います。マックはポリーと抱き合います。「信じていたわ！」「きっとこうなると思ってた！」王様や権力者が助けてくれるならハッピーエンド！ でも現実はそうはいかないよね。これを見てるお客さんには使者とか来ないからバッドエンドだけど！ だから不正には寛容であれ！ この世は寒すぎて不正はどうせ自然と凍るから……と歌って締めて『三文オペラ』は終了。

なんだその終わり方！ ってなりますよね。だいぶはしょっているので気になる方は、舞台を見たり、戯曲を読んだりしてみてください。**千田是也**さんや演出家・**大岡淳**さんの訳が面白いです。

ちなみにこの劇は超大ヒット。彼の生きた当時は好景気が破裂し、混沌としていたそうです。そんな時代に「裕福な人間だけが幸せに生きられる」という皮肉なテーマが人々に刺さったのです。

この劇はブレヒトが短時間でやっつけ仕事としてつくったという話も有名です。**異化効果**という言葉も生まれ、この演出方法はいまだにポピュラーです。

あらすじだけ書くとなかなかやばい劇ですが、彼が演劇で社会と人々の意識を変えようとしていたのが伝わってきます。

その切実さが僕は好きです。

ピカー
三文オペラ
あらすじ！
不正をあまり追い廻すな
やがておのずと冷えてくる、
外は寒いんだ。この暗さ
このひどい寒さを考えろ、
嘆きごえ響き渡るこの谷間
では。

（引用：ベルトルト・ブレヒト
『三文オペラ』千田是也 訳、岩波文庫）

（第25話）ロダンに負けない彫刻をつくる！

トラちゃんが通う小学校は創立100周年！ 図エクラブのみんなで校長先生の立派な像をつくることになりました。鉄から溶かしてつくった巨大な像に、校長先生もびっくりです。

トラちゃんが通う神羅《しんら》小学校が創立100周年を迎えたそうです！
安藤先生！創立100周年ですし何か愛校心を育む美術の授業をできませんかね？
校長の権力を誇示する黄金の像を作らせましょう！
いや…学校の写生大会とかでいいんだけど…
あんどううぉーるほーる
安藤壁穴
校長
図工クラブのみんなで鉄から溶かしてます！
楽しんでるならまあいいんだけどさ…
最高の火遊びですね
うひょー
たのし～
ゴポッ
ゴポッ
ゴポッ
メラ
メラ
美術のトラちゃん
デケエーー!!
えっこれ大丈夫!?私、斧手のモーガンみたいな権力者だと思われてない!?
これのお陰で思われてます
あとデカすぎて条例違反らしく行政から今すぐ壊すように命令が来ました
踏んだり蹴ったりだよ！
ほら公共彫刻って時代にそぐわないと民衆に壊されたりすることあるじゃないですか
ゴゴゴゴ…
校長ってやばい人だったんだな…
これからモーガン校長って呼ぼうぜ
校長先生
100th Anniversary
King Of Education
あんどううぉーるほーる
安藤壁穴先生
これは今できたのに
トラちゃん

壊した校長の像を溶かしてロダンの地獄の門を作って校門にしました！
一切の希望を捨てよ…
うちは国立西洋美術館じゃないんだよ…
今週の学級標語は「希望に溢れる学校」なのに…
カッコイー
オハヨー
オハヨーゴザイマス
校長の像以外にも世界中で公共の彫刻が引き倒される例があります
公共彫刻がこわされる例
BLACK LIVES MATTER（黒人に対しての警察の残虐行為を発端におこったデモ）世界中で人種主義を唱えた人物の像がたおされる。スプレーで落書きされたり川になげられたり。
奴隷商人エドワード・コルストン像
ザブン
ポイ
香港の銀行HSBCのライオン像 2020年香港のデモで目を赤くぬられ、もやされる。
公共彫刻というのは時代と共に見る人の意識の変化によって受け入れられなくなったりします 校長も例外ではないのですね！
そもそもあんな像を作ってくれとは言ってないよ私…
そして今回の作家紹介はロダンの影に隠れた彫刻家のカミーユ・クローデルについてです！
人生が何回も映画になった…
カミーユ・クローデル（1864-1943）ロダンの弟子としてスタートした。
ロダンが地獄の門をつくっている時弟子に。超手伝う。
どうしよう
どうしよう
影響をうけ合い恋仲に。当時ロダン42歳でカミーユ19歳…！ロダンは妻がいた。
彫刻家ロダンの助手として陰に隠れていましたが時代と共に注目され彼女のアイデアや作った割合の多さから今や多くのロダン作品の共作者とされています
生きている間はカミーユはロダンの助手、愛人というイメージが先行して日の目を見なかったけど今や彼女の美術館があるほど有名です！ダイナミックかつリアルな作品を作りました
「波」（1897）日本の北斎に影響をうけて作った。ジャポニズム彫刻。
「熟年」（1899）老いた男（ロダン）が老いた女（ローズ、妻）につれていかれ、すがる自分自身を作った。
ローズ
ロダン
カミーユ
今やロダンについて語ると絶対カミーユをはずせない。
カミーユ・クローデル美術館
ロダン作品のほとんどに彼女のアイデアや手が入ってるのではと言われている。
カミーユかわいそう…
私もかわいそう…
女性の彫刻は認められにくく苦悩し続けて、妻のいるロダンとの関係にも追い込まれ最後は精神病院で亡くなったのです…
辛い…
「Zガンダム」のLDライナーノートに収録の庵野秀明と富野由悠季の対談にて
カミーユはカミーユ・クローデル
これは完全に余談ですが「Zガンダム」のカミーユ・ビダンのモデルは彼女ですよ
カミーユ・クローデルについては本以外にも映画も多くありますのでぜひ調べてみてください
映画「カミーユ・クローデル」（1988年）アカデミー賞にもノミネートされ、大ヒット。世間にカミーユが知られるきっかけになった。ロダンはひどいやつというイメージもついた。
カミーユ・クローデル
映画「カミーユ・クローデル ある天才彫刻家の悲劇」（2013）1988年のものとちがい彼女の人生の後半を描いた。
CAMILLE CLAUDEL
映画「ロダン カミーユと永遠のアトリエ」（2017）ロダンの作品への情熱にスポットをあてた映画。監督いわくロダンがひどいやつというイメージがつきすぎたので別の見方をしたかったと。
ロダン
彼女は強迫観念から自分の作品をかなり壊しましたがそれでも残った作品は彫刻の歴史に残っています
トラちゃん自分の作った作品壊して悲しくなかったかい？大丈夫かい？
引き倒すのもふくめておもしろかった！
パフォーマータイプね！

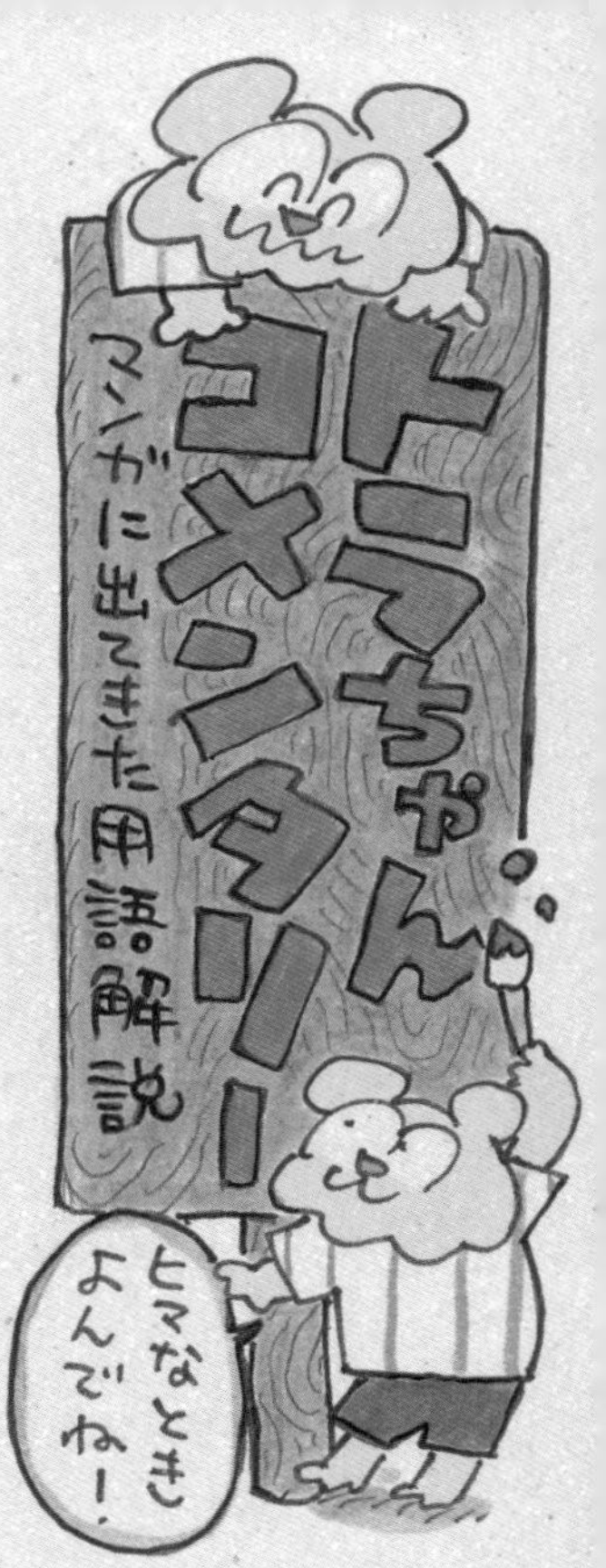
トラちゃんコメンタリー
マンガに出てきた用語解説
ヒマなときよんでね!

“斧手のモーガン”

尾田栄一郎の漫画『ONE PIECE』の序盤に登場する敵のキャラクターです。異名の通り片腕に斧を仕込んでおり、海軍大佐として町を恐怖支配していました。その権力の象徴として自身の巨大な石像をつくらせていましたが、石像を立たせようとした矢先に主人公のルフィに粉砕されます。ここでモーガンは倒されてしまいますが、息子のヘルメッポはその後もたびたびストーリーに登場します。

ロダン

オーギュスト・ロダンは1840年生まれのフランスの彫刻家で、近代彫刻最大の芸術家とも言われ、若い頃から彫刻家として修業し、1875年にイタリアに留学した際に**ミケランジェロ**の作品に感銘を受けて芸術観を深めます。それ以後**《青銅時代》**や**《歩く人》**を皮切りに写実的かつ動きに富んだ彫刻作品を生み出し、名声を博します。1880年には政府の発注でパリ装飾美術館に飾る**《地獄の門》**の制作をはじめますが、生前には未完に終わりました。**モネ**など**印象派**の画家たちと同世代で、彫刻の光の効果も重視していたため**彫刻における印象派**と目されることもあります。晩年に住んだパリの邸宅は、彼のたっての希望で、本人の作品と共にフランスに寄付され、現在国立ロダン美術館として公開されています。1917年にお互い70代の頃、長年の恋人ローズの死期が近づいたタイミングでようやく婚姻関係を結び、数週間でローズは死去。数ヶ月後にロダンも亡くなりました。日本では、**《地獄の門》《考える人》**をはじめ多くの作品を**松方幸次郎**の**松方コレクション**が収集しており、上野の国立西洋美術館で観ることができます。

近代彫刻の父!
オーギュスト・ロダン
ど〜だい!
ロダンの初期代表作!
青銅時代(1875)
リアルすぎて人間をそのまま型にしたとうたがわれた…!

《地獄の門》

1880年にパリ装飾美術館のために制作が開始され、美術館の計画が中止になった後も制作は続行しましたがロダンの生前完成をすることのなかった大作です。**《考える人》《接吻》**などの彼の代表的な彫刻はそもそも本作の一部として構想されています。ロダンの死後ようやく鋳造され、上野の西洋美術館屋外にある松方幸次郎注文のものを含めて世界に7つ存在しています。モチーフになったのは**ダンテ・アリギエーリ**の叙事詩**『神曲』**の**「地獄篇第3歌」**に登場する、文字通り地獄の入口である門で、**「この門をくぐる者は一切の希望を捨てよ」**と刻まれていることで有名です。しかし**『神曲』**では、ダンテと彼を先導する古代ローマ時代の詩人ウェルギリウスが、この門をくぐって魔王サタンが住む最下層まで地獄巡りをした後、ひょいと反転して死者が天国に向かって罪を清める煉獄に赴きます。さらにダンテは片思いの相手・ベアトリーチェに導かれて天国で様々な聖人と出会い、最終的に神の愛を知ります。ですからダンテ本人だけは地獄の門をくぐったにもかかわらず希望を取り戻すことができているのです。

"公共彫刻がこわされる例"

2020年に黒人男性が白人警察官に暴行されて死亡した事件をきっかけに、2013年に起こった**BLACK LIVES MATTER（ブラック・ライブズ・マター）**運動が再燃し、その一環としてアメリカを中心に公共彫刻を撤去する動きが盛んになりました。アメリカ南北戦争の南軍の司令官だったロバート・E・リー将軍の像が撤去され、ジョージ・ワシントンやトーマス・ジェファーソンといった英雄視される過去の大統領も、奴隷を使っていたために引き倒されています。イギリスでも地元では篤志家でありながら奴隷商人だったエドワード・コルストンの像が引き倒され、植民地時代の政治家でもあるウィンストン・チャーチルの像に「人種差別主義者」と落書きされています。

カミーユ・クローデル

1864年生まれのフランスの彫刻家です。若い頃から美術の才能を発揮し、パリで学んでいる際に出会った彫刻家の**アルフレッド・ブーシェ**の弟子になります。ブーシェがロダンにクローデルの指導を頼んだことがきっかけでロダンの弟子になり、後に助手として《地獄の門》や**《接吻》**を共に制作し、また愛人関係になります。ロダンの長年の恋人ローズとの三角関係は10年近くにおよびましたが、結局ロダンはローズを選びます。ロダンと破局して以降も、当時パリを席巻していた日本の浮世絵・**葛飾北斎**の影響を受けた**《波》**や、ロダン、ローズとの三角関係を描いた自伝的作品**《熟年》**など代表作を制作しましたが、精神状態は悪化の一途を辿り、1913年に家族によって精神病院に入院させられ、30年間を孤独に過ごし、1943年に亡くなりました。フランスの彫刻家**ポール・デュボア**と、クローデルのかつての師であるアルフレッド・ブーシェの作品を所蔵していたデュボア＝ブーシェ美術館（クローデルが若い頃住んでいたノジャン＝シュル＝セーヌの公立美術館）が、2008年にクローデルのコレクションを彼女の親類から買い取り、現在は国立のカミーユ・クローデル美術館に再編されています。

"「Zガンダム」のカミーユ・ビダン"

カミーユ・ビダンはアニメ**『機動戦士Zガンダム』**の主人公で、物語の初期はガンダムMk-Ⅱ、後にZガンダムのメインパイロットとなります。スペースコロニーに住む高校生でしたが、地球連邦軍のタカ派組織・ティターンズの将校ジェリド・メサに、「女の名前なのに、なんだ男か」とコンプレックスである自分の名前を当てこすられ、殴りかかったことがきっかけで、反ティターンズ組織のエゥーゴのパイロットとして戦うことになります。監督の**富野由悠季**が番組の企画を練っていた頃にカミーユ・クローデルに傾倒していたことから、名前とキャラクターを借りています。ちなみにカミーユ・クローデルがたまたま女性だっただけで、「カミーユ」はフランスで男性にもつけられる名前です。カミーユ・クローデルが精神を病んだのと同じく、カミーユ・ビダンもテレビアニメ版では最終決戦で精神を壊してしまいます。

作品解説コラム連載

おまけページ きゅうり画廊

考える きゅうり

きゅうりのキューブリック

今回は漫画で**カミーユ・クローデル**を紹介したので、きゅうり画廊ではロダンについて書こうかしらと思ったのですが、そもそもロダンってどれくらい知られているのだろう。ピカソとかゴッホくらい有名だと思っているのですが、自分が彫刻を専攻してきたからそう思っているだけかもしれません。

オーギュスト・ロダンは近代彫刻の父と呼ばれていまして、約7000近い作品をつくりました。彫刻って一個一個つくるのにかなり時間がかかりますからこれは凄まじい量です。ピカソが一生でものすごい量の作品をつくったのも有名ですが、ロダンも超作品量のある彫刻家です。若い頃の作品の《**青銅時代**》という彫刻はリアルすぎて生きた人間を型にしてつくったのではと言われるくらいリアルでした。

ちなみに上野の国立西洋美術館にかの有名な《**地獄の門**》と《**考える人**》が展示されています。この彫刻は世界中にあるのですが、彫刻って型から複製できるので頑張ればたくさんつくることができます。上野にあるのは複製ですが、ロダンがつくっていいよと言ったオリジナルの複製です。公式です！

ちなみに《地獄の門》の真ん中に小さい《考える人》がくっついています。これをデカくしたのが有名なみんなの知っている《考える人》です。ロダンは過去作を組み合わせて作品にしたり、昔つくった要素をつくり直したりもよくしたのですね。

そして《地獄の門》をつくっているときに彼の弟子になったのがカミーユ・クローデルです。《地獄の門》にもカミーユをモデルにした人間がくっついているそうです。

イラストでトラちゃんのお父さんが『**ロダンの言葉**』という本を読んでいます。日本の有名な彫刻家の**高村光太郎**が翻訳した本。ロダンが残した文章なのですが、彫刻の心得について熱く書いてあります。この中に「**若き藝術家達に**」という若い芸術家たちに向けて熱いメッセージを書いた章もあって、自分は高校生の頃、自己啓発本として読んでいました。

高校生の頃は大学受験を目指して石膏デッサンや石膏像の模刻なんかのアカデミックなことをたくさんやるので、ロダンが愚直に修行しろというようなことを情緒たっぷりに書いているのを読んでやる気を出していました。でも高村光太郎の『ロダンの言葉』って結構ロダンが書いていないことを勝手に書いているらしいです。翻訳がかなりエキサイトしていて、高村光太郎の願望で書いている部分も多いのだとか。漫画原作を無視する作画の人みたいだなと思いました。自分はロダンじゃなくて高村光太郎の言葉に感動していたのです。よかったら自己啓発本として買ってみてはいかがでしょう。やる気が出ます。

ロダンがいなかったらのちに続く有名な彫刻家もいなかったろうと言われています。けれどそういう天才の陰に隠れた人たちについても考えてみると作品が違った見え方をするかもしれません。

（第26話）
トラちゃんは1周年！

記念パーティのため、トラちゃんとりゅうたろう君はケーキを取りに行くことに。その帰り道、ひょんなことからタイムスリップしてしまいました。そこで出会ったのは、結婚する前のトラちゃんのお父さんでした。

美術のトラちゃんが7月29日でちょうど連載1周年！読んでくれるみなさんのおかげです！
HAPPY 1 YEAR!
ちょうど去年のこのコマから1年！
臆病な自尊
尊大な羞恥心
こじらせ虎になってしまった
オレもオレも
父さん…
顔が全然違う！
最初は3回だけの短期連載のつもりが1年も続くなんて…
よかったな！もっと続けて本にしような
お祝いに来てくれた1話目父さん
ポー…
もはや別人のあつかいなんだ…
さくパピヨン本田
26
読んでくださるみなさまに大感謝！
ブレブレ
ブレ
1周年！
これはトラになってしまった美術好きの親子のおはなしです！

トラちゃんとりゅうたろう君はお祝いのケーキを取りに行くように頼まれました！
ぎゃああ速すぎるううう！
ケーキは生モノなので急ぎましょ！
ズギャ
ズギャ
CAKE
ビューー
ドライアイス入ってるから大丈夫だって！
光速を超えたらタイムスリップしてしまった…
若い頃の父さん自販機の下あさってる…
やったあ10円だ！食える！
グオン
グオン
COLA
若い頃の父さん
大学を出たてで全くお金もないしほとんど仕事もしていない
小銭探しに夢中で車に轢かれそうになってたところを助けました
あっヤバイトラちゃん薄くなってる！歴史変えてしまった！
うう…怪物だ…
よかったね…！
きをつけやがれ
スゥー
ブラン
意識が遠くなってきた…
そういえば先パイ車に轢かれて死を感じてプロポーズしたんスよこの時だったんスね…
このままじゃ父さんと母さんが結婚しないからボク消えちゃうよどうにかしてよ！
ボクがトラックでもう一回先輩をはねます…
死んじゃうよ！
ドーン
ワケはいえないのですが彼女さんにプロポーズしてください
ええ…でもオレ美術作家やってて甲斐性ないしなあ…
そのへん気にするんだ…もっと無策な人なのかと思ってた…
先パーイ！これから有名作家のオープニングパーティでゲリラパフォーマンスしにいきま…
うわあああああああ!!
うわあああありゅうたろうがあああ！
ピカアアアアア
若いりゅうたろう君
違う次元の2人が出会って対消滅した…

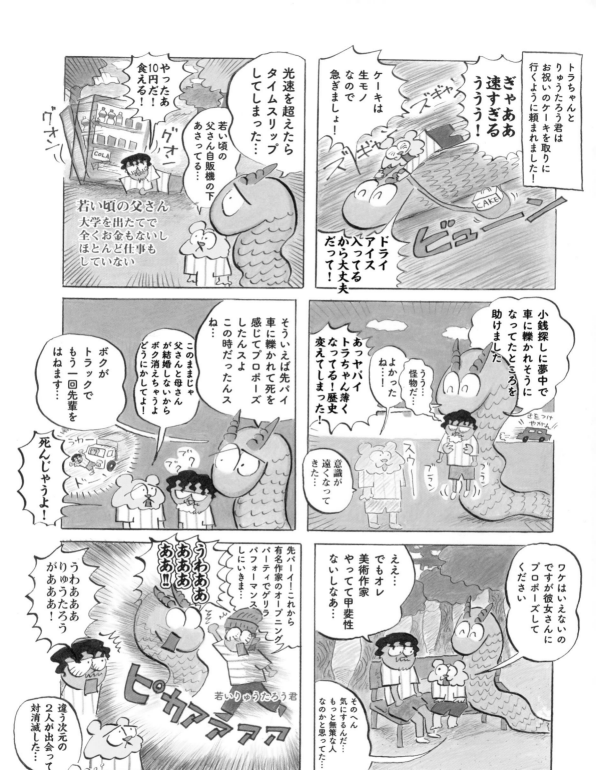

人智を超えた竜なので何とかもちこたえました…
急に光って死ぬかと思った先パイこの竜とトラ誰ですか？
ワケは言えないけど先パイがプロポーズしないとこのトラちゃんが消えてしまうんです
消えたくないよー
ギュッ
でもオレ収入ろくにないし…できることもないし…
先パイ教えるの上手いし画塾とかやったらどうスか？
えーできるかなあ…
できるって！現代美術について教えてみてよ！
じゃあみんなによくわからないからときらわれがちな現代美術をざっくり紹介します
ほんのほんの一部だけど…
この時の父さん言い方にトゲがあるなあ
マルセル・デュシャンの「泉」（1917）
アートってこれでいいの？
なんだコレ？
現代美術のはじまりと言われている。便器をひっくり返しただけのビッグバン！
マルセル・デュシャンの「泉」からコンセプチュアル・アートというものがはじまります。現代美術のはじまりです！「感じるな考えろ！」がモットー！ブルース・リーとは逆の世界！
今だに人気！「ポップアート」
ウォーホルが旗手として有名。だれでもわかる大衆的なものをモチーフにしたのでみんなほしがった。
もちろん何も考えずに見ただけでも心が震えるような作品もあるけど、調べたり作品の意味を考えるとそれ以上に心が震える作品があるのです！
元祖ゲリラ？「ハプニング」
アラン・カプロー（1927−2006）代表作：6つのパートからなる18のハプニング（1959）
60年代にアランカプローがはじめた一回きりの偶然要素が強いパフォーマンスの総称！今でも引き継がれているけど「ハプニング」とはもうあまり言わない…
「リレーショナル・アート」
リクリット・ティラバーニャ「パッタイ」（1990）
ギャラリーでやきそばを食う
うまい うまい
ニコラ・ブリオーが提唱した概念。観客との関わりから作品をつくる。お客さんと関わることが多いアートイベントの後ろ盾に使われがちな理論でもある…
なんだかなんでもありな感じがするなあ
なんでもありだけど、なんでも残って評価されるわけじゃないからねオレみたいにさ…
ちなみに今、現代美術を見に行くと大体「インスタ
ーション」という作品形態かもしれません。
空間が作品…売りづらい…
絵や彫刻をおくだけでなく、部屋をまるごと作品に。
画塾つくって年収一千万超えてみせます！結婚してください！
いいよー
いいの!?
親のプロポーズって心臓がキュッとなるなあ…
ゴーゴー♪
ゴージョニーゴーゴー♪
ジョニービーグッド
ゆびわはまだ買えないけど
いいよー
いいの!?
ありがとうしゃべるトラくん！ぼくもいつか美術界のトラになるよ
美術界の竜を目指します！
有言実行ではあるなあ…
なんだかまた会える気がする！
じゃあ光速を超えて未来に戻りましょう！

1周年おめでとうパーティ
未来のパーティに戻ってきたぞ！特に変わりはないな…
どうしたんだいトラちゃんおそかったね
わああ旧デザインの父さんだあ！ちょっと未来変わってる！
先生！プレゼントの美顔ローラーだよ！小顔になりたいって言ってたから…
顔のむくみがとれたよ！
トメ吉くんのおかげでタイムパラドックスを避けられた！
こんなのでいいんだ…
というわけで1周年記念です！日本の現代美術を紹介するよ！
「具体美術協会」(1954結成)
だれも見たことがないものを作るをモットーに日本の前衛をひっぱった。世界で有名な芸術集団。
リーダー 吉原治良 (1905－1972)
「ハイレッド・センター」(1963結成)
これまた日本の有名な芸術集団。よく世間をさわがせた。
高松次郎 赤瀬川原平 中西夏之
具体美術協会やハイレッド・センターなどの前衛美術集団がとにかく実験を繰り返した！
これもほんの一部
日本の美術はなかなか海外では認められづらかったけどかなり戦略を立てて戦ったのが村上隆さんでした。売れっ子ガルル…
「スーパーフラット」
とにかく平面的
「727」
「KO2ちゃん」
立体
村上隆氏が作品の理論武装のため展開した概念。日本人独自の美的感覚を歴史とからめて説明した。海外に売り出し、成功。
「もの派」(1960年代～)
代表作！
関根伸夫「位相－大地」
デュシャンは既製品をそのまま作品にしたが、こっちは石や木などの素材をほぼ手を加えず作品にした。日本美術史最大のムーヴメントだった。詳しくはリー・ウーファンの「出会いを求めて」。
日本の作家も頑張ってたんだね父さんも頑張ってよ！
頑張りすぎてもはや頑張り方がわからない…
「マイクロポップ」
展覧会「マイクロポップの時代：夏への扉」カタログがおもしろい
松井みどり氏が企画した展覧会&概念。「大きな物語」がおわった時代、作家は個人的な小さな手ごたえを作品にしていった。
昔の有名な作品もいいけど作家主導のアーティストランスペースやオルタナティブスペースで今面白いことをやってる人達が見れるよ！
父さんも昔友達とアーティストランスペース（作家が運営するギャラリーや場所）をやっていました。
うわー
ギャラリー平和
ドカーン
仲間割れのはてに爆発しました。
まあ嫉妬するからあまり見に行かないけどね！
小さいなあ…
そういえば昔私たちのことくっつけてくれてありがとねトラちゃん
また会えたね！
こういうのって認識されないものかと思ってた…
トラちゃんすぎてさすがにわかるよ！

トラちゃんコメンタリー
マンガに出てきた用語解説
ヒマなときよんでね〜!

“光速を超えたらタイムスリップしてしまった…”

「光速を超えたら（過去に）タイムスリップする」というのはSFによくある設定です。今回の漫画は映画『**バック・トゥ・ザ・フューチャー**』のオマージュで、この映画のタイムマシンはデロリアン・DMC-12に積まれており、時速88マイル（約時速１４１㎞）に達するとタイムスリップできます。主人公のマーティは、自分が過去に来たことで両親の交際を妨害してしまい、今回のトラちゃんたちのように2人が結婚する未来に戻すために奔走します。お父さんがお母さんにプロポーズしている時にトラちゃんたちが演奏している曲は、アメリカのロックミュージシャンである**チャック・ベリー**によるロックンロール黎明期の名曲「**ジョニー・B・グッド**」で、『バック・トゥ・ザ・フューチャー』では両親がくっついた後でマーティが演奏します。

話をタイムスリップに戻すと、アインシュタインの特殊相対性理論によれば「質量を持った物質の速度は光の速度を超えない」「光速に近い速度になればなるほど、まわりと時間の流れが異なる」ことになり、光速近くまで加速して再度戻ってくると、竜宮城から帰ってきた浦島太郎のようにまわりだけ時間の進みが早いという現象が起こります。トラちゃんとりゅうたろう君がタイムスリップするのは光速近くまで加速できれば原理的には可能なのです。

バック・トゥ・ザ・フューチャーのジョニー・B・グッドの演奏は名シーン!

対消滅

現実の物理学における**対消滅**とは、粒子が反粒子と衝突して消滅し、エネルギーや他の粒子に変換される現象のことを言います。例えば、電子と陽電子が対消滅するとガンマ線が生成され、このガンマ線は物質の内部構造を調べるためのテクノロジーとして実用化されています。

現代美術

現代（コンテンポラリー）という言葉は一般に「今と同じ時代」を指すので、文字通りに解釈するなら「今の美術」ということになりますが、「現代美術」と言った場合には前提として20世紀前半の美術の動向である近代美術（モダンアート）があり、そこからさらに進んだアートの動向を現代美術（**コンテンポラリーアート**）と呼びます。モダンアートに含まれる動向には**印象派**や**キュビズム**、**ダダ**、**シュルレアリスム**などがありますが、現代美術のはじまりとされる**デュシャン**はキュビズムやダダの文脈から出てきたアーティストですから、モダンアートから現代美術への展開を象徴していると言えます。漫画で紹介した個々の美術動向については他の話で紹介していますので、そちらもご参照ください。

ブルース・リー

１９４０年生まれの香港の俳優・映画監督・武道家で、映画の『**ドラゴン危機一発**』『**燃えよドラゴン**』などの成功でカンフー映画の人気に貢献しましたが、**『死亡遊戯』**の撮影中の1973年に32歳の若さで急逝しました。有名な「**考えるな、感じろ**」は『燃えよドラゴン』の序盤、少年に武術の稽古をつけたリーが少年に言った台詞で、「（考えることとは）月をさす指に集中するようなものだ。指に集中するな。でないと（指の先にある）栄光を逃すぞ」と続きます。

李禹煥

李禹煥は1936年に韓国で生まれたアーティストです。1956年にソウル大学校美術大学を中退して来日、日本大学文理学部哲学科を卒業し、1960年代後半からは**もの派**を代表するアーティストとして活動。1971年の著書**『出会いを求めて』**はもの派の理論的な支柱になりました。サンパウロ・ビエンナーレを皮切りにドクメンタ、ヴェネチア・ビエンナーレなど海外の芸術祭にも出展しています。2010年には**直島**に**安藤忠雄**設計の李禹煥美術館が開館しています。

村上隆

1962年東京生まれの現代アーティストで、コレクター、キュレーターとしても活動しています。アニメ・漫画文化から大きな影響を受け、平面的で余白の多い、日本画とアニメの絵に共通して見られる特徴を**スーパーフラット**という概念として抽出し、創作活動を展開しています。スーパーフラットは、ファインアート（純粋美術）とポップ・アートの区別ないフラット性や、日本社会のある種の階層性のなさも示しているとされます。

世界で有名
オレも有名になりたかった…
ひくつになってる…
村上隆

マイクロポップ

美術評論家の**松井みどり**が2007年に企画した水戸芸術館現代美術センターの展覧会「**夏への扉　マイクロポップの時代**」で提唱した、1990年代後半から2000年代までの日本のアート傾向です。ものすごいスピードで世界が動き、歴史が相対化され、権威が無力化する現代において、以前の時代のアーティストのように大きな時代的動向を背負うのではなく、作家の個人的な経験や身の回りの課題意識から「**小さなサバイバル**」を試みる作品の動向を指しています。ちなみに展覧会のタイトル「夏への扉」は、**ロバート・A・ハインライン**による1956年発表のSF小説のタイトルから取られています。

・アーティストランスペース
・オルタナティブスペース

オルタナティブ・スペースとは、美術でいう美術館や画廊、演劇でいう劇場のような正式な施設以外の表現空間のことを指します。中でもアーティストが運営するスペースのことを**アーティスト・ラン・スペース**と言います。使われなくなった倉庫や校舎を利用していることが多く、展示やパフォーマンス・アート、ダンスや演劇、朗読など幅広い用途に使われます。ただ展示会場というだけでなく、若手アーティストが展示やパフォーマンスの場を求めて集まる溜まり場、アートコミュニティのハブとしての役割も担っています。

吉祥寺にあるアートセンターオンゴーイング！
実験的な企画をしまくってる！

作品解説コラム連載

おまけページ きゅうり画廊

きゅうりも1周年

きゅうりのキューブリック

美術のトラちゃんも2022年の7月で1年間続けることができました。いつも、きゅうり画廊では本編で紹介しきれなかった作家紹介をしているのですが、1周年記念はだらっと、連載当時の自分の日記を残しておこうと思います（次からはいつも通りに戻ります）。

今回の第26話のトラちゃん作画作業が一番大変でした。美術作家としての仕事で地方芸術祭に参加するためにずっと山に泊まり込んでいて、展示用の作品制作をしつつトラちゃんを仕上げるスケジュールだったのです。死ぬかと思いました。

しかも頼りにしていたアシスタントがコロナにかかって来られないということで原稿も作品制作も全然進まない。なんでこんなときに限って1周年記念の倍ページなんだと泣いていました。7月29日のちょうど第1話目が公開された日と同じ日に公開というのは決まっているので締め切りもずらせなかったのです。

手伝ってくれる友人が垂木やコンパネ板を切り、その隣で木の粉を浴びながら描いた今回の原稿です。山の中で室内もめちゃくちゃ暑かったので、原稿にはボタ落ちする汗が滴り落ちまくり、進みの遅さに悲しくなって涙も数滴落ちたと思います。隣で作家の友人がザ・フォーク・クルセダーズの「悲しくてやりきれない」を弾き語ってくれました。うるせえバカと思いつつやっぱり名曲なのでジーンとしてしまいました。制作でフジロックに行けないので友達の弾くクルセダーズでフェス気分だけでも味わいました。

でもやっぱり完成したときはすごく嬉しかったです。やっぱり完成した物が残るアナログ作画はいいなと思いました。きついですけど。原稿もできたし、制作がひと段落したらツイッターにアップする漫画ももう少し頻度を上げなきゃな、とか考えていました。もっと仕事がしたかったのですが、キャパが少ないのと頭の回転が遅いのでなかなか大変です。

1周年からのトラちゃんも相変わらず、美術楽しいねと言い続けていこうと思います。この漫画から現代美術に興味を持ってくれる人が出てきたらそれ以上に嬉しいことはありません。

美術のトラちゃん 1周年！
きゅうり画廊も 1周年！
1
YEAR

（第27話）

これが俺らのリレーショナル・アート！

猫のトメ吉くんは、夏休みに家族が経営する海の家を手伝っているそう。トラちゃん一家も総出でお手伝いすることになりました。焼きそばをつくっている猫は、トメ吉くんとはあんまり似ていないようですが……？

8月になってとても暑いですね…トメ吉くんが夏休みの予定を話しています！
オレ夏休みは家族がやってる海の家で焼きそば作る手伝いをするんだ！
じゃあ今回の作家紹介は焼きそばを作って観客に出したリクリット・ティラバーニャにしよう！
ネタバレ…
次の休みは海に行ってトメ吉くんの勇姿を見にいきましょう！
暑い中の海はサイコーだなあ！
美術やってる猫が焼きそば屋さんの名前はティラバーニャンなのかなあ…
泳いだらトメ吉さんのとこ行こう
ザブ
ザブ
ザブ
BOAT
ライフオブパイ…
トラちゃん
27
名物やきそば
ティラバーミヤン
弱音を吐くなトメ吉〜！焼きそば追加で10人前〜！
ひーいそがしいいそがしい！
あっ！トメ吉さん働いてる！
ミーちゃん
トメ吉くんの家族。
トメ吉くん
反抗期なので猫になった中学２年生
ティラバーミヤン
ジュー
ジュー
ジュー
名物やきそば 500円
カレー
ビール
かき氷 300
ソフトドリンク 200
家族も猫なんだ!?
モフモフしたい…
トラちゃん
母さん
トラちゃんの父さん

悪いね！トメ吉の先生にも手伝ってもらっちゃって！
ごめんな先生ミーちゃんは押しがつよくて…
どうして手伝うハメに…
ビールとやきそばおまちど〜
やきそば3人前おまちど〜
ガッハッハ
ジュー
ミーちゃんさんはどうして焼きそば屋をやってるんですか？
焼きそばうまっ
リクリット・ティラバーニャとさくらももこの「焼きそばうえだ」を見たのがきっかけさ！
ウヒヒうまかろう
ジュー
ズズー
どっちを見ても焼きそば屋をやろうとはならないと思うなあ…
というわけで今回の作家紹介は予告通りリクリット・ティラバーニャです！
食事のコミュニケーションをアートに！
リレーショナルアートの代表作家
なんか食う？
リクリット・ティラヴァーニャ（1961〜）アルゼンチン生まれタイの作家
「パッタイ」（1990）
お客さんにタイ風やきそばのパッタイをふるまう。その関わりを作品とした。当時超新しかった…！
タイ風焼きそばをギャラリーで鑑賞者に振る舞った「パッタイ」という作品が有名でものを作るのでなくコミュニケーションを作品とした！
彼の作品は人との関わりによってできています！そんなタイプの作品を論じたニコラ・ブリオーの『関係性の美学』という本からリレーショナル・アートという概念が広がりました！
「関係性の美学」（1998）ニコラ・ブリオーが観客との関係性に重きをおいた90年代の作品について論じた本。
キュレーター
ニコラ・ブリオー（1965〜）
関わりやプロセスを作品の核にするリレーショナルアートは今でも派生中。体験した人が社会との関わりについて考える。
社会と地続きのアート！
ティラバーニャは大規模インスタレーションや映像もつくる。
ぐつぐつ
これはタイカレー
世界中でひっぱりだこの作家の一人
ものを食べるのが作品になるなら大歓迎！
ズズー
リレーショナルアートっていえば…何でもアリなのでは…
お客さんとご飯を食べたり関わりを持ったらなんでも作品になるわけじゃないんだよね。その作品で何を目指しているかが重要！
プランこうほ みんなで 1メシくう 2あそぶ 3話す
特に日本はアートイベントが多いのでそこでお客さんともりあがるためのうしろだてにリレーショナルアートという言葉が乱用されたりもした…。思想が大事。
閉店後
みんな今日はありがとう！焼きそばが生んだ絆！
仲間！ダチ！これが俺らのリレーショナル・アートかんぱーい！
ガチャーン
カンパ〜イ
ティラバーニャというか麦わら海賊団の宴に近いな…
ミーちゃんってトメ吉さんのお兄さんなの？
元々飼ってた猫だったんだよ
一回死んだけど化け猫になって戻ってきた
スパー
ザザー
マタタビ
ブル…
ちょっとこわい話だった
熱帯夜が涼しくなった

トラちゃんコメンタリー
マンガに出てきた用語解説
ヒマなときよんでねー!

『ライフ・オブ・パイ』

１９６３年にスペインで生まれ、コスタリカ、フランス、アラスカ、イラン、トルコ、インド、カナダと世界を転々としてきた小説家**ヤン・マーテル**の２００１年のベストセラー小説『**パイの物語**』の原題であり、２０１２年に映画化された作品です。映画版のタイトルは『**ライフ・オブ・パイ／トラと漂流した２２７日**』となっており、海難事故から唯一生還したインド人の少年パイが語る「救命ボートの上で２２７日間、ベンガルトラと共に漂流した末に助かる」という物語で、映画を見た人たちの間で様々な考察が繰り広げられる、事実と真実のあわいが描かれた作品となっています。

「ライフ・オブ・パイ」
LIFE OF PI
ポスター!!

『焼きそばうえだ』

『**ちびまる子ちゃん**』で知られる漫画家**さくらももこ**の、２００６年に出版されたエッセイのタイトルです。イラストもところどころに描かれていますが、いわゆるエッセイ漫画ではなく文章による作品です。定期的に集まる仲間内の悪ふざけで、インドネシアのバリ島に焼きそば屋を開店しようと計画したところ、面白がった現地のホテルオーナーの協力で本当に開店してしまった……という事件の顛末が紹介されています。「うえだ」というのは仲間のひとりの名前で、「彼にバリで焼きそば屋をやらせよう」と欠席裁判で盛り上がったことが話の発端となっています。悪ふざけが実現に至る過程で様々な人が関わる様子を描いている意味では、一種のリレーショナル・アートの記録と言えるのかもしれません。

焼きそばうえだ
さくらももこのエッセイはぜんぶおもしろい!

リクリット・ティラバーニャ

１９６１年のアルゼンチンに生まれたタイ人アーティストで、ニューヨーク、ベルリン、チェンマイ（タイ北部の古都）などを拠点にしてノマド的に活動しています。**リレーショナル・アート**という言葉が生まれる前から、後にそう呼ばれることになる作品を制作してきたアーティストです。１９９０年の**《パッタイ》**にはじまり、タイ料理を振る舞うパフォーマンス、自分の部屋のレプリカをつくり住んでもらうパフォーマンス、タイの農村でアートと農業を追求するアーティスト・ラン・スペースを運営するプロジェクトなど、「誰かと一緒にアートをつくる」ことを重要視した活動を展開しています。彼の一連の作品は、後に**ニコラ・ブリオー**が著書『**関係性の美学**』の中でリレーショナル・アートの概念を提唱した際に参照されました。日本での活動も多く、２００２年に東京で個展を行ったほか、２０１２年には大地の芸術祭に参加し、２０１６年には**オノ・ヨーコ**と二人展を開催しています。２０２２年には岡山芸術交流のアーティスティックディレクターを担当し、「旅人」と呼ばれる「異質な文化的あるいは社会的背景を持っている」というアーティストを選定して紹介しています。

リレーショナル・アート

日本語にすると「関係性の芸術」となり、作品そのものの形式よりも、制作過程でのまわりとの関係に重点を置き、関係をつくり出すアプローチそのものが本質であるとするアートのことを言います。ティラバーニャの《パッタイ》であれば「料理をつくって来場者に食べてもらう」ということに重きを置くということです。フランスのキュレーターであるニコラ・ブリオーが１９９６年にキュレーションしたボルドー現代美術館の展覧会「トラフィック」で概念として提示しました。この展覧会にはリクリット・ティラバーニャをはじめ**リアム・ギリック**、**ドミニク・ゴンザレス＝フォルステル**、**ヴァネッサ・ビークロフト**といった作家が参加しており、ブリオーの１９９８年の著書『関係性の美学』（２０２３年時点で未邦訳）と合わせて、この中で紹介された作家や作品がリレーショナル・アートと目されることになりました。そもそもモダンアートから現代アートへの潮流は、「伝統的な絵画や彫刻のような作品こそがアートだ」という理解を疑い「アートとは何か？」を模索してきたものです。**フルクサス**の活動や**ハプニング**、**パフォーマンス・アート**を前史として、より作家、作品、周囲の人々の「関係性」に主眼を置いたアートの総称と言えるでしょう。

《パッタイ》

リクリット・ティラバーニャの１９９０年の作品です。彼の多くの作品と同様に発表時の正式な作品名は《無題》とされ、オープニングセレモニーの際に画廊内でパッタイ（タイ式焼きそば）を振る舞うというパフォーマンスです。食事を振る舞うパフォーマンスについて、ティラバーニャ自身は**「自分のアートは他者の介在なしには完成しない。（中略）料理は誰かが食べないと意味がない」、「口を開くということは、何かを体験するためのドアを開くようなこと」、「これはアートをどのように理解するか？というメタファーでもある。まず口を開けて、食べてみなければ味はわからない」**と語っています。ちなみに料理としてのパッタイは正式名称をクイティオ・パッ・タイと言い、「クイティオ」とは「ライスヌードル（ベトナムのフォー）」、「パッ」は「炒め」、「タイ」はそのまま「タイ王国」のことで、直訳すると「タイ式ライスヌードル炒め」になります。

〝麦わら海賊団の宴〟

麦わら海賊団は、漫画『ＯＮＥ ＰＩＥＣＥ』の主人公ルフィをキャプテンとする海賊団のことで、「麦わら」はルフィが恩人のシャンクスから譲り受けたトレードマークの麦わら帽子に由来します。ルフィが無類の宴好きで食いしん坊のため、何か事件が解決するたびに宴を開いていますが、メタ視点では「ここまでで物語は一区切り。ここから次の物語がはじまります」という合図でもあります。ルフィたちも世界の様々な土地を巡って事件を解決していきますが、今回の漫画を振り返ると、『ライフ・オブ・パイ』の作者ヤン・マーテルも、リクリット・ティラバーニャも世界中を転々としてきた作家という共通点があります。

作品解説コラム連載

おまけページ きゅうり画廊

焼きそば

きゅうりのキューブリック

今回の漫画では、**リクリット・ティラバーニャ**を取り上げました。有名な作家なので知っている人も多かったかもしれません。彼のような、人や社会との関わりでつくる作品を**リレーショナル・アート**という言葉でくくったのが『**関係性の美学**』という本でした。

リレーショナルは「関わり」という意味ですね。ものすごくざっくりと書くので、気になる人は読んでみて欲しいのですが、**ニコラ・ブリオー**の『関係性の美学』は邦訳版が出てないので辞書片手に読むことになります。今でも参照して作品をつくっている人がいます。

自分が美術大学にいた頃、世界で起こっているアートイベントの約半分が日本で開催されているという話を聞きました。実際のデータはわかりませんが確かにそれくらい、日本は美術イベントが多い印象です。世界で一番美術館に行くのも日本人らしいです。美術作品を買うことはないけど、イベントや美術館は大好きなのかもしれません。その話を聞いたときに、アートイベントはお客さんが関わって楽しめるような作品が求められるので、リレーショナル・アートという概念を後ろ盾にダサく使いがちだと聞いていたのです。

なんとなく自分は美術大学を出た後、作家活動をしたいと思っていたけれど、全く注目もされず卒業後のビジョンもなかったのですが、リレーショナル・アート作家になればアートイベントに呼ばれまくって、それで生活ができるのではないかと考えました。平和的でみんなが喜ぶ素敵な集まりをする作品をつくってそれをリレーショナル・アートと言い張るために頑張って図書館で勉強したり、美術史に詳しい人に話を聞いたりしました。動機が不純な上に、全く未来のないことをやっていた気がしますが、そんな過去が今の自分をつくっているので仕方ないです。

１９９０年代にインターネットがコミュニケーションの主軸になって、グローバル化が強く叫ばれていた時代に、人と人の関係性をよりボーダレスにする試みは斬新だったのだと思います。そこから派生して社会実践的な作品が出てくるわけです。より鑑賞者に深く考えてもらうために関わりを持ったりします。自分の国の社会問題を扱った作品で自国の料理を振る舞ったり、鑑賞者同士で卓球をしたり、話をしたり。

そこの関わる、という部分だけを何も考えずに扱うとあまり面白くない作品になってしまうのですが、自分は何も考えずにやりました。今回の漫画を描きながら焼きそばが食べたくなったのと、そのときのことを思い出して心臓がちょっとキュッとしました。

（第28話）

過激なパフォーミング・アーツ合戦

夏休みが明け、久しぶりに登校したトラちゃんたち。背が伸びたり日焼けしたりと同級生の変化を感じる中、いちばん変わっていたのは、なんと担任の安藤先生。芸術祭に参加していたそうですが、一体どんな内容だったのでしょうか。

トラちゃんたちも夏休みが明けました 夏休み明けの友達は少し変わってみえます
でもまだあつい…
ペロペロ
みんな久しぶり！ソウサク君やけたね～
トラ氏も背が伸びましたか～？
ムキムキ
みなさんなんだかたくましくなりましたね
先生が一番変わってることってあるんだ!?
ゴリゴリ
実は先生、瀬戸内海であった芸術祭に作家として参加したらこうなりました！
えっ！瀬戸内国際芸術祭に出てたの!?スゴイじゃん！
違いますよ 巌流島《がんりゅうじま》素手《ステ》喧嘩《ゴロ》アートフェスティバルです
同じ瀬戸内海だけど聞いたことない！
美術のトラちゃん
巌流島素手喧嘩アートフェスティバル
巌流島でのレジデンス生活で作品を破壊されたら失格 目潰し、金的、背面への攻撃 武器使用以外全て認められてる芸術祭です
くたばれ
うオールホール
ピシャーー
りゅうたろう君
ドガーーン
ドカーン
わあぁぁ
芸術祭というかガンダムファイトとか新日本プロレスのやつじゃん！
生きてるってかんじ～
安藤壁穴先生《あんどうウォールホール》
ヒラリッ！
あとうちの父さん参加してたんだ！
トラちゃん
ソウサク君

巌流島芸術祭 アートフェスティバル・ルール
①期日までに作品を完成させ自らの頭部に展示して守り抜け
②相手の作品を破壊しても良い
③目潰し、金的、背面への攻撃、武器使用は禁止とする
④期日まで生き残った作品は厳正に審査されたただ一人の優勝者は無条件で次の瀬戸内国際芸術祭に参加できる（たぶん）
注 この漫画は瀬戸芸と何もカンケイありません
これが芸術祭のルールです！
こえ〜
オープンコールとか出しなよ！こんなことしてないで！
てゆうか先生思いっきり武器使ってない？
私の作品は30キロある石彫です… あなたにこれせますか…？
ズテ ズデ
ブォン ブォン ブォン
ひええ降参します…
パキャッ
やだなあパフォーミング・アーツをしてるだけですよ！
過激だなあ
紹介はスキャンダラスで過激な作品で男性中心のアートを変えようとしたトレイシー・エミンについてです！
フェミニズム・アートの先駆者の一人
トレイシー・エミン（1963－）イギリスの作家
アート界の男性だけの権力構造を告発するような作品や個人的だけど社会に強く訴えかける作品で知られています！
「Everyone I Have Ever Slept With 1963－1995」（1995）
彼女が今まで一緒に寝た全ての人の名前が中に刺繍されたテント。幼いころ寝た兄弟や親から美術界のビッグネームまで。大スキャンダルに…
#MeToo運動やフェミニズムをテーマにした作品の先駆けとして扱われることが多いですが、個人史を社会に接続する作家の代表でもあります
「Tracey Emin CV」（1995）（履歴）
紙にインク…
彼女による手書きの履歴。作家としての活動と個人的な経験をまぜてかいた。自身のうけた性暴力から中絶の経験まで彼女はテーマにした。
「My Bed」（1999）
ターナー賞の最終候補になった名作。今では4億以上の値が付く。彼女がすごしたベッド。退廃的な生活や性行為を感じさせる要素がたくさん。想像をかきたてるまるで彫刻。
ドキドキ
小学生に紹介するタイプの作家ではないよなあ…
作品でかなり敵を作ったし批判もされたけど今では現代美術史の重要な作家です
彼女の作品のもつ怒りは抑圧された人に刺さった。
今だ現役トップアーティスト
男性中心のアート界で起こる矛盾をぶんなぐった。
最後はりゅうたろう君との一騎討ちになりました
ウォールホール！よくも先パイを！
ドカーン
ドカン！
のらり くらり
ドカン
ワンピースのカイドウ戦みたいだ…
互角の戦いでしたが最後は宮本ムサシの亡霊に全員やられて中止になりました
騒ぎすぎだバカ！
芸術なめんなバカ共！
もうヤダ…
ボコボコ
グエ〜
前回に続いてホラー落ち…
夏ですから…

トラちゃんコメンタリー
マンガに出てきた用語解説
ヒマなときよんでね～！

瀬戸内国際芸術祭

２０１０年から3年に1回、瀬戸内海の島々で開催されているアートフェスティバルです。ベネッセコーポレーションの社長・会長を務めた**福武總一郎**が主導して１９９２年に直島にベネッセハウスミュージアムを開設してから、１９９８年の**家プロジェクト**などベネッセが直島で行ってきた現代美術のプロジェクトを、２００４年に**ベネッセアートサイト直島**として統合しました。ベネッセアートサイト直島を運営する直島福武美術館財団はこの頃から瀬戸内海の島々を舞台にした芸術祭を構想し、時を同じくして香川県庁でも芸術祭開催の機運が高まったことを契機として、この二者主導のもと２０１０年に第1回瀬戸内国際芸術祭が開催されました。美しい自然と地元の人々の生活空間を巡りながらアートを鑑賞できる体験が魅力となって、コロナ禍前の２０１９年に開催された第4回では期間中の来場者数が約１１８万人を数え、国内屈指の人気芸術祭になっています。

瀬戸芸といえばかぼちゃ
写真をみんな撮るよね！
「南瓜」(1994)
19話にも出てきましたが….

ちなみに巌流島は直島と同じく瀬戸内海の島で、関門海峡に浮かぶ正式名称「船島」という無人島です。言うまでもありませんが、安藤先生の参加した「巌流島素手喧嘩アートフェスティバル」は瀬戸芸とは全く関係なく、存在もしません。

素手《ステ》喧嘩《ゴロ》

ヤンキー漫画やヤクザ映画によく出てくる表現で、文字通り素手で戦うことの隠語です。喧嘩の際には刃物や鉄パイプのような武器を持っていたほうが有利ですが、あえて素手で戦うことに美学を見出す姿勢のことを言います。美大生時代に素手で彫刻を彫るという美学を持っていた安藤先生にはぴったりの言葉です。

ガンダムファイト

１９９４年のテレビアニメ『**機動武闘伝Gガンダム**』で行われる格闘大会で、国家間の戦争が禁止された世界で、各国代表のガンダム同士が闘う格闘技大会という設定になっています。格闘技と言いつつ、銃や剣、あるいは安藤先生のような鉄球など明らかな武器を持ったガンダムも参加します。決勝戦は香港に実在するランタオ島で、最後の一人になるまで戦うバトルロイヤルでした。安藤先生たちが頭部に展示した作品を壊し合っているのは、「ガンダムの頭部を破壊されたら失格」というルールにちなんでいます。

新日本プロレス

１９８７年10月4日、当時新日本プロレスの社長兼エースだった**アントニオ猪木**と、反体制派のリーダーだった**マサ斎藤**が、宮本武蔵と佐々木小次郎の決闘の伝説が残る**巌流島の特設リング**で無観客試合を行い、試合時間2時間5分の死闘の末アントニオ猪木がKO勝ちを収めました。

オープンコール

芸術祭やアートプロジェクトにおける、展示作品の公募のことです。パフォーミング・アーツの分野で言われる**オーディション**とほぼ同じ意味で、英語では俳優の公募のことも**オープンコール**と言うことがあります。

パフォーミング・アーツ

演劇や舞踊などの肉体行為によってあらわされる芸術のことです。日本語では**舞台芸術**と訳されることが多いですが、装置としての舞台を必要としないことも多いので（路上で行う大道芸など）、**公演芸術**という言い方がより適切かもしれません。漫画の中で安藤先生は鉄球を振り回すことをパフォーミング・アーツだと言い張っていますが、たしかに**演武**（武術の型の披露）と取れなくもありません。

トレイシー・エミン

１９６３年生まれのイギリスのアーティストで、**ダミアン・ハースト**や**サラ・ルーカス**らと共に、１９９０年代の商業主義な若手アーティストの潮流**ヤング・ブリティッシュ・アーティスト**（**ＹＢＡ**）を率いた中心人物の一人です。１９９５年の《**Everyone I Have Ever Slept With 1963-1995**》は彼女の出世作ですが、２００４年に購入者の倉庫の火災で失われています。２００７年にはヴェネチア・ビエンナーレのイギリス館に史上２人目のイギリス人女性アーティストとして出展しています。

フェミニズム・アート

１９６０年代以降の現代美術では、**オノ・ヨーコ**の《**カット・ピース**》を代表にフェミニズム的潮流が現れました。１９６６年にはアーティストの**ジュディ・シカゴ**がカリフォルニア州立大学フレスノ校で「**フェミニズム・アート・プログラム**」を開講し、フェミニズム・アートを中心に扱うギャラリーが欧米各地につくられるなどムーブメントが広がっていきました。

#MeToo運動

２０１７年、映画プロダクションのミラマックスの設立者で、大物映画プロデューサーだったハーヴェイ・ワインスタインが、過去何十年にもわたってセクシュアルハラスメントやレイプを続け、口止めを行ってきたことが明らかになりました。これを機に映画界を中心に耐え忍ぶしかなかった女性たちが立ち上がり、セクシュアルハラスメントの撲滅運動が起こりました。この中で女優の**アリッサ・ミラノ**が提案した「過去に受けたつらい体験をＳＮＳ上で告白する際に、詳細を描くことで過去に受けた心の傷をえぐらなくても《**#MeToo**》とだけ書けばいい」という呼びかけが瞬く間に広がり、この運動の代名詞になりました。「ＭｅＴｏｏ」という言葉を初めて性暴力被害の訴えに使ったのは、２０００年代中盤の**タラナ・バーク**だと言われていますが、当時はツイッターのサービスが開始する前後で、ハッシュタグつきの「＃ＭｅＴｏｏ」が広まった２０１７年とは違って、ＳＮＳが一般的に使われていませんでした。

〝宮本ムサシ〟

言わずと知れた**宮本武蔵**のことですね。宮本武蔵は江戸時代初期の剣豪で、本州と九州の間にある巌流島で１６１２年に行った、佐々木小次郎との決闘などで有名ですが、書、画、彫刻の分野でも優れた才能があったと言われています。彼の作とされる作品には、和泉市久保惣記念美術館所蔵の《**枯木鳴鵙図**》や永青文庫所蔵の《**紙本墨画芦雁図**》などがあります。

作品解説コラム連載
おまけページ きゅうり画廊
日曜アート
きゅうりのキューブリック

今回は**トレイシー・エミン**について描きました。改めてこの漫画のために調べてみましたけど、すごい作家ですよね。こういうすごい作家が大学の同級生だったら、その差に愕然として「美術やめようかな」とか思うのですかね。自分だったら思う気がします。大学時代にいい作品をつくる同級生はたくさんいましたけど。

　そういえばこの回を描き終わった後に**表現の現場調査団**という有志団体による**「ジェンダーバランス白書2022」**という調査データが発表されました。表現の現場でのジェンダーバランスの不均衡について細かくデータ化してレポートにまとめてありました。よく聞く話だと美大の学生は8割くらい女性だけど、教授はほぼ男とか、美術館で展示機会をもらえているのは大体男性作家とか。データで細かいところまで改めて見ると業界の偏りを超感じました。よかったらチェックしてみてください。

　というわけで今回のきゅうり画廊は、最近見た展示のことを書きます！　六本木の**ShugoArts**で見た**山本篤**さんの個展**「MY HOME IS NOT YORU HOME」**です。映像作品を主に手がける作家さんです。

　自分は学生の頃、あまりアート系の映像作品というものを面白く感じたことがなかったのです。だって商業の映像作品の方が絶対面白いじゃん！と思ってましたが、彼の映像を見てひっくり返りました。それが**Art Center Ongoing**で上映していた**《2016》**という作品でした。めちゃくちゃ感動しました。初めて映像作品面白いと思ったくらいです。手づくり感のある作風でスタイリッシュとかからは遠いのですが、イカれた日常の断片みたいなものを継ぎ合わせて、狂ったときのような世界観ができていました。超面白い！　全くもって理解はできないのに。これに関しては上映される機会があったら見て欲しいとしか言いようがないです。《2016》はどこかしらの美術館が買って、何十年先もあとの人が見れるようにしておいて欲しいです。まじで。

　そして今回、個展の「MY HOME IS NOT YORU HOME」を見てきました。これもすげーよかったです。山本さんは週5で普通にサラリーマンをしながら休みの日に作品をつくる日曜画家ならぬ日曜アーティストなのですが、作品数が異常に多いです。会って話すとめちゃくちゃいい人だし明るいし、周りから好かれているし、いいお父さん。その人が家で休みの日にこの映像を撮っているのかと思うとめちゃくちゃ怖いです。今回イラストに描いたインスタレーションの**《光る木》**という作品についた映像もいい感じのホームビデオかと思ったら、やっぱりはしばしから山本さんのヤバさが滲んでいました。こんなお父さんだったらちょっとやだなと思います。ちょっとだけです。新作もですが、早く山本さんの大回顧展をでかい美術館で見たいです。まとめて全部見たいですね。

山本篤個展「MY HOME IS NOT YOUR HOME」
「光る木」（2021-2022）

（第29話）

シンプルだけど奥深い「もの派」とは

今夜は、トラちゃん一家みんなで「七輪でサンマを焼く会」を開く様子。そこでふとお父さんが思い出したのは、若い頃にりゅうたろう君や安藤先生と開催していた「誰かが秋で悲しくなってそれを慰める暇人の会」でした。

今日はみんなで七輪でサンマを焼く会をするそうですその買い出しに来ました！
秋！
やっぱり秋といえばサンマだよね！安くて美味しい！
サンマ1匹400円！
新さんま400円
高っけえええ！
昔のサンマは庶民の食べ物だったのに…
昔は安かったからことあるごとにみんなで焼いて食べてましたよね
ジュー
くわせろ くわせろ
んまーい
んまい
懐かしいなあ「誰かが秋で悲しくなってそれを慰める暇人の会」
なんだその会…
美術のトラちゃん
さんピョン本田
29
若い頃の父さんたち「誰かが秋で悲しくなってそれを慰める暇人の会」
寒くなってきたし作品が売れる気配もなくて悲しい
うわあああ先パ〜イ！ウォーホールさんが作品批判と人格批判を同時にしてくるよ〜！
ボソボソボソ
君の作品は…ボソ 君自体も…ボソ ボクのとこで修業しなさいよ
留年の悲しみが和らぐなあ
若い父さん
若いりゅうたろう
若い安藤壁穴《あんどうウォールホール》
誰も悲しみを慰める人がいない…
BEER
サランラップ

でも安藤さんよお
ずっと留年しっぱなしじゃあさすがにマズくないか?
ぐびー
まだ素手で石を彫る素手彫刻が完成してなくてさ
トラちゃんの18話を見てね♡
安藤は素手で石を彫る まだ彫れたことないので超留年してる
石
うみゃい
コリャうみゃい
うみゃい
素手で砕けなかった大理石を「もの派」ですって言って講評に出したらすごく怒られたよ
へっへっへっ もの派ってことでいけませんかねフフフへへへヒヒヒ
いいわけないだろ死ねー!
オマエみたいなやつ作家として死ねっ!!
ふざけんな
教授たち
また留年さ
アハハ
舐めてるなあ…
この人卒業ムリでしょ
というわけで今回は「もの派」の代表作家として有名な李禹煥について紹介します
日本美術界のスターの1人。韓国生まれ
もの派
リ・ウーファン
李禹煥
(1936ー)
素材そのままの彫刻や絵の具の跡を残した絵が有名。
シリーズ「関係項」の1作
ガシャーン
大きな岩を大きなガラスに落とした作品。素材の関係が生む緊張感MAX!
もの派と呼ばれる作家は当時何人かいましたが座談会を開いて論考を書いて本にして、もの派の理論を一般に広めたのが彼でした!
もの派は日本美術最大のムーブメントと言われています!手を加えていない木や石や鉄をそのまま作品として出した!
直接何かをつくらない!「もの」と「もの」のぶつかり合いが空間をつくる!カッケー!1969年ごろから今日まで続く「関係項」シリーズ。
角材
鉄とワタ
ボヨッ
石でゴムメジャーをひきのばす。メジャーの機能が消える。
キャンバスそのものと絵の具の関係について考えさせるミニマルな絵画。
「点より」「線より」のシリーズ
「対話」シリーズ 筆あとを残して盛った独特の作風
シンプルだから作るの楽だったりして
シンプルだけど実際に見てみるとマネできない力強さがあります!絶対生で見て欲しい!
「もの派」といわれた作家は他にもいますが、元々は蔑称でした。
関根伸夫「位相-大地」
ものそのままで作ってないもの派(笑)
そんな作家たちの理論武装をしたのが李禹煥。
国立新美術館で8月10日~11月7日まで
兵庫県立美術館にも巡回ですって!12月13日から来年2月12日マデ
今ちょうど東京の国立新美術館で李禹煥の大回顧展がやっています!
パシャ
パシャ
彼の作品を一度に見れるとてもいい機会です!
野外設置の「関係項-アーチ」写真もとれる作品です。
おやみなさん通りがかったのですがいい匂いですね。懐かしい
ヒョコー
帰れオメー
今先生の話してたんだよ石が砕けなくて大学卒業できなかったの?
8年目で砕けるようになって卒業できました
こわ…

※現在は終了しています

トコちゃんコメンタリー
マンガに出てきた用語解説
ヒマなとき よんでねー！

七輪

木炭を燃料にする土製のコンロで、江戸時代には使われはじめ、明治以降家庭に広まり、第二次世界大戦後にガスコンロが一般家庭に行き渡るまでは生活必需品でした。現在でも風流を楽しむ用品として人気があります。七輪という名称の起源は、７つの空気穴（輪）があるためという説や、７厘（厘は明治〜戦後すぐまで使われていた貨幣単位で１０００分の１円）分の木炭があれば十分だったからという説もあります。

"サンマ1匹４００円"

２０００年代以降、サンマ漁獲量の減少傾向が続き市場価格が上がっていきました。東京（区部）でのサンマ１００g（約１／２〜２／３尾）の年平均市場価格は、２００８年で78円でしたが、２０２２年には１５４円と約２倍になっています。また新サンマは冷凍サンマと比べると価格が高く、同じく２０２２年の東京でのサンマ１００gの月平均市場価格は、冷凍サンマしか出回らない５月の１３１円が最安で、新サンマが出回りはじめた９月に２０１円と最高値をつけています。なので「サンマ１匹４００円」というのは冗談でもなんでもなく、現実の価格なんですね。２０２２年の11月には１匹１５０gのサンマが７５０円の価格をつけるニュースもありました。漁獲量減少の理由としては、２０００年代以降主に台湾、中国のサンマ漁獲量が増加し、その分北太平洋全体のサンマ漁獲量の中で日本の取り分が減ったこと、また気候変動による海流の変化や水温の上昇によりサンマが育ちにくくなっていることも理由だと考えられています。２０２２年には戦争の影響によりロシア近辺で漁ができなかったことも不漁に拍車をかけています。

もの派

第３話でも紹介しましたが、１９７０年前後の日本で生まれた、土や石といった素材をほとんど加工せずに作品として提示するインスタレーションによるアート表現を模索した現代美術の潮流です。もの派と同時期には、先行した反芸術を背景に、抽象表現をさらに発展させたアメリカ発の**ミニマル・アート**や、日常的な素材を利用したイタリアの**アルテ・ポーヴェラ**、絵画とは何かを見直したフランスの**シュポール・シュルファス**など、もの派と共鳴する動向が海外でも生まれています。

李禹煥

こちらも第26話で紹介しましたが、ここではもう少し詳しく触れてみましょう。もの派を代表するアーティストのひとり李禹煥は、１９３６年に韓国で生まれ、ソウル大学校美術大学に入学後の１９５６年に来日、日本大学で西洋・東洋の哲学を学びながらアーティストとしても活動をはじめます。１９６０年代後半からはもの派とされた、鑑賞者にものとものの相互関係について思いを巡らせるような**《関係項》**シリーズを制作しています。漫画で紹介した、石でゴムメジャーを引き延ばした作品と、ガラス板の上に岩が置いてある作品はその初期の作品で、１９６９年の京都国立近代美術館で開催された「現代美術の動向」第８回展にそれぞれ**《現象と知覚A》《現象と知覚B》**として出品され、後に**《関係項》**に改題しています。絵画の分野でも、平面上に時間経過を感じさせる**《点より》《線より》**などの作品を制作しています。

関根伸夫《位相—大地》

埼玉県生まれのアーティストである**関根伸夫**（1942〜2019）が、1968年に発表した**《位相—大地》**は、もの派の発端とされる作品です。第1回神戸須磨離宮公園現代彫刻展に出品され朝日新聞社賞を受賞した本作は、深さ2・7m、直径2・2mの円筒状に掘られた穴の横に、土を固めてつくった穴と同じ大きさの柱が立っているという作品で、人力で穴を掘って制作されました。2008年には、東急多摩川線沿線で行われた「多摩川アートラインプロジェクト」の一環として多摩川駅横に位置する田園調布せせらぎ公園に、この時は建設会社の施工によって再制作されています。《位相—大地》の制作時にすでに交流があった李禹煥と共にもの派の潮流をつくりだした関根伸夫は、1970年のヴェネチア・ビエンナーレに、後にデンマークのルイジアナ近代美術館に収蔵された岩と鏡面ステンレス柱による作品**《空相》**を出展。それを機に1971年末までヨーロッパに滞在し、アートと建築、街と公共空間が融合する現地の様子を調査します。帰国後は社会とアートを結ぶ**環境美術**を提唱し、新宿の東京都庁や東京世田谷の砧公園をはじめ様々な場所にパブリック・アートを制作します。1987年からは**位相絵画**と名づけた画面に穴の空いた平面作品も制作しています。

関根伸夫「空相」(1970〜)
岩
ステンレスの柱
迫力スゲー
同じシリーズがいくつかある!

国立新美術館

2007年に六本木に開館した、収蔵コレクションを持たない国立のアートセンターです。建物がある場所には、以前は東京大学の生産技術研究所がありましたが、生産研は2001年に、日本民藝館の隣にある東大駒場Ⅱキャンパスに移転しています。建物は**黒川紀章**と日本設計の共同設計で、最も大きい展示室は面積2000㎡、天井高8mと巨大な作品やインスタレーションの展示が可能なため現代美術の展覧会もよく開催されます。逆に可動式の展示パネルで細かく空間を区切れるので日展のような公募展にも利用されています。都内の多くの美術館は月曜休館ですが、新美術館は火曜休館のため、月曜にふらっと美術鑑賞したくなった時には便利です。六本木エリアにはサントリー美術館や森美術館など他にも月曜に開館している美術館が集まっています。

国立新美術館

兵庫県立美術館

2002年に兵庫県神戸市のHAT神戸地区に開館した県立の美術館で、建物の設計は**安藤忠雄**です。阪神大震災で被災した兵庫県立近代美術館を継承し、**ロダン**や**カンディンスキー**、**具体美術協会**といった近現代の作品や、兵庫ゆかりの作家の作品を収蔵しています。

兵庫県立美術館

作品解説コラム連載
おまけページ きゅうり画廊

パリーン

きゅうりのキューブリック

今回のきゅうり画廊は本編同様に**李禹煥**について書こうと思います。この原稿を書いていた当時は、忙しくて全然展覧会に行けていなかったのですが、そのときにやっていた**国立新美術館**の李禹煥展には行くことができました。いやー、よかったです！

みなさんは国立新美術館には行ったことありますでしょうか。**新海誠**監督の映画『**君の名は。**』で瀧くんと奥寺先輩がデートしていた美術館です。奥寺先輩と飯を食ってたカフェもあります。初デートの飯の場所がミュージアムカフェなんだ、と映画館で思った記憶があります。奥寺先輩は多分初デートコースの飯にファミレスを選んだら彼氏としてナシ判定してきそうだよな、とどうでもいいことを考えていました。

ちなみに国立新美術館は英訳すると「The National Art Center, Tokyo」でミュージアムじゃなくてアートセンターを名乗っています。なぜかと言うと他の国立美術館と違って収蔵作品を持っていないからです。だから常設展などがありません。企画展をメインにやっているちょっと特殊な美術館なのです。

前置きが長くなりましたがそんな国立新美術館での李禹煥展に行ってきました。イラストに描いた《**関係項**》とかやっぱりすごいかっこよかったです。実物は一個一個がやたらデカいので、生で見る迫力はすごいです。ちなみに彼の彫刻作品は大体包括的に「関係項」というタイトルがついています。昔は別タイトルの作品でも再制作すると「関係項」に改題してあったりします。

今回の展示は前半が李禹煥の彫刻、後半が絵画をメインに展示してありました。もしかしたら絵画の方が知っている人は多いのかもしれません。漫画で彫刻の方をメインに取り上げたのは、自分が彫刻を専攻していたからですね。自分は彫刻をえこひいきします。

やっぱり**もの派**というムーブメントはものすごく影響力がありました。自分は大学で彫刻を専攻していたのですが、教授が彫ったりつくったりしないもの派を学生のときに見て困ったというような話をしてました。彫刻を実際に彫るのはもはや古いのではと思ったり、つくらずに素材をそのまま作品にするのが彫刻なら、もはや彫刻は終わったのではないかとか思ったりしたそうです。当時、ムサビ彫刻の教授だった**戸谷成雄**氏は、過去に自分がいかにしてもの派を乗り越えようとしたかみたいな話をよくしていました。ロックに言うと、いかにしてもの派をぶっ殺したかみたいな。文化系戦闘民族は基本物騒ですね。

彫刻をつくらない時代になったら、またつくることを0からはじめようとした人たちが出てきたりしました。そしてまたいろんな人が出てきて彫刻は変わっていき今に至ります。そんな彫刻史のうねりに思いを馳せ、『君の名は。』の奥寺先輩にも思いを馳せながら李禹煥を見ていました。

（第30話）

AIに描けないものをつくる！

トラちゃんのお父さんが展示の準備に追い込まれ、行方不明になってしまいました。やっと戻ってきたと思ったら、そこには動物園から逃げ出した本物の虎が。トラちゃんだけがなぜかコミュニケーションが取れています。

美術のトラちゃんがついに30話目です
3回で終わる予定だったのが10倍やっています！
THANKS!
30!
連載30回記念パーティだ！
トラちゃん30回パーティー
パーティなのに先パイがいない…
展示の仕事で追い込まれて逃げてるわよ
かわいそう…
ワーイ
今日動物園でトラが逃げ出しました！
完全にトラになってた彼を捕まえてきたよ！
あの…オレここにいるけど…
ガオー
ガッ！
うわああ！本物のトラだあぁ！
美術のトラちゃん
30回パーティ
ガオ〜ガウガウ…！！（動物園でムリヤリ絵を描く芸を仕込まれてイヤだったから逃げてきたんだ！）
ガオー！
ガルガル〜（それは逃げて正解だよ！美術キライになるよねムリヤリやらされると！）
?
ウメ〜
トラちゃんトラ語わかるんだね！
ムシャ
ムシャ
ズズー

ちなみにどんな絵を描かされるの？
ガウ！（昨日はゴッホが描いたみたいなバナナを描かされた！）
ワァァァ
AI《エーアイ》に描かせる内容じゃないか…
ガオ〜（ボクはもっと人を驚かせるアートをやりたいんだ！絵なんてゾウでも描くだろう！）
パオーン
ガルル！（父さん！彼に面白い作家を教えてあげてよ！）
ガオー！
えっ？何て言ってるの？トラ語ムズ…
トラ同士でもコミュニケーション難があるのか…
というわけで今回は彫刻のスター作家レイチェル・ホワイトリードについて紹介します！
彫刻のスター作家
レイチェル・ホワイトリード（1963ー）イギリス出身！
建物の内部をそのまま型にして巨大な彫刻を作るシリーズが一番有名！女性初のターナー賞※受賞者！
「HOUSE」（1993）
ターナー賞受賞！
スゲー
家の内部をそのまま型にしてコンクリートを流しこむ！家の中の空間がそのまま立体に！
普段目には見えない空間そのものを丸々目に見える彫刻にする作品は世に衝撃をあたえました！
「Untitled（Twenty-Five Spaces）」（1995）
キレイ…
イスの下の空間を彫刻にした。人が使うもののまわりの空間を彫刻にした。人の気配がある立体….
AIじゃできない作品だ…！初めて見たらびっくりするだろうなあ！
建物の中に樹脂やコンクリートを流してそのまま彫刻にするとカベのキズも浮きあがる。空間のもつ記憶が浮きあがる。同時代のミニマルアートより生々しさがあった…！
空間を物質に！
階段…
「Untitled（Domestic）」（2002）
YOUTUBEなどで家を型に彫刻をつくる動画がみれる。
ガシャン
ガシャーン
大がかりすぎて笑える…完成品にラクガキをされたり…
現物は日本では中々見られませんが、動画や写真で一度ぜひ見てみてね！
※イギリス最大の現代美術賞。超すごい。
彼女を含む1990年代に美術界を盛り上げた若い作家をYBA（ヤング・ブリティッシュ・アーティスト）と呼びます！
1990年代イギリスを中心にパンキッシュで世界を席巻した若いアーティストたち…
YBA《ワイビーエー》！
ヤング ブリティッシュ アーティスト
ガルルン！（かっこいい！参考にするよ！）
ダミアン・ハースト
トレイシー・エミン
他にもクリス・オフィリやダグラス・ゴードンとか…！
自分の住むオリの中の空間を全て石膏彫刻にしたトラが話題です！
すごいけど可愛げがないので不評です！
ガウ！（オレの生活の痕跡を作品にしました）
NEWS
ホワイトリー虎
本物のトラも頑張ってるので先パイも作りましょう！
ガル〜（作家ってきつい）
ヤングビーストアーティストだ

トラちゃんコメンタリー
マンガに出てきた用語解説
ヒマなときよんでね！

〃動物園でトラが逃げ出しました〃

動物園やサーカスからトラが脱走するニュースは、アメリカや中国、フランスなど世界各国でありますが、日本でも１９７９年８月に千葉県君津市のお寺で住職が運営していた私設動物園から２頭のトラが脱走し、近辺で行われる予定だった野外フェスが中止になるなど大混乱を引き起こしています。１頭は脱走翌日に射殺され、もう１頭も飼い犬をかみ殺すなどの被害を生みながら逃げ回った末、脱走から約４週間後に射殺されています。物騒な話になってしまいましたが、漫画のトラは安藤さんに捕まえてもらってよかったですね。

〃AIに描かせる内容〃

２０２２年末頃からOpenAIが公開したChatGPTが急速に広まり、AIが一般の人にも身近なものになりつつありますが、そもそもAIとは「アーティフィシャル・インテリジェンス」の略で、一般には人工知能と訳され「機械的な情報処理能力」のことをいいます。現在一般にAIと呼ばれるのは、コンピュータにお手本や結果のスコアを学習させ、その情報を元にアウトプットする機械学習と呼ばれるテクノロジーです。人間の神経系からヒントを得た古典的な数理モデルであるニューラルネットワークから発展したディープラーニングによる機械学習の有用性が、モデルの進化やコンピュータの性能向上もあって２０１０年頃に明らかになり、その後様々な分野でディープラーニングによるAIが実用化されるようになりました。２０２０年代にはDALL-E、Stable Diffusion、MidjourneyといったＩ画像生成AIがローンチし、プログラミング言語を使わずとも普通の言葉による指示で絵画やイラストなどの画像が簡単につくれるようになりました。「ゴッホ風」「ピカソ風」など画風を真似させることもできます。一方で、人間のアーティストの雇用が奪われることへの懸念や、AIによる作品の学習や類似作品の生成は著作権侵害だという論点など、批判的な意見も多数あります。

〃絵なんてゾウでも描く〃

第13話で「絵を描く象」の話が出ましたが、チンパンジーも絵を描けることが知られています。イギリスの動物行動学者で画家の**デズモンド・モリス**（１９２８〜）と以前組んでいたチンパンジーの**コンゴ**が描いた絵は**ピカソ**も所有していたとされ、２００５年にはコンゴの描いた絵が２９０万円で落札されています。

うまいね…
ペタペタ

レイチェル・ホワイトリード

１９６３年生まれの、イギリスの現代アートシーンを代表するアーティストです。キャリアの初期から現在まで鋳造という一貫した手法で作品を制作してきたことが特徴で、ものの余白や空間を可視化し、**空間のデスマスク**を制作してきました。初期の作品としては、木製の衣装ケースに石膏を流し込んで作成した１９８８年の**《クローゼット》**や、湯たんぽを型にした作品を人間の胴体に見立てた１９９１年の《無題（Torso）》があり、最初から巨大な作品をつくっていたわけではありませんでした。１９９０年には部屋全体を型取りした《Ghost》を制作し**ターナー賞**にノミネートされ、１９９３年には家屋の内部をまるごと型取りした作品《無題（HOUSE）》で賛否両論を巻き起こし、同年女性アーティストで初となるターナー賞を受賞しました。１９９７年にはヴェネチア・ビエンナーレのイギリス館にイギリス人女性として初めて出展しています。母国イギリスではセンセーショナルな登場の仕方をしましたが、世界的にはパブリック・アートの依頼も多く、オーストリア・ウィーンのホロコースト犠牲者追悼碑や、ニューヨーク・マンハッタンに設置され現在はＭｏＭＡ所蔵になっている《給水塔》など多くの作品を制作しています。

「Ghost」(1990)

「給水塔」(1998)

ターナー賞

１９８４年に創設された、イギリス人またはイギリス在住のアーティストが対象の賞で、世界的にも最も重要な現代アートの賞のひとつです。名称は、フランスの**印象派**に先駆けて光の表現を取り入れ、風景画で日本でも人気のあるイギリスの**ロマン主義**の画家**J・M・W・ターナー**（１７７５〜１８５１）に由来します。イギリス現代アート界の活性化を目的としてはじまったこの賞は、ファイナリストにノミネートされたアーティストが発表されてから受賞者発表まで数ヶ月あり、発表の前にはファイナリストの作品を紹介する展覧会が主催のテート・ギャラリーで行われます。授賞式はタイアップ先でもあるテレビ局チャンネル４で中継され、イギリスの風物詩になっています。１９９０年代には**レイチェル・ホワイトリード**や**ダミアン・ハースト**、**トレイシー・エミン**といった**ヤング・ブリティッシュ・アーティスト**がイギリスの世間や世界のアートシーンに注目される舞台にもなりました。賞を主催する**テート**は、16世紀から現代までのイギリス美術と、全世界の近現代美術の紹介を目的としたイギリス政府の管理下にある組織で、テート・ブリテンをはじめとする複数の美術館を運営しています。１８８９年に、美術のパトロンでもあった実業家の**ヘンリー・テート**が自身のコレクションをイギリスのナショナルギャラリーに寄付しようとしたことからナショナルギャラリーの分館としてはじまり、後に独立した組織になりました。

YBA（ヤング・ブリティッシュ・アーティスト）

ニューヨークやベルリンにおくれを取っていた１９８０年代イギリスの現代アートシーンから頭角を現わしてきた新進気鋭なアーティストたちの総称です。ダミアン・ハーストや**サラ・ルーカス**といった**ゴールドスミス・カレッジ**を卒業したアーティストを中心としており、廃屋で開催した１９８８年のグループ展「フリーズ」展のようなインディペンデントな活動から評判を呼び、若いうちから成功を収めるアーティストを多く輩出しました。１９９０年代にはＹＢＡに連なるアーティストがターナー賞を独占。１９９７年にはＹＢＡを紹介する展覧会「センセーション」をロイヤル・アカデミー・オブ・アートが開催し、ニューヨークやベルリンに巡回したことで国際的にも名が知れ渡りました。

作品解説コラム連載

おまけページ きゅうり画廊《スキャンダル》

きゅうりのキューブリック

小学生の頃は漫画家になりたかったので、忙しく徹夜をする作家に憧れていましたが、ただただ大変なんだなとやってみて思いました。そんなこんなで美術のトラちゃんも第30話を迎え、今回は**レイチェル・ホワイトリード**について描きました。漫画でも紹介したように**YBA（ヤング・ブリティッシュ・アーティスト）**というムーブメントの一人なのですが、もう少しだけその辺りについて書こうと思います。

YBAの作家は大体1980年代後半にロンドンの**ゴールドスミス・カレッジ**という大学を出た作家たちです。**チャールズ・サーチ**というイギリス最大のコレクターに支援され、彼らの作品がコレクションされたことで知名度があがっていきました。コレクターというのは自分の好きな作家の作品を買って後押しすることで、美術史を自分好みにねじ曲げることが可能なのです。彼好みの作家たちが今やひとつのムーブメントとして美術史に残っているわけですね。で、激しいUKロックよろしく激しい彼らの作品はどんどん影響力を持っていきます。中でも有名作家の**ダミアン・ハースト**は生き物をホルマリン漬けにするし、**クリス・オフィリ**というナイジェリア系黒人の作家は聖母マリアの肌を黒く描いた絵の周りにポルノ雑誌の切り抜きを貼りまくって、象の糞でその絵を自立させる**《The Holy Virgin Mary（聖母マリア）》**（1996）という作品をつくって抗議されたりします。歴史や社会問題と向き合う作品が多く、表現方法も露悪的に見えるものが多かったので批判されることも多い作家たちでした（今やほぼ全員大スター）。

今回のきゅうり画廊のイラストはYBA筆頭の**トレイシー・エミン**による**《Everyone I Have Ever Slept with 1963-1995》**です。漫画の第28話でも紹介しましたがここでも書きます。この作品のテントの中には、彼女が1995年までにベッドで一緒に寝たことがある人の名前が全て刺繍されています。小さい頃一緒に寝た家族から、彼氏、美術界の超大御所まで刺繍されていて、めちゃくちゃスキャンダルになったそうです。男性優位の美術界を本気でぶっ壊しにかかるトレイシー・エミンにみんなだいぶびびったそうです。彼女も今やトップ・オブ・ザ・トップにいる作家です。

ロンドンパンクをディグる感覚でYBAの作家をいろいろ調べてみると面白いかもしれません。これからのトラちゃんも、もっと最近の作家をどんどん紹介していこうと思います！

（第31話）

待つ身がつらいか、待たせる身がつらいか

冬が近づいて、人を待つ時間にも寂しさを感じる季節がやってきました。そんな中、トラちゃんとトメ吉くんは、誰かを一心に待つヤギたちに出会います。ずっと待っているのはさぞ暇だろうと思いきや、意外とエンジョイしている様子です。

どんどん冬が近づいてきて寒くなってきましたね寂しさを感じる季節です…
さみしいなあ
パラ
パラ
家の近くの枯れ木でずっと人を待ってる2人組がいるんだ…
先生なんとかしてあげてよ
ずっと2人で人を待ってるなんてサミュエル・ベケットの劇の「ゴドーを待ちながら」みたいだなあ
この人たちなんだよ
ここでゴートさんが来るのをずっと待ってます
白ヤギさんと黒ヤギさんがゴドーじゃなくてゴート（ヤギ）を待ってる！
美術のトラちゃん
さくらパピヨン本舗 31
YAGI CAMP CAR
でもずっと待ってるなんて大変じゃないですか？
トメ吉くん
長い間待って本当に大変です
待つ身がつらいか待たせる身がつらいかって誰の言葉でしたっけ？
黒ヤギさん
COFFEE
けっこう待つのをエンジョイしてる！
トラちゃんの父さん
白ヤギさん
トラちゃん

ずっと来ないゴートさんには連絡を取れないんですか？
ゴートさん携帯持ってなくて…
じゃあ手紙は？
来たけど読まずに食べちゃいました
歌の通りだ
でもキャンプだけでは暮らせないでしょ？普段は何やってるの？
キャンプの動画配信やデイトレードで待つ活動費を稼いでいます
カタカタ
カタカタ
カタカタ
クラウドファンディングの返礼品を送らなきゃ
amano gawa
能動的に待つことができる時代なんだなあ
というわけで今回は「ゴドーを待ちながら」を書いて演劇を変えた伝説の劇作家のサミュエル・ベケットを紹介します
不条理演劇の代表的レジェンド
サミュエル・ベケット
（1906－1989）
アイルランド出身
不条理演劇の代表作家と呼ばれています！小説やラジオドラマも書いた！ノーベル文学賞も取ってる！
不条理演劇とは？
日本だと別役実が有名
現代の不毛さ、世界の不合理さを告発するような劇。不条理という言葉自体演劇から広まったとか…
哲学的な内容だけでなくて劇のビジュアルのインパクトの強さで美術の世界にも影響を与えました！今までにない演劇や映像を作った！
代表作「ゴドーを待ちながら」（1953）
2人の男が枯れ木の前でゴドーという男を待っている。待っているけどずっと来ない。来ないままおわり。ゴドーは来ることのないゴッド（神）のメタファーと言われているけどベケットは否定した。
ヒマだ…
ボーし
こないなー
「しあわせな日々」（1961）
舞台上で土にうまったまま演技…
「わたしじゃない」（1972）
女性の口だけくらやみにうかんでしゃべり続ける。
わかりにくそうでとっつきづらそう…
ベケットの作品はコメディ要素も強いので実際見てみると笑えるところも多いですよ！
ちなみに1961年に「ゴドー」のセットの木を彫刻の巨匠ジャコメッティが作る
いいでしょ！
カッコイイ～
「ゴドーを待ちながら」を筆頭に数え切れないくらい彼の影響を受けた作品はたくさんあります！
続くベケット作品のスピリット
「映画」ロッキーホラーショーのオープニング
怪奇SF2本だて
暗やみで口が口上をうたう。ベケットの「わたしじゃない」のよう。
劇団「かもめマシーン」
3.11の後、原発近くの路上でゴドーの台詞を言う。ガレキの中のゴドー。
「桐島、部活やめるってよ」は待ちながら見ました！
映画「桐島、部活やめるってよ」
学園版「ゴドー」と言うファンもいる。
あいちトリエンナーレ2013年ではベケット関連の舞台が多く上演
ARICA
金氏徹平が舞台美術をした「しあわせな日々」
ごめんごめん遅くなりました！ゴートです！
ヤッホー
モコモコ
やった～！
ヤギじゃなくて羊だ！
不条理だなあ…

トラちゃんコメンタリー
マンガに出てきた用語解説
ヒマなときよんでね！

待つ身がつらいか待たせる身がつらいか

太宰治（1909～1948）が、同じく小説家の**檀一雄**（1912～1976）に言ったとされる言葉です。熱海に滞在している太宰を東京に連れ戻すよう太宰の内縁の妻から頼まれ、お金を預かって熱海の太宰を訪ねた檀でしたが、太宰は檀が持ってきたお金でさらに放蕩を重ねます。重なった借金を返すために「**菊池寛**からお金を借りてくる」と言い、檀を熱海に人質として残し太宰は帰京しましたが、いつまで経っても帰ってこない太宰にしびれを切らし檀と借金取りが東京で太宰を探したところ、太宰の師匠にあたる**井伏鱒二**の家でのんきに将棋を指している太宰を発見します。激怒して太宰に詰め寄った壇に太宰は「待つ身がつらいかね、待たせる身がつらいかね」と返したというエピソードが壇の著書にあり、俗に**熱海事件**と呼ばれ『**走れメロス**』の素材のひとつだと考えられています。妹の結婚式の後セリヌンティウスが待つシラクスまで戻ったメロスとは違い、太宰は壇の待つ熱海までの帰路にすらつかなかったわけですが。

井伏
太宰
あ…
おまえはコラー!!
檀

"来たけど読まずに食べちゃいました"

童謡「**やぎさんゆうびん**」の歌詞が元ネタです。作詞は詩人でもある**まど・みちお**（1909～2014）で、他にも「**ぞうさん**」「**一ねんせいになったら**」「**ふしぎなポケット**」といった子供の頃に誰もが歌った童謡を作詞しています。

サミュエル・ベケット

1906年アイルランド生まれのフランスの劇作家・小説家で、1928年に英語講師としてパリに赴任した頃から著作活動をはじめました。1930年にアイルランドに帰国し教職につきますが、1932年にやめてロンドンやドイツで放浪生活を送ります。イギリス文壇では評価されなかったこともあり、再度パリに移住したベケットは、現地で**ジャコメッティ**や**デュシャン**と交流し、第二次世界大戦後には自身にとって外国語であったフランス語で『**モロイ**』『**マロウンは死ぬ**』『**名づけえぬもの**』の長編小説3部作を完成させます。上記作品の息抜きに書いた戯曲『**ゴドーを待ちながら**』が大成功してからは劇作家としての比重が増え、『**クラップの最後のテープ**』『**しあわせな日々**』などの演劇の他、ラジオドラマやテレビドラマの脚本も書いています。1969年にノーベル文学賞を受賞した後も『**わたしじゃない**』や『**カタストロフィ**』などの話題作を発表し、1989年に亡くなる直前まで活躍しました。ノーベル賞の授賞式を欠席するなど社交嫌いとして有名な一方、ある時期住んでいたパリ郊外の村で、後のプロレスラーの**アンドレ・ザ・ジャイアント**を含めた村の子供たちを、自身が運転するトラックで学校まで送迎してあげていたというエピソードもあります。

不条理演劇

世界における人間のあり方の不条

理性を主題にした演劇のことで、特に第二次世界大戦後のフランスでおこった前衛劇を指します。ベケット以外には、ルーマニア出身の劇作家で『**禿の女歌手**』などを書いた**ウジェーヌ・イヨネスコ**や、ロシア出身で『**侵入**』などを書いた**アルチュール・アダモフ**が代表的な作家です。イギリスの**ハロルド・ピンター**やアメリカの**エドワード・オールビー**、そして日本では**別役実**など、後続の劇作家にも大きな影響を与えました。

別役実《べつやくみのる》

1937年旧満州生まれの劇作家です。1966年に演出家の**鈴木忠志**と**劇団早稲田小劇場**を結成し小劇場演劇、**アングラ演劇**をリードしますが、『**マッチ売りの少女**』『**赤い鳥の居る風景**』で戯曲版芥川賞とも言われる**岸田國士戯曲賞**を受賞したのを機に早稲田小劇場を退団し、劇作家として独立します。その後も日本の**不条理演劇**の第一人者として活躍し、『**諸国を遍歴する二人の騎士の物語**』『**やってきたゴドー**』などの作品を送り出しました。1990年代には日本劇作家協会の設立にも関わり、初代会長**井上ひさし**の後を継ぎ1998年から2002年まで会長を務めています。エッセイの名手でもあり、『**虫づくし**』『**道具づくし**』といった通称「づくしシリーズ」では、様々なテーマについて真面目な語り口でデタラメが書き連ねられています。晩年はパーキンソン病を患い、2020年に亡くなりました。

ジャコメッティ

アルベルト・ジャコメッティは1901年スイス生まれの彫刻家です。印象派の画家を父に持ち、1922年以降キャリアの大半をパリで過ごしました。彫刻家としてのキャリアの初期にあたる1920年代〜1930代前半には**キュビズム**や**シュルレアリスム**の影響を強く受け《**午前4時の宮殿**》などの作品を制作していますが、第二次世界大戦後には肉をそぎ落としたひょろ長い人物像を制作するようになります。哲学者の**ジャン＝ポール・サルトル**や作家の**ジャン・ジュネ**などの文化人とも交流し、日本人でも、元東大総長である**矢内原忠雄**の長男で哲学者の**矢内原伊作**が、何度も作品のモデルになっています。1966年にガンで亡くなりましたが、1962年のヴェネチア・ビエンナーレの彫刻部門でグランプリを受賞するなど晩年は国際的にも高く評価されました。

あいちトリエンナーレ2013

あいちトリエンナーレ2013では、2011年の東日本大震災を受け「揺れる大地」をテーマにしていました。舞台芸術統括プロデューサーを務めた**小崎哲哉**は、このテーマに対してベケットの世界観を軸にして応え、**ARICA＋金氏徹平**による『**しあわせな日々**』の上演や、ベケットの小説『**L'IMAGE**』を底本にしたアルチュール・ノジシエル演出のパフォーマンスの他、振付家のイリ・キリアン、ピアニストの向井山朋子＋照明家のジャン・カルマン、メディア・アーティストのペーター・ヴェルツ＋振付家のウィリアム・フォーサイスが、ベケットに関係するパフォーミング・アーツを行っています。

作品解説コラム連載

おまけページ きゅうり画廊

待ちぼうけ

きゅうりのキューブリック

今回は漫画と同様**サミュエル・ベケット**の『**ゴドーを待ちながら**』についてです。この劇は**不条理演劇**というやつですね。話のつじつまが合わないように見えるよくわかんないような劇です。不条理演劇は世の中が混乱すればするほど受け入れられやすいという話を聞いたことがあります。今の世の中なんてゴドーより不条理感ありますからね。つじつまが合わないのは社会も劇も同じかもしれません。

ここで『ゴドーを待ちながら』のあらすじについて書きます。

まず第一幕。舞台には枯れた木が一本。そこで**ウラジミール**と**エストラゴン**という2人組が**ゴドー**を待っています。ずっと待っていて暇なので2人でずっと他愛ないことを話し続けます。そこに**ポッツォ**と**ラッキー**という2人もやってきます。ポッツォはラッキーの首にロープをつけ、ラッキーはこれから市場に売られに行くところだそう。ラッキーはポッツォが「踊れ」と言ったら踊るし「考えろ!」と命令されると急に哲学的な長い演説をはじめるのでした。2人が去った後、ウラジミールとエストラゴンの前にゴドーの使者を名乗る少年がやってきて、ゴドーは今日は来ないけど明日来ますと告げて第一幕は終わります。

第二幕も一幕目とほとんど同じように2人はゴドーを待ち、同様にポッツォとラッキーも来ますが、ポッツォは目が見えなくなっていて、ラッキーは何も話さなくなっていました。そしてまたゴドーの使者がやってきて、ゴドーは来ないと言います。ウラジミールとエストラゴンはゴドーが来ないのだったらと木に首を吊って自殺しようとするが失敗し、また明日からも待つのだろうと思わせて劇は終わります。

ゴドーは一向に姿をあらわさない現代のゴッド（神）では？というのが通説ですが、ベケットいわく「わからない」だそうです。わかっていたら劇なんて書かないんだとか。

ちなみに1953年のパリでのゴドーの初演はおもしろコメディと銘打って上演されましたが、意味がわからなすぎて途中退場が続出したとか。でもそれを見ていた日本人留学生の**安堂信也**は傑作だと信じて56年に日本語訳を出し、60年に日本でゴドー初公演を打ちます。

日本でゴドーといえば**串田和美**と**緒方拳**のゴドーです。2000年に旅公演をしていて劇場だけじゃなく老人ホームや青物市場、網走刑務所でもやったのが有名です（刑務所公演では、俺たちも待っているんだと泣く受刑者もいたとか）。

緒方さんが亡くなった次の年に串田さんが、2人でゴドーをやったときのことをWEB連載に書いていてかなり面白かったです。ゴドーは似たようなセリフが多く、覚えづらくて難しい劇なので、失敗したときは終演後2人とも楽屋でわめいたり沈んだりしたそうです。

2人ともすでに大俳優だったのに、お金にもならず、失敗して恥をかくような劇にチャレンジしまくっていたのです。劇場ではないところで公演をして、普段劇を見ないようなお客さんを相手にし、その度に新しい発見をしていったことが書かれ、なんだか眩しかったです。

自分は初めてゴドーを読んだときは意味がわからず面白いとも思わなかったのですが、今だとなぜか面白く感じます。俳優の**柄本明**さんがゴドーを初めて読んだときは、何もわからなかったけど、しばらくしてまた読んだらこれは自分たちの話だとわかって泣けてしまったと言っていました。読んだことのない、見たことのない方はいつか読んでみてください。劇の中の彼らは自分たちだと思えることがあるのかもしれません。

（第32話）

努力 未来 A BEAUTI-FUL STAR

売れっ子作家のりゅうたろう君は、いま大人気の歌い手とコラボしたり、渋谷に巨大広告が掲出されたりと大忙しです。そんな彼の活躍にトラちゃんのお父さんは超複雑なお気持ちの様子です。

父さんの後輩のりゅうたろう君は売れっ子作家なのでオファーがたくさん！
ぼく今度ミュージシャンのOfficial《オフィシャル》キング米《よね》みょん・源《げん》のアルバムジャケットを描く仕事をするんです…！
ひぃ～！いそがし～
いいな～
スゴーイ！
あの超人気のOfficialキング米みょん・源の？スゲ～！
Officialキング米みょん・源
何だその合体怪獣みたいな名前は…
うわあああ！今大人気歌い手の「ずっと夜あそびでよいシカ」がりゅうたろう君との写真インスタにアップしてる～！
夜寝ないことで有名
fumin_syo
10万いいね！ 人気作家のりゅうたろうさんと。
コメント↓ 目やばいですよ… ねてください。
この人ぼくの展示をみて作品買ってったんですよ
目のクマがヤバイ…
美術のトラちゃん
BONNO 108
りゅうたろう君は人気がどんどん出てついに渋谷に巨大広告がはられました！
センパーイ あとで一緒に写りましょう！
ピース！
りゅうたろう大個展開催
絵なんてだれでもわかるのだ！
ずっと夜あそびでよいシカ
NOW ON SALE
OFFICIAL キング米みょん・源
テナント大募集
広告よりりゅうたろう君自体の方が注目されてるね！
Adog
NOW ON SALE
ブリーチ、チェンソーマンの広告の次はりゅうたろう君なのか…！

父さん今日は嫉妬しないの？

ハッハッハ そんなのしないさ！ 後輩の成功は喜んであげないとね…

よーしよしよし
父さん…めっちゃトラになってる… 内心ホントに悔しいんだね…

今のりゅうたろう君みたいな人気作家のことを昔のりゅうたろう君とこき下ろしてたから複雑な気分だなあ
今売れてるやつらはみんな魂売ったバカだ！

有名人とつるむのもクソだ！

さすが〜

あっもどった!?

ヒィー嫌わないで！

心が読まれてる!?

というわけで今日は世界中で人気の彫刻家ルイーズ・ブルジョワについて紹介します！

フランスのスター彫刻家
ルイーズ・ブルジョワ（1911−2010）

一番有名なのはクモの巨大彫刻シリーズ「ママン」

亡くなった母親をモチーフにしたクモの彫刻シリーズ
巨大なクモの彫刻シリーズ「ママン」は世界中に設置されていて日本にもあります！

幼少期に感じた父親へのトラウマから制作をはじめて抑圧や暴力に対してかなり直接的なメッセージを込めました
シリーズ「ファムメゾン」

女性の身体と家が一体化したような彫刻や絵のシリーズ。

立体
平面
裁縫
かつての父親や家へのトラウマが元になっている。

ノルウェーにある「スティーネセト・メモリアル」

かつて魔女狩りで殺された91人の女性を追悼するための記念館。建築家ピーターズントーとの共作。しらべてみてね！

クモは森美術館の前に置いてあるのみた〜！

彼女の作品はどんどん価値が上がっていて今年には55億の値段がついた！

他にもすごい作品がたくさんある彫刻家。

スパイダー!!

ちなみにどうしてクモなんですか？

こわれたものを直しつづけるクモと私の母はにているから…

スゲー
こんにちは…「ずっと夜あそびでよいシカ」です あなたに次のシングルのジャケットを描いてもらいたい…！

目バキバキでこわい…

チェンソーマンの曲くらいヒットするはずです
やったー！一発逆転！

それよりずっと夜寝てなくてつらい…

ずっと夜あそびでよいシカさん冬眠するから活動休止するみたいっス
地道に作家活動頑張れってことね…

努力…未来…A BEAUTIFUL STAR…

ペタペタ

トラちゃんコメンタリー
マンガに出てきた用語解説
ヒマなときよんでね〜!

〝努力 未来 A BEAUTIFUL STAR〟

『週刊少年ジャンプ』『少年ジャンプ+』に連載の藤本タツキの同名漫画が原作の、テレビアニメ『チェンソーマン』の主題歌である、米津玄師の「KICK BACK」の歌詞の一節で、モーニング娘。の2002年の楽曲「そうだ! We're ALIVE」からフレーズを引用しています。引用した理由については、作品の時代背景がモー娘の結成時期と重なることなどが考察されていますが、米津自身は「直感としか言いようがない」と語っています。少年漫画原作アニメの主題歌になったJ-POPがヒットした例は多く、日本のポップシーンは漫画文化と切り離せません。ちなみに漫画に出てくる空想のアーティスト「Official キング米みょん・源」は Official 髭男 dism、King Gnu、米津玄師、あいみょん、星野源の5組、「ずっと夜あそびでよいシカ」は、ずっと真夜中でいいのに。、YOASOBI、ヨルシカの3組、計8組の現代日本ポップスシーンを支えるトップミュージシャンの名前を組み合わせた名前になっています。

〝アルバムジャケットを描く〟

漫画の第1話でアンディ・ウォーホルがヴェルヴェット・アンダーグラウンドのジャケットをデザインした話に触れましたが、ゲルハルト・リヒターの作品をSONIC YOUTHがジャケットに使うなど、現代美術のアーティストがCDやレコードのジャケットを担当したり、作品がジャケットに使われたりする例は他にも数多くあります。日本人では草間彌生がテイ・トウワの、村上隆がゆずやカニエ・ウェストなどの、奈良美智が少年ナイフをはじめ様々なバンドの、会田誠が岡村靖幸やアーバンギャルド、ローレル・ヘイローなどのジャケットに使われています。

CDジャケット
HAPPY HOUR
SHONEN KNIFE
奈良美智が描いた少年ナイフの「HAPPY HOUR」

合体怪獣

ウルトラマンのような特撮番組で、以前番組に登場してヒーローに倒された怪獣たちが部位ごとに合体した怪獣のことを言います。最も有名な合体怪獣はおそらくウルトラマンタロウに登場した「タイラント」で、頭はシーゴラス、胴体はベムスター、脚はレッドキングなど7体の怪獣の怨念が集まって誕生し、タロウ以外のウルトラ兄弟を倒す活躍を見せました。漫画で5組のミュージシャンが合体したような名前をトラちゃんは「合体怪獣みたいな名前」と言っていますが、多くの合体怪獣はタイラントのように全く新しい名前がついており、合体素体になった怪獣の名前を合体させた例はほとんどありません。

ギャオー!!

ルイーズ・ブルジョワ

１９１１年フランス生まれのアーティストで、無名だった時期にアメリカ人の美術史家**ロバート・ゴールドウォーター**と結婚しニューヨークに移住。１９４０年代以降はニューヨークを拠点に活動しました。父親の愛人が家族と同居している家庭環境で育ったこともあり、家族や母性、セクシュアリティをテーマにした作品をキャリア初期の１９４０年代から制作していた彼女は、１９６０年代後半以降に盛んになった**フェミニズム・アート**の先駆けにもなりました。フェミニズム・アートの時代には彼女自身もフェミニストとして活動し、男女の性器をモチーフにした１９６８年の**《フィレット》**（フランス語で「少女」の意味）などの作品をつくっています。１９７０年代以降はプラット・インスティテュートなどの教育機関でも教えています。１９９３年にはヴェネチア・ビエンナーレのアメリカ館に出展し、２０１０年に98歳で亡くなりました。

《ママン》

１９９０年代にブルジョワはクモをモチーフにした様々な作品を制作しました。中でも１９９９年から制作された《ママン》は高さ・幅それぞれ10m近い巨大な作品です。六本木ヒルズの森美術館前広場の他、カナダ国立美術館やスペインのグッゲンハイム美術館でも常設のパブリックアートとして見ることができます。

《ファムメゾン》

１９４０年代後半から制作しはじめた、家と女性の身体が一体化しているような絵画や版画、彫刻などの一連のシリーズです。ブルジョワ自身が異国アメリカで、母親として暮らしだしてから制作され、晩年の２０００年前後には同じモチーフで彫刻作品を制作しました。

《スティールネセト・メモリアル》

ノルウェーの北東部の町バルデに、ルイーズ・ブルジョワが亡くなった後の２０１１年に建てられた、彼女の最後の作品のひとつです。バルデ町があるフィンマルク県は、17世紀に魔女狩りが特に激しかった地域であり、当時３０００人しか人口がいなかった地域で91人が魔女狩りで処刑されたと言われています。建物はスイス人の建築家**ピーター・ズントー**の設計で、１２５mに及ぶ細長い廊下に魔女狩りの犠牲者の裁判記録などが展示されており、ブルジョワが担当した部屋では燃えさかる炎を鏡が映し、魔女狩りの恐怖が表現されています。

冬眠

冬は多くの動物にとって、寒さと食糧不足により活動が困難な時期です。そのため両生類やは虫類のような変温動物や、コウモリやリスのような小型哺乳類の一部は、温度が下がりすぎないところで活動を停止し冬眠します。冬眠というと一般にはクマを思い浮かべますが、クマが冬眠するのは大型哺乳類の例外です。シカにとっても食糧になる植物が少ない冬は厳しい季節なので、他の季節と比べて活動量は激減しますが、冬眠状態にはなりません。ちなみに、冬眠とは逆に乾燥から身を守るために「夏眠」する動物もいて、熱帯のカエルやカタツムリが代表です。

作品解説コラム連載

おまけページ きゅうり画廊

子だくさん

きゅうりのキューブリック

今回のきゅうり画廊も本編同様にスター彫刻家の**ルイーズ・ブルジョワ**について書きます！　自分が漫画で紹介する作家は比較的彫刻家が多いです。それは自分が彫刻をえこひいきしているからです。最近は少子化&不景気で美大を目指す人が減っているのですが、その中でも特に彫刻学科を目指す人が減っているので、なんとか彫刻を盛り上げたい気持ちがあります。絵の方が売れやすいですし、話題にもなりやすいのですが……。

この原稿を書いていた２０２２年の10月頃、**ピート・モンドリアン**の絵画作品が75年以上もひっくり返った状態で展示されてきた可能性があるというニュースがありました。かなり話題になっていたのですが、あれは彫刻でも日常茶飯事です。

大体、彫刻学科の最初の方の授業で抽象彫刻をつくらされると、講評会で教授に作品をひっくり返されて「こっちの方がいいのではないか?」なんてことを言われたりします。彫刻をつくると重力に負けないよう、下の部分が安定するつくりにしがちだったりするので、ひっくり返すと浮遊感が出たり思いがけない形と出会えたりして面白いのです。

あなたが展覧会で見たいつかの彫刻も作家が土壇場で逆向きにひっくり返したまま展示していたのかもしれません。世の中もひっくり返したい人はぜひ彫刻を学びましょう！

前置きが長くなりましたが、今回は六本木ヒルズの入り口に常設展示されている、ルイーズ・ブルジョワの《ママン》についてです。実際に六本木ヒルズに行くとタダで見れるし触れます。最近は美術館のチケットも高くなってきているので、タダで見れる作品は大切です。

この《ママン》というシリーズは世界中にいくつか設置されているのですが、そのひとつが六本木ヒルズの《ママン》です。タイトルの通り、ルイーズの母親をモチーフにしているそうです。彼女の母はタペストリーの修復家だったそうで、糸でタペストリーを直す姿とクモを重ねていると言われています。クモは糸でつくった家を壊れても直そうとしますが、暴力的な父親の問題で家庭環境がうまくいかない中、彼女の母親も家を取り繕おうとしたのだそう。ちなみに《ママン》という作品はブロンズでできていますがお腹には大理石でできた白い卵をたくさん抱えています。

ルイーズの母親は彼女が21歳のときに病気で亡くなったのですが、そのとき彼女は父親の目の前で自殺を図ったそう。彼女の作品は母親への愛と幼少期のトラウマが色濃く出ているものが多いです。そんなことを調べたり頭に入れたりしてから見ると、ずいぶん見え方が変わります。自分も最初見たときは、なんだこれとしか思ってなかったのですが、温かいような悲しいような気持ちになる彫刻です。そう……「彫刻」です！

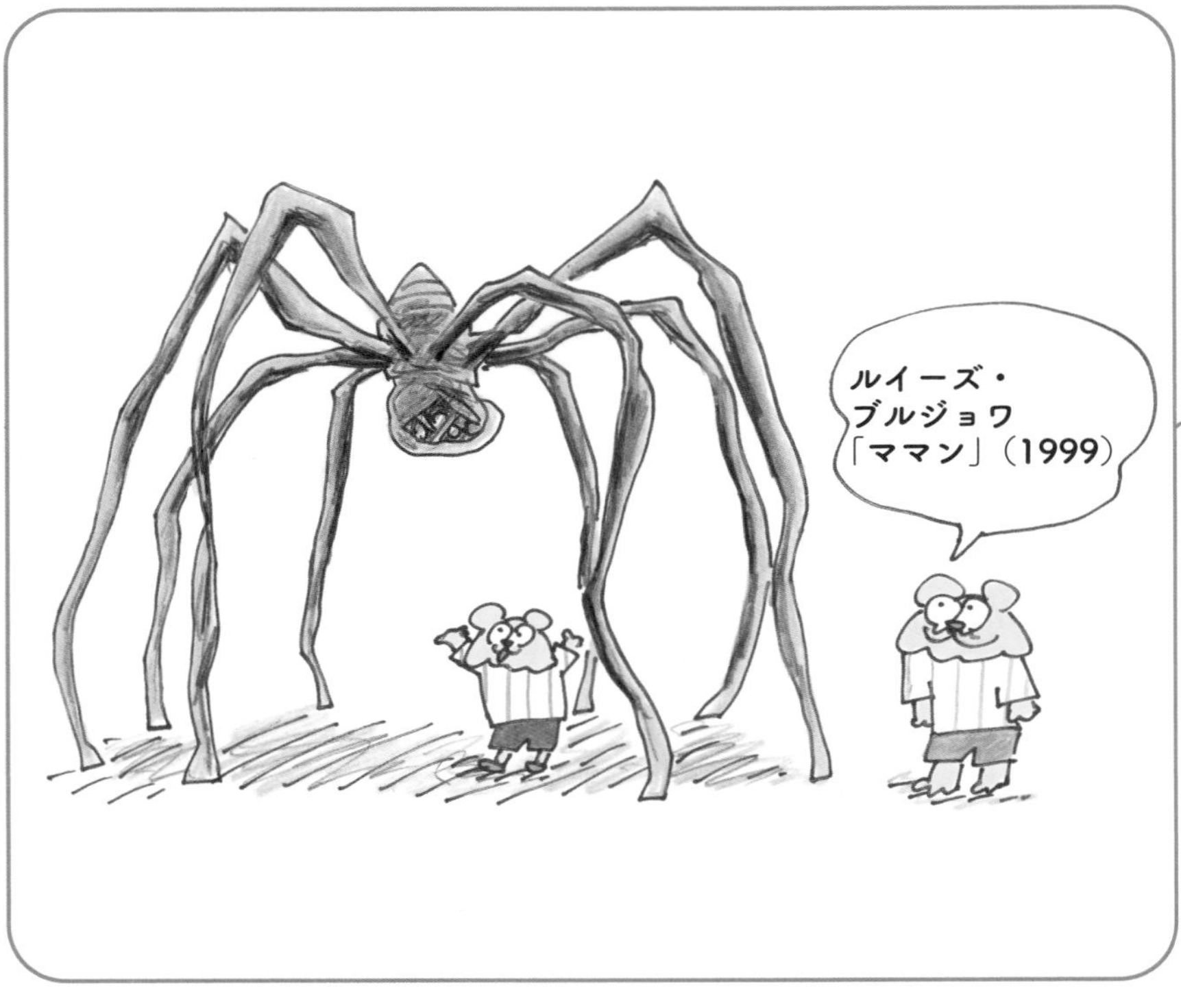

（第33話）

トラちゃん、異世界転生する（前編）

本業を投げ出して妄想全開の異世界転生ラノベを書いていたお父さん。そんなことをしていたら、本当に転生してしまいました。訪れた先はアートの力が全ての異世界。はたして彼らの行く末はいかに！

年末とはいえ
あなたがこんなに
仕事頑張ってる
なんて珍しい！
カタカタカタカタ
どれどれ…『異世界転生してEランク現代美術家に落ちぶれたけど最強スキルコミュ力Lv999を手に入れたのでアートフェアで無双します』
仕事じゃない！キモい妄想のラノベ書いてる！
現実がこうなったらいいのになあ…ふふふ…
うわああ！急に異世界への魔法陣が出現した～～！
ピカー！
ズズズ…
吸い込まれる～
現実になるんかい！
きゃあああ！お土産よろしくね～！
美術のトラちゃん
アートクエスト一覧（Cランク以上）
ART GUILD
ここはアートの力が全ての異世界…その冒険者（作家）ギルド
Aランク
美術家
Eランク
美術家
あの～転生者なんですけど美術の仕事ないですか？
Bランク
キュレーター
お前はEランク美術家なので週8でバイトです
一週間って7日間ですよね!?
受付
成長性A
ART GUILD
Cランク
批評家
異世界でも世知辛いんだなあ…
超獣チーズと金色芋酒をもってこい
オマエらいつも酒とチーズばっかたのむな…
ワクワク…次はこの作家をヤる…
賞金首情報誌BT

でも自分の小説通りならコミュ力がめちゃくちゃ高いはず…！
ステータスオープン！
ブオン！
コミュ力
内弁慶
詰んだ…
せっかく異世界に来たんだしもっと活躍したいなあ…
我々も現実から転生した芸術家集団「フルクサス」！
君たちも我々と最近現れたドラゴンを討伐に行こう！
騎士団「フルクサス」
団長ジョージ・マチューナス
本物の「フルクサス」も転生して来てる！
ゴゴゴ…
フルクサスって何？
というわけで今回は1960年代で最も有名なアーティストグループ「フルクサス」について紹介します！
リトアニア生まれフルクサスの創始者
ジョージ・マチューナス（1931―1978）
趣味：チャート作り
フルクサスとは。「下剤をかける」「流す」というイミ。
お芸術なんてクソくらえ！
ジャー
ヨーロッパ中心の美術界をこわして流す！と意気込む。
ジョージ・マチューナスがアメリカで組織した芸術家集団で多国籍で色んなメンバーがいた！今では彼らを中心にした美術運動を「フルクサス」と言う
当時はまだ美術はヨーロッパ中心で格式高いもののイメージだったけど彼はそれを変えようとした！色んな国で前衛的な音楽やパフォーマンスのイベントを開催して、たくさんフォロワーを生んだ
第2次大戦後あたりから美術の中心をヨーロッパからアメリカにしようといろんな運動が起こる。
印象派
宗教画
くそくらえ
もっと自由なアートを！
そうやって生まれた抽象画やパフォーマンスアート…今のわからないと言われがちな現代アートにつながるよ…！
メンバーは世界中にいて流動的。濃く関わった人から、ちょっと顔出したくらいの人まで…
フルクサスの有名人
オノ・ヨーコ
ジョン・ケージ
ナムジュン・パイク
他にはジョージ・ブレクト
塩見允枝子、
ハイレッド・センターなど
など…日本人も多かった。
ヨーゼフ・ボイス
久保田成子
色んな思想、表現を持った作家を集めたんだ！異世界ではみんなでドラゴンを倒そうぜ！
コレクティブとは？
みんなでなら変えれる！
アーティストグループのこと。最近は個人の活動より目的をもったコレクティブにアート界の注目があつまる。
フルクサスは今で言うコレクティブの先駆けです
あれが特級害獣のアンチアートドラゴンだ！みんなで倒すぞ！
あれ？りゅうたろう君も転生してたの？
わーい先輩だ！なぜかみんな僕を倒そうとするんです！たすけて〜
ゴゴゴゴ
ゴゴ
貴様らアンチアートドラゴンの仲間だったのか！ゆるさん！
トラもろとも討伐してくれる…頼んだぞ！ジョン・ケージ！
…エリンギ
ブオン…
領域展開
四・三・三
え！続くのこれ？
後半につづく

トラちゃんコメンタリー!
マンガに出てきた用語解説
ヒマなときよんでね~!

異世界転生

ライトノベルのジャンルのひとつで、現実世界の人間が事故や病気で死んでしまい、前世の記憶を持ったまま異世界で生まれ変わって大活躍するタイプの物語です。近いジャンルに現実世界の人間がそのまま異世界に引き込まれる**異世界転移**があります。漫画内で紹介したフルクサスのメンバーは2023年時点でオノ・ヨーコ以外亡くなっているので、彼らは「転生」となり、トラちゃんたちは生きたまま異世界に来たので「転移」ということになります。異世界転移ものの歴史は古く、例えば**ルイス・キャロル**の『**不思議の国のアリス**』(1865)や**C・S・ルイス**の『**ナルニア国物語**』(1950)、**ミヒャエル・エンデ**の『**はてしない物語**』(1979)は明確に、現実とは異なるファンタジー世界に転移する物語です。日本では**高千穂遙**の小説『**異世界の勇士**』(1979)や**富野由悠季**のアニメ『**聖戦士ダンバイン**』(1983)が先駆けになり、1990年前後からは『**魔神英雄伝ワタル**』(1988)、『**十二国記**』(1992)、『**魔法騎士レイアース**』(1993)などアニメ、小説、漫画の分野でも継続的にヒット作が生まれています。2000年代中盤に「**小説家になろう**」をはじめとする小説投稿サイトが生まれ、2010年頃からは小説投稿サイトで発表された『**ナイツ&マジック**』や『**この素晴らしい世界に祝福を!**』、『**無職転生**』といった、現実世界で死んでから異世界に転生する異世界転生ものの代表作が生まれます。転移ものも転生ものも、現実世界の記憶や転生時に授けられた能力を利用して、現実では平凡だった主人公が異世界では英雄になる物語が多いですが、エンデの『はてしない物語』が1979年の時点で、その手の物語の危険性を予言していることも見逃せません。

冒険者ギルド

最近では主にゲームで使われる用語で、ゲーム内の冒険者が集う施設のことを言い、冒険者の登録やパーティの編成などができます。トラちゃんたちが転移したのはどうやらテレビゲームの『**モンスターハンター**』に近い世界のようです。ギルドでネコが注文を取っているのも、ネコがコックとして活躍するモンハンシリーズのようですね。

フルクサス

1961年に**ジョージ・マチューナス**が命名した表現運動で、漫画で紹介した以外にも**ジョージ・ブレクト**、**ディック・ヒギンズ**、**靉嘔**《あいおう》など、ニューヨークを本拠地にしながら世界各国に70人近いメンバーがいた国際的なアーティストネットワークです。「Fluxus」とは「流れ」「絶え間ない変化」「排泄物の放出」の意味を持つラテン語由来の言葉で、英語にも「flux」として残っています。**ハプニング**のような**パフォーマンス・アート**から展示や印刷物など様々な活動を展開し、アートの高尚さや、アーティストの創造性の特権を揺さぶりました。マチューナスが亡くなったことで大規模な活動は停止しました。

ジョージ・マチューナス

1931年リトアニア生まれのキュレーター、グラフィックデザイナーで、フルクサスのリーダーとして、絵画や彫刻の制作ではなく、芸術運動のオーガナイズや活動そのものをもってアートと認知されたアーティストです。第二次世界大戦でリトアニアがドイツ・ソ連それぞれに占領されたことがきっかけで1944年にドイツに脱出し、1948年からはアメリカで暮らしはじめます。大学で建築や音楽、美術史を学んだ後、1961年にニューヨークにギャラリーを開業し、**ジョン・ケージ**をはじめとする前衛的なアーティストと交流します。自身の生活費は建築やグラフィックデザインの仕事で稼ぎつつ、1962年には仕事のために滞在していたドイツで「フルクサス国際現代音楽祭」を開き、1963年にはマニフェストを発表するなど、フルクサスとして活発に活動します。またニューヨークSOHO地区の空き物件をアーティストのための住居兼スタジオにリノベーションして**コーポラティブハウス**にしたことも、後々まで続くアーティストのコミューンにとって重要な仕事であったと言えます。不動産のトラブルで暴行を受けてからは健康状態が悪化し、1978年にガンで亡くなりましたが、その3ヶ月前に行った自身の結婚式も、指輪の代わりに衣装を交換するようなアートパフォーマンスにするなど、最期までフルクサスの運動に邁進しました。

フルクサス創始者
マジメそうな青年だ…
ジョージ・マチューナス

ナム・ジュン・パイク

第13話のきゅうり画廊でも紹介し、「ヴィデオ・アートの父」とも呼ばれるナム・ジュン・パイクはフルクサスのメンバーでもありました。1932年にソウルに生まれ、1949年に朝鮮戦争から逃れて香港、翌年に日本へ移住し、1956年に東京大学文学部美学・美術史学科を卒業します。1957年から西ドイツで音楽を学びましたが、その時期に**ジョン・ケージ**や**ヨーゼフ・ボイス**と出会ったことがきっかけでフルクサスに参加し、1960年代以降は映像を使ったアート作品を制作するようになります。1964年にニューヨークに移住してからも**《TV仏陀》**のような代表作を生み出し、またヴィデオ・シンセサイザーを開発することで映像作品の制作環境を向上させ、また鑑賞者が作品に干渉できるインタラクティブなアートの制作が可能になりました。1977年にはフルクサスの重要なメンバーのひとりだった**久保田成子**と結婚しています。アートを通じてメディアの持つ可能性を提示し続けた彼は、1993年のヴェネチア・ビエンナーレのドイツ館に出展し、金獅子賞を受賞するなど国際的に評価されています。1996年に脳梗塞で倒れてからは車椅子生活を送り、2006年に亡くなりました。

コレクティブ

アーティストが集まって形成された集団のことを**アーティスト・コレクティブ**と呼びます。2022年のドクメンタ15のアーティスティック・ディレクターをインドネシアのアーティスト・コレクティブ、**ルアンルパ**が務め、現代のアートシーンでコレクティブの存在は欠かせないとも言われています。**フルクサス**や**具体美術協会**は、目指すアートの志向や理念によって形成された集団でしたが、時代、地域においてその集団の形態は多岐にわたっていると言えます。

コレクティブくんでみたいけど友達がいない…!

作品解説コラム連載

おまけページ

きゅうり画廊

ポップな箱

きゅうりのキューブリック

漫画で触れた**ジョージ・マチューナス**が1963〜1964年くらいにニューヨークで**フルクサス**を組織しはじめた頃、今回のイラストの**《ブリロの箱》**を**アンディ・ウォーホル**が初めてニューヨークのステイブル・ギャラリーで発表しました。ブリロの梱包用段ボール箱をモチーフに、白く塗った木材へシルク印刷して全く同じに再現した作品です。大量につくられました。

この原稿を書いていた2022年10月頃、2025年開館予定の鳥取県立美術館が《ブリロの箱》5つを3億円で購入したことに抗議の声が上がっているというニュースがありました。ネットの記事で「鳥取県が3億円で〝洗剤の箱〟購入」と書かれた見出しを見て、まるで美術館がただの洗剤の空箱を高額で買ったみたいな書かれ方でイヤだったので、きゅうり画廊で《ブリロの箱》について書くことにしました。よろしく。

さて、フルクサスはヨーロッパ中心の美術界を変えようとしましたが、それよりもっと前には批評家のクレメント・グリーンバーグが「アバンギャルドとキッチュ」を書いて美術の中心をアメリカにしようと目論みました（第10話ではしょった詳細を書きました）。それはちょうど、第二次大戦がはじまった頃に書かれたので、自分が推し出す前衛的なアメリカの抽象画と、俗悪な戦争に駆り出すためのプロパガンダの美術（敵対のナチスのものなど）を比較して、アバンギャルド（前衛）とキッチュ（後衛）としたのです。アバンギャルドは現実を模倣せず、美術を高みに進めていくのだけど、キッチュは現実やアバンギャルドの模倣でしかないと言うのです。風景画も現実の模倣だし、人々を扇動するための広告やイラストも俗悪でしかないと。

そんな彼が推したのが、**ジャクソン・ポロック**や**マーク・ロスコ**でした。現代でも訳わからんと言われがちな**抽象表現主義**が出てきて、これが俗悪な他の作品とは違う、芸術を推し進めるためのアメリカ型絵画じゃい！と言ったのですね。

ここでキング・オブ・俗悪のアンディ・ウォーホルが出てきます。グリーンバーグが嫌った広告や商品のデザインをそのまま模倣して作品をつくり出しました。

俺たちの風景画ってこれだよね。俺たちが駆け回るのは大自然じゃなくてスーパーマーケットじゃん。みたいな皮肉なんだかマジなんだかわかんないメッセージを突きつけました（多分マジ）。

ウォーホルの作品はアメリカでめちゃくちゃ受け入れられました。だって、自分の地元の風景画とかテンション上がるじゃないですか？ 彼はアメリカ人なら誰でも見たことがある風景画をつくることに成功しました。彼の作品を見てみんなコカ・コーラやキャンベルがある自分の国を誇らしく思うのでした。私たちがオリンピックのプロモーションで、ポケモンやマリオが出てきたときにやっと日本を誇らしく思うのに似ています。

グリーンバーグはポップ・アートを批判しましたが、今や現代美術の世界ではキッチュが主流の表現になりました。時代が進んで、メディアを通してみんなが知ってるイメージを作品に流用し、それまでの美術の唯一性や神格性を否定した美術運動は**シミュレーショニズム**という名前がつきました。

今でも広告や漫画やアニメのキャラクターのイメージを作品に落とし込んだ作品がたくさんあります。それはとても身近に感じられる美術作品ですが、このようにポップ・アートから美術のイメージは変わりました。それまでの美術をよくも悪くもガラッと変えた、TNT爆弾があの《ブリロの箱》なのです。この作品が積んであると火薬庫に見えてきます。

（第34話）

トラちゃん、異世界転生する（後編）

アートの力が全ての異世界に転生してしまったトラちゃんたち。彼らの前に立ちはだかるのは、芸術家集団フルクサス。ラスボスとして現れたヨーゼフ・ボイスを倒すべく、トラちゃんは謎の薬を飲んで立ち上がります。

前回のあらすじ
異世界に転生したらフルクサスと戦うことになりました
トラパパvsジョンケージ
いやー強かったなあジョン・ケージ
まさか4分33秒間聴覚を奪ってくる能力者だとは思いませんでしたね
敵にキノコを寄生させて体力も奪ってくるとは…
クッソー
ジョン・ケージは現代音楽家&キノコ研究家でした。
ジョンケージ
フハハハジョン・ケージを倒してもまだ私たち全員を倒すのは10年早いぞ!
ジョージ・マチューナス
これ異世界で買った飲んだ人の10年後の姿を召喚する薬です!先輩が飲んで奴らに思い知らせましょう
おれが飲んでもおっさんが出てくるだけだよ…
ぼく飲みたい!早く大人になりたい!
よしきた!
トクトク
10年ドリンク
美術家狩りのトラちゃん
さくらパピヨン本田
34
そして出てきた何かあった世界線の10年後のトラちゃん(22歳)
この世の全ての美術家を狩る…
未来のトラちゃんに一体何が!?
美術家の子供が大人になって美術を嫌いになるパターンよくありますからね
俺は美術を許さない…
何かあった世界線のトラちゃん(22歳)
美術家を恨んでいる。ダミアン・ハーストを狩り、ホルマリン漬けにした。愛刀はほぼ鈍器の「ガゴシアンバスター」
りゅうたろう君
こいつが60年代のNYにいなくてよかった
トラちゃんの父さん
ジョージ・マチューナス

俺はヨーゼフ・ボイス…トラちゃんよ俺が最後の相手だ…！
社会彫刻の父も俺の父も狩るのみ…
ガルル
ガルガル
えっ！オレも!?
でコヨーテ達
うわあああ！心にも体にもくるうう！
尖ってて昔の先輩みたいだ
父さん
ボイス
必殺！助成金カット!!!
ザン
というわけで今日はフルクサスにも参加していたドイツの作家ヨーゼフ・ボイスを紹介するよ…痛い…
現代美術をガラっと変えたスター
ヨーゼフ・ボイス（1921－1986）政治活動家。教育家
「私はアメリカが好き。アメリカも私が好き」（1974）
ギャラリーでコヨーテと一週間くらす。コヨーテはアメリカに移住した白人たちが迫害してきたものの象徴
現代美術を大きく変えた一人としてデュシャンやウォーホルと並んで神格化されている作家です
「7000本の樫の木」（1982）
街に7000本木をうえた
彼はパフォーマンスなどで社会を直接良く変えようとする「社会彫刻」という概念を打ち出した彼の考えは現代の作家のスタンダードにもなっている！
社会彫刻
ものを作ることが作品の目的でなく、社会を作り変えることが目的。社会を彫刻する。社会問題環境問題を作品を通して解決しようとした。
学生を集めて社会問題について対話をしたり……
今の対話を軸にしたリレーショナルアートやソーシャリーエンゲイジドアートの祖先。
ヨーゼフボイスは「だれでも芸術家になれる」と言った。
だれでも絵をかけるというイミなどでなくだれでも社会を変えれるというイミ。
脂肪のイス
「カプリバッテリー」
ボイッ
あれ？もとにもどった！何も覚えてないや！
トラちゃん！10年経ったら一緒に美術で世の中変えようぜ！
今では主流な対話形式の作品を広めたスターでした
我々の負けだ…現実世界に帰るといい！
どうやって帰るの？
ヨーゼフボイス!!
バチ
ボイスが大声で時空の扉をこじ開けたよ
ボイスのボイスって魔人ブウと同じ力があるんだ…
お土産にもらったジョン・ケージのキノコで鍋パでーす！
トラちゃんは無理して美術しなくていいからキライにならないでね
フルクサスなべパ
フルクサース!!
フルクサース
?

コトラちゃんコメンタリー
マンガに出てきた用語解説
ヒマなときよんでね！

「TAKE ON ME」

今回の漫画の扉絵は、ノルウェーのポップバンド**a-ha**の1985年のヒット曲「**TAKE ON ME**」のPVをオマージュしたものです。漫画の世界と現実世界がつながってしまう世界観を、実写とアニメの組み合わせで表現した先進的なPVは、映画監督でもある**スティーブ・バロン**の演出によるもので、1986年のMTV Video Music Awardsで新人賞をはじめ複数の賞に輝きました。今回の漫画では異世界転移の話が続いていますが、このPVも一種の異世界（というより異次元）転移と言えるかもしれません

ジョン・ケージ

1912年アメリカ・ロサンゼルス生まれの作曲家です。一切演奏しないことで有名な《**4分33秒**》が1952年の作品であることからもわかるように、**フルクサス**の成立以前から活躍しており、フルクサスにとっては大きな影響を受けた先輩アーティスト的な立ち位置です。20代の頃から金属板や日用品を使った実験的な音楽を作曲しはじめ、1942年には、ピアノの蓋を閉めて、鍵盤以外のいろいろなところを叩いて演奏する楽曲《**18回目の春を迎えた素晴らしい未亡人**》を作曲しています。1945年からの2年ほど、『**禅**』などの著作で知られる仏教学者の**鈴木大拙**《すずきだいせつ》から禅について学んだ時期があります。ちなみに鈴木大拙は、**民藝運動**の提唱者である**柳**《やなぎ》**宗悦**《むねよし》の恩師という面でもアートとの関わりがあります。

1950年代には現代音楽の作曲家として名声を博していたケージは様々な教育機関で作曲を教え、彼から教育を受けたひとりである**アラン・カプロー**は**ハプニング**を生み出したアーティストとして知られています。カプローがハプニングを着想したのは、ケージから学んだ作曲における偶然の重要性を美術に適用した面があります。1960年代には**一柳**《いちやなぎ》**慧**《とし》などの弟子が関わっていたフルクサスの運動にも参加しました。最晩年には、音を出すタイミングを部分的に演奏者に委ねた実験作《**ナンバー・ピース**》を作曲し、1992年に亡くなりました。

超有名音楽家
ジョン・ケージ

ガゴシアン

現代最大のアートディーラーと言われる**ラリー・ガゴシアン**は、1945年に生まれ、1980年にロサンゼルスに最初の近現代アートのギャラリーである**ガゴシアン・ギャラリー**をオープンして以来、現在ではニューヨークを中心に全世界で20店舗近いギャラリーを運営しています。

ピカソや**ウォーホル**のような近現代の巨匠から**ダミアン・ハースト**、**レイチェル・ホワイトリード**や**村上隆**といった存命アーティストの作品まで扱い、美術館に匹敵する規模の展覧会を企画することもあります。プライマリー市場だけでなくセカンダリー市場によっても事業を拡大してきた、現代の美術市場を形づくっているディーラーのひとりです。

未来のトラちゃんが持っている愛

刀の「ガゴシアンバスター」は漫画上の創作です。

ヨーゼフ・ボイス

1921年ドイツ生まれのアーティストで、フルクサスに参加した中で社会に大きな影響を与えたアーティストのひとりです。第二次世界大戦ではドイツ空軍に所属し、戦後はデュッセルドルフ芸術アカデミーで学びつつ、20世紀初頭の神秘主義思想家**ルドルフ・シュタイナー**に著作を通じて傾倒します。シュタイナーの思想は社会彫刻をはじめとした彼の社会と芸術への姿勢に深く影響しており、同じくシュタイナーの影響を公言していたファンタジー作家の**ミヒャエル・エンデ**とも、2人が著名になった後に社会と芸術に関して対談しています。1950年代は内省的な絵画に注力していましたが、1961年にデュッセルドルフ芸術アカデミーの教授になり、この時期から**ナム・ジュン・パイク**をはじめとするフルクサスのメンバーと交流をはじめます。フルクサスの影響もあり**パフォーマンス・アート**をフィールドにするようになり、本物のうさぎの死骸を使う1965年のパフォーマンス**《死んだうさぎに絵を説明する方法》**のような話題作を生み出します。漫画でも紹介した**《私はアメリカが好き。アメリカも私が好き》**（1974）では、ボイスは空港とギャラリーの間を担架に乗って救急車で移動し、パフォーマンス以外ではアメリカの土を踏まないことでアメリカ社会を批判しました。1970年前後からは政治活動や社会運動を展開し、社会彫刻の活動以外にも、学生運動を支援したり、緑の党から出馬したり、反核運動を主導したりしています。1984年には東京藝術大学で大勢の学生・教授と対話集会を行うなど晩年まで活発に活動し、1986年に亡くなりました。

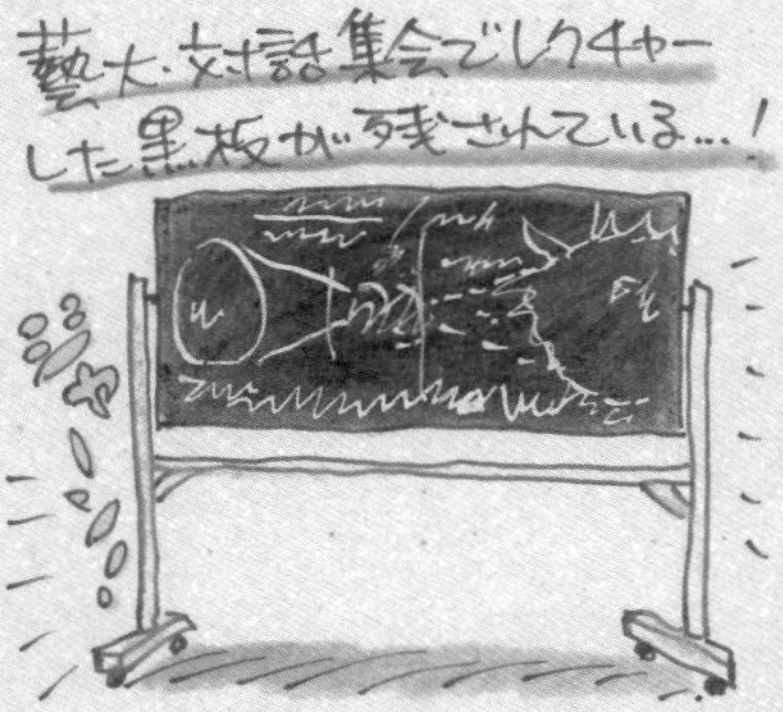
藝大・対話集会でレクチャーした黒板が残されている…！

社会彫刻

「全ての人間は芸術家である」「芸術こそ世界を変える唯一の可能性」という考えに基づいて**ヨーゼフ・ボイス**が提唱した概念です。ボイス自身はルドルフ・シュタイナーが社会有機体三分節論として提唱した「自由な文化、平等な政治、友愛に基づいた経済」を目指していました。代表的な作品としては1972年のドクメンタ5で、訪れた人と選挙制度や原発に関してディスカッションした**《直接民主主義組織のための100日間情報センター》**や、1982年のドクメンタ7ではじまりボイスの没後に5年がかりで完成した**《7000本の樫の木》**があります。この作品は、生を象徴する7000本の樫の木をカッセルの町に植え、死の象徴である玄武岩を一本一本の樫の木の下に置いていくというプロジェクトでした。

樫の木
玄武岩
「7000本の樫の木」
(1982-1987)

ソーシャリー・エンゲイジド・アート

美術館やギャラリーのようなアートワールドの外に広がる社会にアーティストが関与し、対話やコミュニティへの参加といった実践により社会変革を目指す活動のことで、**SEA**とも略されます。第27話で紹介した**リレーショナル・アート**に通じるものがあり、リレーショナル・アートが作品を媒介した関係性の構築に注目していたのに対して、SEAでは社会への介入が主眼に置かれているという重点の違いがあります。

作品解説コラム連載

おまけページ きゅうり画廊

きゅうりのキューブリック

コヨーテ！

ヨーゼフ・ボイスは現代美術史上のスターとして有名で、名前だけは知っていると言う人は多いと思います。けど実際は何をしたのか世間ではあまり知られていない作家でもあります。いつもフェルトの中折れ帽とフィッシングベストのファッションがトレードマークで、なんかもうキャラクターみたいな人でした。日本でウイスキーの広告とかにも出ていました。スターにはキャラクターっぽさは必須ですね。岡本太郎しかり、ピカソしかり。

現代美術をぶっ壊し三銃士を連れてくるとしたら、**デュシャン**と**ウォーホル**と**ボイス**を連れてくるだろうというくらい重要な作家です。彼は社会問題を美術でもって解決しようとしました。それまではみんな美術史の中で革命を起こすことを目指して頑張っていたのですが、彼は美術で直接の社会変革を目指しました。それまでの美術と全然違うことをはじめたのです。

そして漫画でも描いた**社会彫刻（ソーシャル・スカルプチャー）**という概念をぶち上げてくるのです。社会をよりよい方向に彫刻していくのが俺の作品だ、と言い出したわけです。だから演説をしたり、ドイツに5年かけて7000本の樫の木を植樹したりしました。そうやって世の中に直接影響がある作品を多くつくりました。特に環境問題についてどうにかしようとする作品が多いです。人をあっと言わせたいという意味で「俺の美術で世の中変えてやる！」という人はいたかもしれませんが、ホントに政治的な意味で変えようとした人は珍しいかもしれません。実際、ドイツの環境政党の「緑の党」の結党に関わったりしていました。

そしてイラストに描いたのが、彼のアメリカでのパフォーマンス作品《私はアメリカが好き、アメリカも私が好き》です。1週間ギャラリーの中でコヨーテと一緒にほんとに暮らすという作品です。あぶなっかしいです。アメリカ大陸の先住民によって神格化されていたコヨーテとの共存をはかることで、アメリカの先住民に対する侵略を批判した作品でした。当時、**フルクサス**ではこういった**ハプニング**と呼ばれるような、一回きりで同じものの再現が難しいパフォーマンスが多くされていました。

ボイスは対話を作品にしたり、政治活動のような作品をつくったりしていましたが、現代だとそういった作品は普通にありますよね。もう最近の国際芸術展なんかだとポリティカルな作品がほとんどですし、観客と作家がなにか問題について語り合うプログラムが多く組まれています。そういったものの源流が彼なので、いまだに重要な作家として参照され続けています。

けれど、そういった対話形式の作品って日本人はあまり得意ではないのですよね。自分もしゃべるの得意じゃないし怖いし。世の中の問題を直接解決しようという作品よりは普通に絵を見たい人の方が圧倒的に多いでしょうし。

だからデュシャンやウォーホルほど日本では広まらない作家なんだろうなと思いますが、調べると面白いのでぜひ！

（第35話）

サンタのプレゼント工場へバイトに行く！

トラちゃんの世界はもうすぐクリスマス！　トラちゃんのプレゼントに悩むお父さんは安藤先生に連れられ、フィンランドのとあるプレゼント工場にやってきました。なんてロマンチックと思いきや、フタを開けてみるとブラックな労働環境で……。

もうすぐクリスマス！トラちゃんは楽しみにしています！
そろそろクリスマスだ！トラちゃんにプレゼント用意しないとなあ
ヌッ
やあ！サンタのバイト足りないんだけど一緒にやってくれるよね？
おもちゃカタログ
安藤さん公務員なのにバイト!?
自助努力さ
まさか本物のサンタのバイトだとは…
何だと思ってたんだい？
サンタの格好でケーキ売るだけだと…
シャン
シャン
ピカー
シャン
シャン
シャン
まっかなおはなのトナカイ
今からフィンランドまで行くよ
フィンランド!?
SANTA'S PRESENT FACTORY
フィンランドの誰も入れない場所にあるサンタのプレゼント工場
この工場で子どもたちに配るプレゼントを作っているんだ
サンタの工場って実在したんだ！
あたり前だろ
すごいなあ！小人たちがみんなでプレゼントを手作りしてるんだろうなあ
僕たち小人がCADで設計して3Dプリンターで出力してます
夢があるんだかないんだか…
モコモコ
トラちゃんの父さん（冬毛）
あんどうウォールホール
安藤壁穴
サンタ工場の小人たち（寝てない）

ウィーン　ウィーン　ガタンゴトン
安全第一
サンタの工場ってこんな感じなんだなやっぱり動力は魔法だろうなあ
めちゃくちゃ肉体労働だから僕は筋肉をつけるために毎年やってるんだよ！
ピカー！
ガタガタ
ホッホッホッ
ゴロゴロ
動力が漫画で奴隷が回すやつだ…
ゴロゴロ　ゴロゴロ
プレゼント設計室
小人さんたち目がバキバキですけど大丈夫ですか？
1年のうち12月だけ大変であとの11ケ月は遊んで暮らしてるので大丈夫です！
カタカタ
ベーリング海のカニ漁師みたいな働き方してる…
というわけで今回の作家紹介はフィンランド出身のトーベ・ヤンソンにしようか！
フィンランド出身の作家
ムーミンの生みの親
トーベ・ヤンソン（1914－2001）画家、マンガ家、児童文学作家など…なんでもできた！
代表作はみんな知ってるキャラクター「ムーミン」のシリーズだけど元々は画家として有名でした！
自画像（1975）
これは60代…！
自画像多い！
父親は彫刻家の芸術一家。小さいころから画家志望。画家としても有名だった。
戦争に負けてからコソ泥してにげるヒトラー
GARM
←ムーミンの原型の「スノーク」
長く戦争を経験したトーベは15歳から「ガルム」という雑誌に反戦のための風刺画を描き続けた。そこで出てきたキャラクターがムーミンの原型になりました
「ガルム」政治風刺雑誌「ガルム」のイラストを戦中、戦後描きつづけた。ヒトラーやスターリンをこき下ろすイラストでトーベは何回も検閲をくらっていた。イラストの中にムーミンの原型も。
「田舎のパーティ」（1947）
大きい！
依頼の壁画も多く描く。ムーミンが人気になるにつれて画家としてのアイデンティティがゆらぎなやんでいたそう…
かわいいイラストを描くイメージの人だけどかなりアナーキーな人だったんだよね
1作目の「小さなトロールと大きな洪水」は流行しなかった。新聞でのマンガ連載によって大ヒット！
おもしれー
アハハ
愛や平和をテーマにしたり戦争を感じるブラックな話も…
とにかく自由を愛した人だからそれを阻害するものなら政治でも何でも戦った！
ちなみに今からやってもらう仕事に自由はないよ
ええ!?
で、やってもらう仕事なんだけどプレゼントの梱包です。30時間やって1時間休みをクリスマスまで続けます！
労働時間もカニ漁レベルじゃないか!!
でもめっちゃ稼げますよ
シュバババ
GAME
PAPER
でもめっちゃ稼げますよ
りゅうたろう君に助けてもらった父さん
家族で過ごすクリスマスはあったかいなあ…
あったけえよお…
ムシャムシャ
父さんいない間に何があったの？プレゼントもやたら豪華だし…
ほぼカニ漁…
よいクリスマスを！
War is over!

トラちゃんコメンタリー
マンガに出てきた用語解説
ヒマなときよんでねー!

サンタクロース

今回の安藤先生はサンタの格好をしていますが、**アンディ・ウォーホル**も１９８１年にサンタクロースのシルクスクリーンを発表しています。このサンタクロースが収録された《**神話**》シリーズでは、ミッキーマウスやスーパーマン、ドラキュラといったアメリカの大衆文化で人気のあるフィクションの人物を取り上げています。

アンディ・ウォーホル 神話シリーズより「サンタクロース」(1981)

“CADで設計して3Dプリンターで出力”

近年よく耳にするようになった３Dプリンターは、樹脂や粉末金属を材料に、設計図の通りに立体物を形づくる装置です。技術自体は１９８０年代から存在していましたが、２０１０年頃から個人でも十分購入できる金額で、取り扱いも比較的簡単な機種が登場し、利用用途の幅が広がりました。医療や航空のような現場から、模型やアクセサリーのようなホビー、もちろんアートの造形にも使われています。出力する立体物の設計図は、基本的に３Dデータの製図ができるＣＡＤで作成します。ＣＡＤとはComputer Aided Designの略で、直訳すると「コンピュータ支援設計」になり、一般にはコンピュータ上で図面設計を行うためのツールやソフトのことを指します。

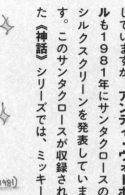

“漫画で奴隷が回すやつ”

よく漫画に「謎の苦役」として登場しますが、同じ形の動力源は歴史的に、船の錨を揚げるウインチや、コロッセオの昇降機、粉挽き臼や油の圧搾機として用いられてきました。絵画作品では、旧約聖書に登場する英雄サムソンが、敵のペリシテ人に捕縛された際に粉を挽かされている場面を描いた19世紀デンマークの画家**カール・ハインリッヒ・ブロッホ**の《**踏み車を引かされるサムソン**》（１８６３）や、20世紀前半に活躍したフランスの**フォービズム**の画家**ジョルジュ・ルオー**による《**石臼をまわすサムソン**》（１８９３）があります。ちなみに、漫画でお父さんは「サンタ工場の動力は魔法だろう」と空想を口にしますが、サンタのプレゼント工場のイメージを広めたディズニーアニメ『**サンタのオモチャ工房**』（１９３２）では、小人たちが工房でリズミカルにつくりあげていったオモチャたちが、魔法をかけられたように動きだし、サンタの袋の中に入っていくというアニメーションになっています。

カールハインリッヒ・ブロッホ「踏み車を引かされるサムソン」(1863)

“ベーリング海のカニ漁師”

アラスカとロシアの間にあるベーリング海で10月と1月に行われるカニ漁は、船員たちが莫大な報酬の代わりに休息もなく働かされ、毎年のように死者が出るという過酷な職場となっています。この模様に密着したドキュメンタリー番組『**ベーリング海の一攫千金**』が、2005年からディスカバリーチャンネルで放送されています。ところが、気候変動の影響による海水温の上昇でズワイガニが激減してしまい、2022〜2023年のシーズンのズワイガニ漁が禁止となってしまいました。カニ漁というと日本では**小林多喜二**の小説『**蟹工船**』を思い出しますが、大正〜昭和期のカニ漁も同様に危険で、『蟹工船』では大して高くもない賃金で、4〜5ヶ月間も陸から離され過酷な労働を課されるという、輪をかけてブラックな環境が描かれています。

トーベ・ヤンソン

1914年生まれのスウェーデン系フィンランド人の画家で、漫画家や小説家としての活動も有名です。彫刻家の父とデザイナーの母の下に生まれ幼い頃から自然とアートに親しみ、14歳でイラストレーターとしてデビューします。政治雑誌『**ガルム**』で風刺画を描くなど若いうちからプロとして活動しながらも、デザインと絵画を学び続け、個展の開催や公共施設の壁画制作など画家としても活躍しています。1945年から『**ムーミン**』シリーズの小説を書きはじめ、1954年には漫画版の連載がはじまりますがあまりの多忙に消耗し、1959年からは共同制作者だった弟に漫画版の連載を任せ、自身は画家としての活動と小説版ムーミンの執筆に集中するようになります。1966年には国際的な児童文学賞である国際アンデルセン賞を作家として受賞します（1953年に設立された国際アンデルセン賞は日本人も何人か受賞しており、第31話の解説で触れた**まど・みちお**が1994年に作家として、装丁家としても知られる**安野光雅**が1984年に画家として受賞しています）。2020年には『ムーミン』シリーズに打ち込んでいた時期の彼女を描いた伝記映画『**トーベ**』が公開されています。ムーミンの舞台作品やアニメ作品にも精力的に関わり、晩年まで創作活動を続け2001年に亡くなりました。

『ムーミン』

トーベ・ヤンソン作の小説と漫画のシリーズで、「ムーミン」とは主人公の名前であり種族名でもあるムーミントロールの略称です。トーベが子供の頃には後にムーミンの原形となる（そして後にムーミンのガールフレンドの種族名になる）スノークという名前のキャラクターを落書きしており、20歳の時には《**黒いムーミントロール**》（1934）と呼ばれる水彩画を描くなど、小説になる前からトーベの中にムーミンのキャラクターがありました。1945年にフィンランドで第1作『**小さなトロールと大きな洪水**』が発行され、1948年の第3作『**たのしいムーミン一家**』が1950年に英訳されたことがきっかけで1954年から英『**イヴニング・ニューズ**』紙で漫画版が連載になり、世界的な人気作品になりました。母国フィンランドだけでなくドイツやポーランドで人形劇やアニメが制作され、日本でも1969〜1972年のテレビアニメ『ムーミン』が人気を博し、1990年にもテレビアニメ『**楽しいムーミン一家**』が放映されています。1969年版のアニメでは女優の**岸田今日子**（1930〜2006）がムーミントロールの声を担当しています。話が少し変わりますが、岸田今日子はアンディ・ウォーホルの1964年の映像作品《**スクリーン・テスト**》にも登場しており、ウォーホルのスタジオを訪れる岸田が映し出されています。

「黒いムーミントロール」（1934）

作品解説コラム連載

おまけページ きゅうり画廊

とっても大好き!

きゅうりのキューブリック

今回の漫画がトーベ・ヤンソンだったのできゅうり画廊でも少し書いてみようと思います。

トーベのムーミンの小説も好きなのですが、漫画版が可愛くて好きなのです。それで今回のイラストなんですが、ムーミン漫画シリーズの『**とってもムーミン**』(1969年・講談社)の表紙をモチーフにしています。ムーミンの目や背景がビビッドなピンクでドキッとするくらい目を引く表紙です。その色をトラちゃんで当てはめてみたら父さんが毒に侵されているみたいな絵になってしまいました。ごめんね父さん。

小説版の『**ムーミン谷の彗星**』という話があってそれが映画にもなっているのですが、そのアニメが初めて見たムーミンだった気がします。ムーミン谷に彗星が落ちてくるかもしれないと知ってみんなが不安に駆られて天文学者に話を聞きに行ったり、避難したりします。衝突の日にみんなで洞窟に避難するけど、彗星は近くをかすって通り過ぎて行き、ただただ運よく助かる、というお話です。ムーミンシリーズ特有の深刻な話の中でも飄々《ひょうひょう》としているキャラクターと、ずっと不穏な話をいまだに覚えています。彗星が衝突したら死ぬけど、天文台で研究をやめられない天文学者たちが好きでした。

ちょっと前にNetflixで『**ドント・ルック・アップ**』を見ていたとき、話は全然違うけどムーミンを思い出していました。トーベが長い間戦争を体験していたのもあって、このムーミン谷の彗星は戦争の影みたいな不穏さがテーマになっているそうです。

確かに自分も今まで生きてきて、いくつかの不穏さを体験してきましたけど、まだのほほんと生きていれるのは運が良かっただけな気がしますね。みんなの力で彗星を何とかするのでなくて、運よく助かっただけというのがトーベ独特のメッセージだなと思います。

『**アルマゲドン**』だとお父さんが命を張って隕石もろとも一緒に爆発してくれて、最後はエアロスミスが歌ってくれるし、『**君の名は。**』だとなかったことになってラッドが歌って、『ドント・ルック・アップ』だと足を引っ張り合った末、地球は滅び、『**かいけつゾロリ**』だとおならで軌道を変えます。あじゃぱー!

隕石や彗星が落ちてくるお話というのは結構世の中にありますけど、それをどういう風に書くかでその作家の世界の捉え方がわかりますね。そういえば、彼女の伝記映画の『**トーベ**』も見ました。彼女のこれまでの恋愛がテーマの作品でした。これも結構面白かったです。

トーベは副業の漫画で大成功してしまった美術作家です。日本でも漫画を描いている美術作家は多いです。

いつかでいいのでムーミンみたいな本をつくりたいです。児童小説書きたいです。ムーミンかゾロリを書きたいです。

トーベ・ヤンソンと
ムーミンについて
とってもムーミンの表紙の色!
この色なにて、コワイ…

（第36話）

月のうさぎと友だちになる！

お正月モードのトラちゃん一家のもとに、月から美術の勉強にきたという「ウサ瀬川ピョン平」がやってきました。宇宙も関係してくる、前衛美術家の赤瀬川原平がつくったユーモアたっぷりの作品を紹介します。

あけましておめでとうございます！2023年もトラちゃんをよろしくお願いします！
2023
あけましておめでとう！お年玉をあげよう！
ジャーン
わ〜い！
やった〜！
知らないうさぎが紛れこんでる⁉
あの〜失礼ですけどどちら様ですか？
ぼくは月から美術の勉強にきましたウサ瀬川《せがわ》ピョン平《ぺい》といいます！
赤瀬川原平みたいだ…
いくら卯年とはいえ月のうさぎなんて信じないぞ！
美術のトラちゃん
トラちゃんの家の庭
本当に月人《つきんちゅ》だった！
もくもくもく
このお年玉をいっぱい印刷したら修理費にできますかね？
地球でそれやると捕まるんですよ…
例えば誰が捕まったんだピョン？
赤瀬川原平とか…
ウサ瀬川《せがわ》ピョン平《ぺい》
ドドーン
トラちゃんの父さん
トラちゃん

あっ！飛行中にこいつとぶつかって墜落したんだピョン
あっ！センパイ！間に合った！

伊勢から急いで新鮮な伊勢海老持ってきました！

ビチビチビチ！

こっちに興味持ってよバカ！

エビだ～

昨日うさぎみたいな作品を誘拐したけどこれを売ってもたいした額にはならないだろうし…

うさぎの作品だ～

もらっとこ！

ジェフ・クーンズ「ラビット」9107万ドル（約120億円）

ジャーン
多分それで直せるよ
UFOにジェフ・クーンズの作品とられる！

罪が赤瀬川どころじゃない！

というわけで新年1回目の作家紹介はおめでたく日本の伝説作家の赤瀬川原平です！

日本のトリックスター＆ポップスター
日本のデュシャン
赤瀬川原平（1937－2014）美術家、文筆家、マンガや写真も…

60年代からの日本の前衛美術を引っ張った作家です。ユーモアたっぷりにものの見方を揺るがす作品を作った
「復讐の形態学（殺す前に相手をよく見る）」

千円札を拡大して緻密に描いた。ここからお金をモチーフにした作品を多く作った。

でかい！

お金をモチーフにした作品をよく作っていたけど千円札を白黒片面印刷した作品は裁判になり懲役3ヶ月をくらう…。それと彼の書いた小説は芥川賞をとった！

「千円札裁判」

証拠品は作品ばかり
千円札を白黒片面コピーした作品が「通貨及証券模造取締法」で起訴される。裁判で自分の作品が芸術とみとめられたら無罪になるのでは？と法廷で大展覧会をひらく。判決は、「芸術作品だけれども、犯罪でもある。」

「超芸術トマソン」

行き先のない階段とか…

街にある無用なものを当時の読売巨人軍にいたトマソン選手になぞらえて、そう呼んで記録していた。

尖った作品を作るとは思えないくらい柔らかな人と月で聞きました
彼は自分の作品をどうして作ったかエッセイに大体書いてるんだけど、それが超面白くて笑える！

千円札裁判後あたりからは前衛美術から遠のき文筆に専念。

サラサラ
「父が消えた」で芥川賞！他にもヒットをうつ。

彼の作品の「宇宙の罐詰」はちょっとしたアイデアで世界を全て手に入れるすごい作品です！

「宇宙の罐詰」

パタン
食べた缶詰のラベルを中にはってフタをすると中と外が逆転してこの世界が全て缶の中に入る。

面白そう！ぼくも作ってみたい！フタするよ～！

キラキラ～

缶詰に宇宙のパワーをかけるピョン
パタン
本当に閉じ込めちゃった…

宇宙人のパワーこえ～

今年もよろしくおねがいします！

コトラちゃんコメンタリー
マンガに出てきた用語解説
ヒマなときよんでね!

ジェフ・クーンズ《ラビット》

第18話でも紹介したアメリカ出身のアーティスト、ジェフ・クーンズの作品で、ウサギ型の風船人形を模したステンレス製の作品になっています。クーンズはバルーンをモチーフにした彫像を多く手掛けていて、この作品もそのシリーズのひとつです。クーンズは安価なモチーフをよく作品に使いますが、アート市場の取り引きではとても高価に扱われます。彼は、高額な取り引きが行われる場に人形などの安価なモチーフを発表してきました。彼による高級と低俗、この相反するテーマは、見る人に何が作品の価値なのか問うているのです。このバルーン型の彫刻にまつわる話では、2023年の2月にアメリカのマイアミで開催されたアートフェアにて、彼の**《バルーン・ドッグ》**が参加者によって誤って破壊されてしまいました。作品が台座から落ちて粉々になった後、その破片を何人かのコレクターが購入しようとしたと言われています。この作品は当時約566万円の値段がついていましたが、保険がかけられていたため、誤って倒したコレクターは代金を支払わずに済んだようです。

「ラビット」
(1986)

赤瀬川原平

1937年の神奈川県に生まれた作家です。赤瀬川が作家活動をはじめた戦後の日本では、前衛グループが乱立しており、美術評論家・**千葉成夫**の**『現代美術逸脱史』**に詳しく書かれています。1960年に赤瀬川は、読売アンデパンダン展に出品していた**吉村益信**、**篠原有司男**、**荒川修作**らとともに、**ネオ・ダダイズム・オルガナイザーズ**を結成します。新宿にある吉村の自邸**「ホワイトハウス」**で3回展覧会を開き、後に解散します。1963年、**中西夏之**、**高松次郎**とともに、第2話で紹介したハイレッド・センターを結成し、銀座の路上を白衣で清掃する**《首都圏清掃整理促進運動》**は**「直接行動」**と銘打たれ、一貫して社会に介入しようとしました。

赤瀬川は、1970年以降、漫画や小説の活動に転身します。1971年には**『櫻画報』**と呼ばれる偽新聞を雑誌に掲載しました。漫画家、**つげ義春**の画風を真似た漫画を描くなど、身の回りのモチーフを引用する活動は、後にパロディと呼ばれます。このパロディについては、キュレーターの**成相肇**《なりあいはじめ》によって企画された、2017年の東京ステーションギャラリーで開催の「パロディ、二重の声 日本の一九七〇年代前後左右」展にて紹介されました。2023年6月に刊行された成相による著作**『芸術のわるさ コピー、パロディ、キッチュ、悪』**にもパロディについて詳しく書かれています。

赤瀬川は亡くなる直前まで活動を続け2014年に亡くなりました。

《復讐の形態学(殺す前に相手をよく見る)》

旧千円札が拡大され緻密に描かれている赤瀬川の作品です。千円札をルーペで観察しながら数カ月かけて克明に模写したと言われています。この作品はハイレッド・センターが最初に行ったグループ展「第五次ミキサー計画」展（１９６３）に出品されました。

この展覧会では、高松次郎が紐、中西夏之が洗濯バサミといった日用品を作品に用いました。１９６３年に美術評論家・**中原祐介**によって企画されたグループ展「不在の部屋」でも赤瀬川は日用品を梱包した作品を展示します。他に、高松の影をモチーフにした作品や**清水晃**による鳥の死骸をベッドに設置した作品などが展示されました。この企画は、前衛の熱気とは異なり、冷徹なキュレーションによって構成された展示でした。中原祐介は赤瀬川の**千円札裁判**の際に特別弁護人として参加した人物でもあります。

超芸術トマソン

「不動産に付着していて、美しく保存されている無用の長物」のことを指し、上がった先になにもない階段や、コンクリートでふさがれて出入りのできない門などがこれらにあたります。赤瀬川は街にある用途のない物の存在が芸術ではないかと考え、これらを超芸術トマソンと名づけた後、これらを収集し分類する活動をはじめました。「トマソン」というのは、元読売ジャイアンツ選手のゲーリー・トマソンのことで、メジャーリーグから引き抜かれた高額の助っ人四番打者であったにもかかわらず、毎度空振り続きで役に立たなかった「無用の長物」であったことから、それを皮肉って彼の名前が用いられました。赤瀬川は、現在も神保町に残る**美学校**で講師をしていた「考現学教室」の生徒とともに探査活動を行い、

赤瀬川の採集した物件写真とともに、当時自身が連載を持っていた白夜書房の雑誌**『写真時代』**で発表・解説を行いました。
ちなみに**考現学**とは、大正期の建築学者である**今和次郎**によって提唱され、現代の社会現象を調査・研究し、世相や風俗を分析する学問のことを言います。考現学という言葉は考古学をもじって名づけられた造語です。

『父が消えた』

赤瀬川のペンネームである**尾辻克彦**名義の小説です。尾辻という名は文学を執筆する際によく用いられました。１９６４年に行われた千円札裁判以降、赤瀬川は批評を執筆する機会が増え、裁判について反論する**「〝資本主義リアリズム〟論」**（１９６４）からはじまり、最初の小説**「レンズの下の聖徳太子」**を発表します。そこから尾辻というペンネームで**「肌ざわり」**（１９７９）を執筆し、中央公論新人賞を受賞します。この作品は芥川賞の候補作となるも落選してしまいますが、１９８０年に発表した短編**「父が消えた」**で芥川賞を受賞します。赤瀬川は自身の小説について、「小説に活性をもたらすのは、言葉のリズムであり、そういう点では自分の小説は音楽的である」と話しています。

《宇宙の罐詰《かんづめ》》

缶詰の表面に貼られていたカニのラベルが、缶詰の内側に貼られることによって、内側と外側が逆になり、私たちのいる宇宙全てが缶詰の中に閉じ込められてしまうといったコンセプトの作品となっています。この作品の話は赤瀬川の**『東京ミキサー計画 ハイレッド・センター直接行動の記録』**にも書かれており、赤瀬川自身がカニ缶を買ってきて中身のカニを食べ、缶をきれいに洗ってラベルを内側に貼り直し、ハンダづけで密封するという様子が語られています。この作品はハイレッド・センターによるイベント**《シェルタープラン》**（１９６４）で発表されました。

作品解説コラム連載

おまけページ きゅうり画廊

アンパンの熱狂

きゅうりのキューブリック

なぜか**赤瀬川原平**がおめでたいお正月に合うイメージがしたのは、やっぱりお金にまつわる作品をたくさんつくっていたからでしょうか。《**宇宙の罐詰**》もカニ缶なので、ちょっとめでたい感じがしますね。

そんな赤瀬川原平は日本の美術史をぐるりと見渡してもこれ以上面白い人はなかなかいないのではないかってくらい面白いです。１９３７年生まれでムサビを中退して、作家活動をはじめるのですが、まず目指したのが**読売アンデパンダン**という展示です。そのアンデパンダンの第15回に出したのが今回のイラストの《**復讐の形態学（殺す前に相手をよく見る）**》でした。当時の千円札を拡大して緻密に描いた作品なのですが、この作品のインパクトたるや凄まじく、今でもたまにパロディされているような作品です。

読売アンデパンダンは、この赤瀬川原平がその作品を出した第15回で終わってしまった展覧会なのですが、この展覧会自体も伝説になっています。

そもそもアンデパンダン展というのは無審査で誰でも平等に美術館に作品を出すことができるという展覧会の形式です。当時は今と違って、コンペは少ないし倍率も高いしで、展示ができる機会は少なかったものですから、アンデパンダンはとてもいい展示の機会でした。日曜画家もプロの作家も平等に展示されました。東京都美術館で開催され、最初の方は平和な展覧会だったのですが、それまでの芸術をぶっ壊そうと試みる若い前衛芸術家が、いかにやばい作品を出せるか競う場になっていきました。

作品形式も自由だったので当時では珍しいインスタレーションを出したり、**ティラバーニャ**を先取りしたかのような飯を食ったりする作品があったとか。しまいには、ほぼゴミみたいな作品を出したり、本当のゴミを出したり、小便をかけたゴミも出品されました。

アメリカのアンデパンダン展で、**デュシャン**はただの便器に《**泉**》というタイトルをつけて出して、散々破廉恥だとか下品だとか言われたらしいのですが、日本のアンデパンダンと比べるとかなり上品に思えてきますね。

どんどんいたちごっこで読売アンデパンダンは作品規制が厳しくなり、作家はそれを潜り抜けて変な作品を一年に一度のアンデパンダンのためにつくりました。日本の前衛美術について語られると何かと名前が出てくる展覧会です。赤瀬川原平は《復讐の形態学》をアンデパンダンに出すために徹夜を続けて倒れかけたとか。『**反芸術アンパン**』という彼が書いた本にアンデパンダンの狂熱が記録されているのでぜひ読んでみてください。かなり面白いです。さっき『反芸術アンパン』を調べてみたらちょっとプレミアがついていました。お年玉で買ってください。

（第37話）

埋蔵金を掘り当てる！

たびたび話題にあがる徳川埋蔵金。様々な人が発掘にチャレンジしていますが、じつはトラちゃんのお父さんも経験がある様子。しかもちゃっかり見つけ出していたようですが、はたしてその使い道とは？

徳川埋蔵金ってどこにあるんだろうね！
どんなに探しても見つかりません!!
特番！徳川埋蔵金をさがす！
そういや昔群馬の赤城山で見つけたよな～
なつかしいっスね～
見つけたの!?
若い頃の父さんとりゅうたろう君in赤城山
制作費も生活費もないから埋蔵金を探そう
糸井重里が掘り尽くした後だからありますかね…
小判の一枚でもあればパンが買える…
さくっ!!
その時間バイトすればいいのに…
昔、TBSにて赤城山で糸井重里が埋蔵金を探す企画があったのだ！
パワーショベルや占い師の力まで使った！
ガシャン
ガシャン
あるとしかいえない
糸井重里が掘った後を少し掘ったら出てきた！
一緒にアトリエ建てましょう！
クリストとジャンヌ＝クロードみたいな！
ピカーー
チャオーバン
コバーン
ざっくざっく
糸井重里あと少しだったんだ…！
あきらめない大切さを学びました
よく見る啓蒙イラストみたいでしたね
うおー
あきらめよう…

これでお腹いっぱいの状態でバイトせずに絵が描けるぞ！
わーい
バンザーイ
ででどん
私は埋蔵金の守り主。徳川・ガーディアン・家康…
許可なき者に埋蔵金はやらぬ
徳川・ガーディアン・家康⁉
許可なき者は大岩をくらえ！
ゴロゴロゴロ
オイッチニ
オイッチニ
チャリ
チャリ
わめん
糸井重里もこれで追い払ったのだ！
重里生きててよかった
生きろ…
←重里
「許可をとるのが作品で一番大変な仕事」と言った芸術家夫婦のクリスト&ジャンヌ＝クロードを紹介！
美術の枠を超えるスケール
クリスト(1935-2020)&ジャンヌ＝クロード(1935-2009)
島や建物を布で包む作品が有名であまりに規模が大きいのでお金集めや許可の申請が超大変！
スタコラサー
「包まれた凱旋門」(1961-2021)
パリの凱旋門を丸々布でつつむ。アイデアは1961年で実現したのはクリスト死後。
大規模な作品にかかるお金は援助を受けずに自分で他の作品を売ったお金で賄っているから口出しされずにやりたいようにできた
「囲まれた島々」(1980-1983)
フロリダ州マイアミの11の島のまわりをピンクの布でつつむ。許可を得るために小作品で得たお金を島の環境保護に寄付もした。
スゲーつかれた
包んじゃうおじさんとおばさんだ
つつむでー
島や建物を管理している国や行政は彼らの芸術に理解が少なくて許可申請が大変だった
大規模すぎる作品
オーストラリアの海岸線を布でつつむ
「包まれた海岸線」(1969)
元々はイスや日用品をつつむ作品を作っていたがエスカレートしていった。
その発想いいね！
パリのポンヌフの橋を全部布でつつむ！わたれるよ！
「包まれたポンヌフ」(1975-1985)
日本だと、赤瀬川原平が身のまわりのものをつつむ作品をつくっていた。最終的に「宇宙の罐詰」で世界を全てつつむ。
家康！生き物を殺すのはよくない
許可くらいあげなよ！
ぜーぜーぜー
綱吉がそう言うなら…私が認める作品を作るためなら埋蔵金を分けてやろう
徳川・ガーディアン・綱吉
芸術に理解があるなあ…
と言うわけで赤城山を包みました
『包まれた赤城山』
意外とお金かかったなあ
スゲー
埋蔵金使い切っちゃった
だからもう見つからないのか

トラちゃんコメンタリー
マンガに出てきた用語解説
ヒマなときよんでね!

徳川埋蔵金

1867年の大政奉還に際し、徳川幕府が再興のために密かに埋蔵したとされる軍資金です。1990年のテレビ番組『**ギミア・ぶれいく**』で、コピーライターの**糸井重里**を中心に埋蔵金を探すプロジェクトが人気を博しました。結成されたチームは群馬県前橋市にある赤城山に白羽の矢を立て、埋蔵金を探しました。

赤城山はこれまで数々の画家によって描かれています。**横堀角次郎**もその一人で、明治から昭和にかけて画家として活動しました。**岸田劉生**と出会い細密画を得意としました。そして郷土の前橋も描きます。ちなみに糸井の出身地も前橋市です。昨今の前橋市では、アートホテルやギャラリー、美術館が建設され、アートの街として賑わっています。

糸井重里

1948年前橋市出身のコピーライターです。漫画に出てくる「生きろ」という言葉は、**宮崎駿**監督のジブリ映画『**もののけ姫**』のキャッチコピーとして、糸井が生み出した言葉です。当時、映画プロデューサーの**鈴木敏夫**は、映画が完成する前に糸井に仕事を依頼し、手紙のやり取りでコピーを完成させたと言われています。初めは「惚れたぞ。」などラブストーリー調で、その後4回程手紙のやり取りが行われました。糸井は当初、どんな人物がこの映画を鑑賞するのかイメージできなかったと言います。最終的にコピー着手から4ヶ月後、50案の中から「**生きろ。**」のコピーが選ばれました。

クリスト&ジャンヌ=クロード

1935年のブルガリア生まれのクリストと、同年のモロッコに生まれまたジャンヌ=クロードの夫婦によるアーティストユニットです。当初はドラム缶を使った作品や馬のおもちゃを梱包した作品などが見られました。そして1960年、美術評論家の**ピエール・レスタニー**が提唱した「現実への新しいアプローチ」である**ヌーヴォー・レアリスム**に参画します。しかし運動の中心人物であった**イヴ・クライン**が1962年に急死し、1970年のグループ展を最後にヌーヴォー・レアリスムは解散します。その間、1964年に2人は拠点をアメリカに移し、巨大な建造物や自然などを梱包する大規模なプロジェクトに着手しはじめます。ジャンヌ=クロードは2009年に亡くなり、クリストは2020年に亡くなりました。

包まれたおもちゃの木馬(1963)

ドラム缶みっしり!!
「鉄のカーテン ドラム缶の壁」(1962)

《包まれた凱旋門》

クリスト&ジャンヌ=クロードが2021年、パリのエトワール凱旋門で手がけたプロジェクトです。25000㎡の再生可能な布と3000mのロープによって凱旋門が16日間覆われました。2人は1961年から凱旋門を包むための試行錯誤をしはじめ、60年の構想期間を経てプロジェクトが実施されました。当初このプロジェクトは2020年に行われる予定でしたが、コロナ禍の影響で延期となり、クリストは完成を見ることなく亡くなりました。

《包まれた海岸線》

クリスト&ジャンヌ＝クロードが1969年、オーストラリアのリトルベイで手がけたプロジェクトです。93㎢に及ぶ耐腐食性布は、長さ約2.5㎞、幅46～244mの海岸を10週間覆いました。布とロープによって覆われた海岸は、これまで見えなかった海岸の輪郭を浮かび上がらせました。覆う過程を記録した**マイケル・ブラックウッド**監督によるドキュメンタリー映画も残されています。

《包まれたポン・ヌフ》

クリスト&ジャンヌ＝クロードが1985年、パリで手がけたプロジェクトです。パリのポン・ヌフと呼ばれる全長238mの橋を14日間布で覆いました。1982年、2人は当時のパリ市長であるジャック・シラクにポン・ヌフを覆う案を持ちかけます。当初、市長は拒否しますが、交渉に年月をかけ実現に至ります。1606年に建設された長い歴史を持つポン・ヌフを、300人の協力者が布で包みました。このプロジェクトは、計画図面やコラージュの販売によって2人が費用を負担し、スポンサーの協力を得ず、全てアーティストとその協力者によって行われました。

《囲まれた島々》

マイアミの島々をピンクの生地で覆ったクリスト&ジャンヌ＝クロードによるプロジェクトです。1980年、マイアミのアートフェスに招かれた2人は、島をピンクの布で覆う企画を提案します。それと共に、島に生息する野生生物の調査など地域の環境調査を行い、環境に配慮した浮遊する生地を開発しました。そして、1985年5月から11日間の実施を許可され、ピンクの生地が島の周辺に取りつけられました。

"許可をとるのが作品で一番大変な仕事"

クリスト&ジャンヌ＝クロードの作品は設置するための構想図からはじまり、実現の可能性を探るため、関係各所に許可を取ることが必要でした。2人の作品は規模が大きいため、社会やその地域との関係構築や交渉力が要となるわけです。日本の茨城県と、アメリカの一部地域を巨大な傘で覆う**《アンブレラ 日本＝アメリカ合衆国 1984-91》**（1991）が実施されました。支柱の長さが6m、1340本もの巨大な傘を、私有地と私有地を横断しながら設置するため、交渉に時間がかかりました。また、田んぼに傘を刺すために、稲刈り後の秋に実施する必要もありました。このように自然環境やその地域への配慮が欠かせない作品だったのです。

ランド・アート

1960年代半ばから広がった自然を用いるプロジェクト型の作品のことを指します。**アース・ワーク**、**アース・アート**とも呼ばれ、アトリエ外の環境を用いた作品が制作されていきました。代表的な作品としては、**ロバート・スミッソン**の**《スパイラル・ジェッティ》**（1970）です。彼はユタ州のグレート・ソルト・レイクに巨大な螺旋模様を石を使って制作しました。

作品解説コラム連載

おまけページ きゅうり画廊

ぜんぶ包んじゃえ

きゅうりのキューブリック

今回は**クリスト&ジャンヌ=クロード**の作品を取り上げます。今回のイラストは２０２１年に実現した《包まれた凱旋門》ですが、これは彼らが１９６１年に「凱旋門をなんとか包めねえかなあ」と構想してから60年の時を経てようやく実現したプロジェクトなのでした。ジャンヌ=クロードは２００９年に亡くなってしまったので彼女の遺志を継いでクリストが準備し、本当は２０２０年に完成する予定だったのが、コロナの影響で２０２１年に延期されたそう。クリストは２０２０年に亡くなってしまったので、完成を見ることはできなかったのですが、パリの市民は完成を見てすごく喜んだそうです。さすが芸術の都パリ！ 理解がありますね。１９８５年にパリのポン・ヌフの橋を全部包んだこともあるので、包まれ慣れてるのでしょう。

めちゃくちゃでかい建造物を見ても、見慣れてるせいで、その大きさを意識することはありませんが、布で包まれてしまうと急にそれがものすごく巨大な彫刻に見えてしまいます。それまでは全然意識してこなかった身の回りの環境と、人間との関係を意識させてくれるわけです。布で包まれ終わった後も、包まれた状態を見た人はそのときの感覚が尾を引いて身の回りの見方が変わるのです。自然環境を使った作品のことを**ランド・アート**と呼んだりするのですが、クリストとジャンヌ=クロードの作品は人工物も素材にしているので、総合して**環境アート**と呼ばれたりします。

とにかく規模が大きいので社会を巻き込む必要があり、そうなると作品をつくる以外の交渉力や人脈が必要になるわけです。世界的に有名な作家の彼らですけど、多分ビジネスマンになっていたら、それはそれで大成功していた気がします。

そして、環境アートと呼ばれる２人の作品は、ものをなんでも包むので**梱包芸術**という呼ばれ方もしていました。

クリスト&ジャンヌ=クロードと同時代の日本の作家には、大天才・**赤瀬川原平**がいるのですが、彼も若い頃は梱包芸術をやっていました。従来の芸術を否定するために、キャンバスを紙で包んで展示するなど、とにかく日用品を包みまくっていたのです。

クリスト夫妻の作品はどんどん発展して山や海岸、建物を包みだします。社会を巻き込んで芸術への無理解を乗り越え、美術に興味がなかった人までも巻き込んで感動をいろんな人と共有しました。

赤瀬川原平は印刷したお札でものを包み出したので警察に捕まり、社会に怒られました。裁判官は芸術に無理解ですが、理解してもらえたら罪が軽くなるだろうと裁判所に証拠品としてたくさんの美術作品を持ち込み説得を試みました。裁判長は感動しましたが「有罪は有罪なんで」と罪には問われたのでした。ざんねん！

でも次が大事で、赤瀬川はこれ以上ものを包んでも、よりでかいものを包みたくなるだけだからと言って《宇宙の罐詰》という作品をつくりました。缶詰を食べた後にラベルを内側に張り替えて蓋をすると、外に接していた部分全てが缶の中に閉じ込められることになるので「この宇宙全てを梱包した」という作品なのです。発想がすごすぎて引きますね。

クリスト夫妻と赤瀬川原平は作品の目的が違うので、どっちがいいと言うつもりはないです。好みの問題でしょうね。人の想像力をかき立てる赤瀬川と、現物の圧倒的な説得力で美術に興味がない人とも感動を共有できるクリスト&ジャンヌ=クロードの作品。みなさんはどっちが好みでしょうか？

BIJYUTSU NO TORACHAN 38
ムキッ!

（第38話）

石膏デッサンはデザインに役立つの？

世間は受験シーズン。お父さんの画塾でも受験生が追い込みで頑張っています。そんな中、デザイン科志望のハラヤ君が、石膏デッサンに疑問を抱いている様子。そこに未来から来たというデザイナーがあらわれます。

美大や藝大の受験生は追い込みのシーズン！トラパパの画塾でも受験生が頑張ってます！
先生…！藝大に入ったら石膏デッサンなんてしなくなるのになんで受験で描くんだよ…
ハラヤ君…よく気がついたね…君には消えてもらう
もっちゃいけない疑問だったの!?
デザイン科志望 ケン・ハラヤ君 (一浪)
未来の僕は大学に入ってデザイナーになれてるのだろうか
バシュー！
未来の君だよ デザイナーやってます
うわああ！裸のおっさんだ！
服はタイムスリップできないんだ
TIME MACHINE
美術のトラちゃん 38
アートディレクターの仕事が忙しくて忘れてた、絵に向き合えてた時代を思い出すために来たんだ
えっ！未来の僕はアートディレクターなの？すごいや！
若手時代
偏差値40でもわかるデザインを作れ！
中堅時代
偏差値2でもわかるデザインを作れ！
大御所時代
偏差値2のデザインを作れ！
それはちょっと……
ちゃんとデザインに向き合いたい
TIME MACHINE
!!スパー!!
未来のデザインの質が心配だ…

画塾の他の人たちはどうなってるの？
ユミさんは人気漫画家にトメ吉くんは俳優になってる
オレはオレは？
TIME MACHINE
お久しぶりです先生…
え……
君がプロデュースする無汁死霊品《むじるしりょうひん》は無印良品よりヒットしてるのだ
中2みたいなネーミングだなあ
中2がメインターゲットの馬鹿みたいなメガ盛りカレーの専門店だよ
ムッシャ
でかくてウメ〜
ムッシャ
ムッシャ
TIME MACHINE
じゃあただのカレー屋じゃん！
というわけで今日はグラフィックデザインのようにメッセージを訴える作品を作るバーバラ・クルーガーを紹介します！
元々はグラフィックデザイナー
バーバラ・クルーガー（1945〜）アメリカのコンセプチュアル作家
モノクロ写真に赤い背景に白い文字で書いた鋭いメッセージでこの世の矛盾を表現しました！
「あなたの体は戦場です」（1989）
Your body is a battle ground
1989年アメリカで中絶禁止法に反対して作られた。
自分の体の自由を勝ちとる戦いだと言った。
「我は買う、ゆえに我あり」（1987）
I shop therefore I am
消費社会を皮肉するような作品を多く作る
「他のヒーローはいらない」小さい男の子が自分の力強さを女の子にみせつける。男らしさのすりこみを皮肉。
1987
他の作品色々
社会の不平等を肯定するような世論や、それを助長させる広告表現に真っ向からNOを突きつける作品を作ったのです！
わかりやすい
アーティストが主張をグラフィックでわかりやすく伝えるのは多国籍の人が住むアメリカ特有かも。
WAR IS OVER IF YOU WANT IT
ゲリラガールズ
オノ・ヨーコ
特にオノ・ヨーコは早くからやった。
Supreme《シュプリーム》のロゴみたいだね！
逆だよ！Supremeのロゴは元々バーバラ・クルーガーの作品をパロディして作られた
↑そんなSupremeが「Supreme Bitch」と書いたTシャツを作ったアパレルを訴えた時の彼女のコメント
ニヤリ…
なんでシュプは私のことは訴えないんだ？
ものすごい皮肉。カッケ〜〜！
大人になると忙しくて自分と向き合う時間がなくなる…
ピシャァァ
だから若い時のたくさんある時間は大切だ…元気でな
あれっ？さっき描いたデッサンが消えてる！
まこと
未来は白紙だと言いたいがためにさっき消した
よーし早く大学に入って筆じゃなくてマックブックでデザインするぞ〜
でもデッサンでよく見ることは全部の基本だからね！
デッサン力をつければパソコンの上達も速いよ
さらり
先生デッサンうまっ！

トラちゃんコメンタリー
マンガに出てきた用語解説
ヒマなときよんでね!

石膏デッサン

美術大学の入学試験は一般大学とは異なり、学科試験の他に実技試験を設けていることがほとんどです。その実技試験の修練のためにデッサンがあり、そのうち石膏デッサンは美大受験を経験した者なら誰もが経験すると言っても過言ではありません。石膏デッサンの教育の意義やその変遷については**荒木慎也**の『**石膏デッサンの100年 石膏像から学ぶ美術教育史**』が詳しく、石膏デッサンをめぐる是非論や苦悩の歴史が書かれています。

太変そー…
形がとれない……

〝ケン・ハラヤ君〟

漫画に登場するケン・ハラヤ君は、日本を代表するデザイナー・**原研哉**のアナグラムになっています。原研哉は1958年岡山県生まれのグラフィックデザイナーで、武蔵野美術大学大学院を修了後、日本デザインセンターに入社します。1998年に開催された長野冬季オリンピックでは、開閉会式のプログラム制作を担当しました。また2002年から無印良品のアドバイザリーボードのメンバーとなり、アートディレクションを務めます。著作『**デザインのデザイン**』(2003)では、ファイン・アートとデザインの違いから、自身のプロダクトが何を伝えたかったのかについて語られ、『**日本のデザイン 美意識がつくる未来**』(2011)では、被災地に向かわない方法で現地に貢献する在り方を唱えています。

漫画に出てくる未来のケン・ハラヤ君はちょっと特殊なタイプのデザイナーのようですが、原研哉は最前線で現在も活躍しながら、様々な視点で日本のデザイン界を牽引する重要な人物です。

「長野冬季五輪開閉会式プログラム」

バーバラ・クルーガー

1945年、アメリカ・ニュージャージ州生まれの作家です。高校卒業後、シラキュース大学に進学しますが、その1年後に父親が亡くなったため退学します。その後パーソンズ美術大学で学業を続け、写真家の**ダイアン・アーバス**に師事します。アーバスは、身体に障害を抱えた人など、主にマイノリティの人々を被写体としていました。クルーガーの眼差しは、アーバスの元で培われていたと言えます。1973年のホイットニー・ビエンナーレでは、編み物などの手工芸品を発表しています。1970年代は、パンクロッカーのパティ・スミスの影響を受け、詩や写真の創作活動へと移っていきました。挑発的な広告のスタイルを引用した作品は、1980年代に入ってから行われていきます。

《あなたの体は戦場です》

クルーガーが1989年に制作し

た作品です。女性がこちらを見つめ、中心に通った垂直線で区切られています。左はポジ、右はネガ写真になっていて、大小の赤い長方形の部分に「Your body is a battleground（あなたの体は戦場です）」と書かれています。この作品がつくられた1989年は、アメリカで中絶禁止法に対するデモが多く行われた年で、身体や生殖の自由を訴えるワシントン女性のデモ行進のためにつくられました。この作品はクルーガーの数ある作品の中でもアイコン的な存在となりました。

《我は買う、故に我あり》

クルーガーの1987年の作品です。「I shop therefore I am」というメッセージ入りの札を持った手が画面を占めています。手のイメージはモノクロで、メッセージのみ赤で示されています。この言葉は、哲学者**ルネ・デカルト**の「**我思う、故に我あり（I think therefore I am）**」の影響を受けていて、「I think（我思う）」が「I shop（我は買う）」に差し替えられています。クルーガーは商品の購入を通してしか自身に向き合えない現代社会を刹那的に表現しています。この手法は**アプロプリエーション**（流用）と言い、過去の言葉や写真を引用して新たな提示をする手法です。彼女が行った提示は、これまでのイメージに新たな価値を与える画期的な手法でした。

《他のヒーローはいらない》

力を示すように右腕を曲げた男の子と、その腕を指差す女の子の作品です。そこに「We don't need another hero（他のヒーローはいらない）」と文字が書かれています。この男の子は、アメリカの国民的なキャラクターである**ロージー・ザ・リベッター**の真似をしています。ロージーは第二次世界大戦期に爆弾や軍事物資を生産した働く女性像を表したものです。働く女性の真似を男の子がしていて、働く男性像とも受け取れますし、その男の子に女の子が指を差し「ヒーローはいらない」と言っているとも読めます。昨今、女性の社会進出は、増加の一途をたどっていますが、いまだに役員や議員といったキャリアは、男性が独占しやすい状況と言えるでしょう。そうした現代の社会構造に疑問を抱かせる作品と言えます。ちなみに今回の漫画の扉絵は、この作品をオマージュしたものになっています。

Supreme

Supremeは、1994年に**ジェームズ・ジェビア**が創業したストリートブランドです。当初はニューヨークのロウワー・マンハッタンにあるラファイエット・ストリートのスケートショップでした。Supremeと言えば、Futuraフォントの白文字に赤背景のボックスロゴが有名ですが、このロゴはクルーガーの影響を直接的に受けていると言われています。クルーガーはこの件を問題にはしませんでした。しかし、2013年にストリートブランドのMarried To The MobがSupremeと同様の手法で「Supreme Bitch」と書かれたアイテムを作成し、Supremeがそのブランドに対して訴訟を起こした際には、クルーガーは「彼ら全員から著作権侵害で訴えられるのを待っています」と皮肉と取れる内容の声明を出しました。

〝未来は白紙〟

映画『**バック・トゥ・ザ・フューチャー PART3**』（1990）に登場するドクが発言した言葉です。シリーズ最後となるこの映画のラストシーンで、相棒のマーティとその妻ジェニファーに「**人間の未来はすべて白紙だっていうことさ**。未来は自分で作るのだ。君らもいい未来を作りたまえ」と言い残し、蒸気機関車型のタイムマシーンで去っていきます。映画『バック・トゥ・ザ・フューチャー』シリーズは**ロバート・ゼメキス**監督による、時間旅行を主軸においたSF映画で、1985年から1990年にかけて3作が製作されました。

作品解説コラム連載

おまけページ きゅうり画廊

クルーガー姉さん!

きゅうりのキューブリック

今回はきゅうり画廊も**バーバラ・クルーガー**です。クルーガーは元々グラフィックデザイナーで、強いメッセージを込めた作品をつくります。まるで雑誌の表紙やポスターみたいですよね。彼女の作品は抗議活動の意味合いが強く、めちゃくちゃ政治的なのです。美術作品に政治的な主張が入ってくると嫌悪感を示す人もいますが、海外作家ではそういう作品の方が主流です。

そういうのを主流にした代表格の**ヨーゼフ・ボイス**は「より良い方向に社会を変える行為は**社会彫刻**という紛れもない美術」と言いだして選挙にも出馬していました。真の芸術家になるために政治家になろうとした人もいるくらいです。もしも自分が選挙に出たら、ついに真の芸術家を目指しはじめたんだなと思ってください。

イラストに描いたのはクルーガーの《**あなたの体は戦場です**》というプリント作品です。これがつくられた1989年は、アメリカで新しく制定されようとしていた中絶禁止法に反対するデモがかなり多く起こっていました。そのデモを後押しするためにつくられた作品なのです。この作品に使われているモデルの人はかなり整った顔で、まるでファッション誌の表紙写真みたいです。そういった風にメディアの表層的な部分では女性の身体は使われまくっているのに、本人たちの身体に対する意思決定はないがしろにされている歪な状況をそのまま作品に表現してあります。

真ん中で顔が分割されているのも、そういった身体をめぐる2つの状況を表しているように見えますし、中絶に対する意見の分断と戦いを表しているようにも見えます。

そして作品は、その戦場がこの身体だぞと言います。私の身体だぞと。奪われる自分の身体の決定権のための戦いなのだと訴えかけます。インパクトがある作品です。有名なので見かけることがあるかもしれませんが、バックグラウンドを知っておいた方が絶対いいです!

それと漫画でも少し描いたのですが有名なストリート系ブランドの**Supreme**のロゴはバーバラ・クルーガーの赤の背景に白文字をのせるトレードマーク的な手法をそのまま使っています。多分現代で新しいブランドがやったら炎上するやつですね。バーバラ・クルーガーを見てSupremeっぽいなあと思ったら逆です。

自分も昔『MAD MAX2』を見て『北斗の拳』みたいだなと思ったことがありましたが、逆でした。

ストリート文化ってサンプリングが主流ですし、自分もサンプリングや引用は大好きです。でも、Supremeが「Supreme Bitch」って描かれたシャツを売った他社ブランドを訴えていたときは、さすがにバーバラ・クルーガーも突っ込んでいました。「お前ら全員、私を訴えるのが先じゃねえのか?」って。さすがクルーガー姉さん! かっこいいっす!

（第39話）

バンクシーを捕まえたい！

作品が発見されるたびに大きな話題となる謎のアーティスト、バンクシー。トラちゃんたちもやはりその正体が気になるようです。トメ吉くんのアイデアで裏山に罠を仕掛けたら、裸の大将みたいな人がかかってしまいました。彼は一体何者なんでしょうか。

ついにバンクシーに1億円の懸賞金がかかったらしい！
DEAD OR ALIVE!
バンクシー ¥100000000
裏山に罠を仕掛けたから捕まえるぞ〜！
スタコラ
裏山にいるかな…ツチノコじゃあるまいし…
トラちゃん
トメ吉くん
スタコラサー
ホントにかかってる！
たすけて…
プラ〜ン
お腹がすいたんだな…
バンクシーじゃなくて裸の大将みたいな人がかかってる！
美術のトラちゃん
39
家に連れて帰ってご馳走して謝った
うちの子達がすいませんでした…バンクシーを探してたとかで…
こんなに優しくされたのは初めてなんだな…
お礼に僕の作品あげるんだな！
父さん&母さん
コイツ本物のバンクシーだあああああ！
ドーン！
一宿一飯のお礼に作品をくれる裸の大将の黄金パターンだ…

バンクシーさん うちの壁にも 絵を描いて ください！
それ！ おねだり おねだり
おやすい ごよう なんだな
カオナシの もてなし方 じゃないか…
外の壁に描いた絵を インスタにアップ したら盗られたん だな…
バキ〜〜
バンクシーの 作品はすぐ 盗られちゃうの 忘れてた…
調子に 乗りすぎ たね…
というわけで今回は 正体不明の覆面作家、 バンクシーについて 紹介します！
正体不明の グラフィティ アーティスト
バンクシー (1974〜) イギリス拠点。サルのお面が アイコン。
ステンシルを使った 社会批評マックスの グラフィティで 世相を鋭く批判して、 そのためにかなり 危険なこともした！
「花束を投げる男」(2003)
火炎ビンを投げる ように花束をなげる 男。イスラエルと戦う パレスチナに描いた。
「風船と少女」(2005)
パレスチナの 分離壁に描いた。 社会運動のアート。
兵隊や警備から すぐ逃げれる ように型紙を 用意してそれに スプレーをふく。
ラッカー
シュー
反戦のメッセージが 一秒でわかる。
今では有名に なりすぎてスター みたいな扱いだけど 元々は社会運動と 美術をつなぐ運動 「アート・アクティ ヴィズム」の 代表作家でした
ドキュメンタリー映画 「バンクシーダズニューヨーク」
高級ギャラリー
勝手に売られる。
1ケ月NYに毎日作品を つくる映像。ゲリラで 置かれた作品が、回収 され高級ギャラリーで売られる。
ところであんた 本物なの？
世界中行く先々 いたるところに 作品を残して 見つかるたびに 取り合いになる
ちなみにバンクシーの 展示やグッズは本人 から出てない。ほぼ勝手に やられてる。
作品欲しけ りゃHPから DLできるよ
本人にはお金が 入らない。名乗り出たり 権利を主張しない。
ちなみにテレビドラマ 「裸の大将」のモデルに なった画家は山下清です
山下清 (1922ー1971) 放浪した画家。 日本のゴッホ とも言われた。
ドラマでは旅の先々で 作品を作る画家だった けど、本当は作品は 家で作ってました！
「桜島」(1954)
はり絵
「日本平の富士」(1965)
はり絵
バンクシーも 放浪してたの かな？
ドラマ「裸の大将」の モデルになって 人気のせいで バンクシー くらい贋作が 多い。
ズイッ
それじゃあ僕は バンクシー星に 帰るんだな…
UFOだ！
フワ〜
裸の大将にも UFO出てくる ヤバイ回ある けどさ…

トラちゃんコメンタリー
マンガに出てきた用語解説
ヒマなときよんでねー!

バンクシー

「イギリス出身の男性」ということ以外、素性が明かされていない正体不明のアーティストです。グラフィティ・ライターとして活動を開始し、世界中のストリートや壁、都市の公共物などに、スプレーと**ステンシル**という技法を用いて**グラフィティ**を描き去っていきます。2005年にはMoMAやメトロポリタン美術館などで、自身の作品を無許可で展示するという過激なパフォーマンスで話題になりました。このような活動から「**アート・テロリスト**」の異名を持っています。現代の社会や政治を風刺する作風は、イリーガルな落書きでありながらも多くの人の心をつかみ、作品の価格も高騰しています。2010年には顔を隠して自身も登場するドキュメンタリー映画『**イグジット・スルー・ザ・ギフトショップ**』を監督し、アカデミー長編ドキュメンタリー映画賞にノミネートされています。

グラフィティ

建物の壁や鉄道の車両などに、スプレーやマーカーを用いて文字やイラストを描く表現をグラフィティと呼びます。1970年代頃からニューヨークを中心に広まり、1983年の映画『**ワイルド・スタイル**』や『**スタイル・ウォーズ**』では、グラフィティを主題にしたヒップホップシーンが描かれ、当時の盛り上がりが感じられます。グラフィティを描く人を**グラフィティ・ライター**と呼び、グラフィティにも様々な手法や表現があります。短い時間で一筆書きのように書かれるものは**タグ**(tag)と言い、書く行為を**タギング**(tagging)と呼びます。中塗りとアウトラインの2色で描かれるものは**スローアップ**(throw-up)、時間をかけて描かれた完成度の高いものは**マスター・ピース**(master piece)と呼ばれます。

〝バンクシーに1億円の懸賞金がかかったらしい〟

この部分のエピソードはフィクションで、実際のバンクシーには懸賞金はかかっていません。ちなみに、2018年にロンドンで開催されたサザビーズのオークションでは、バンクシーの作品**《Girl with Balloon(風船と少女)》**が当時およそ1億5000万円で落札されました。有名なのは、この後のエピソードで、この作品が落札された後、額縁にあらかじめ仕込まれていたシュレッダーによって作品が裁断されてしまいます。このシュレッダーはバンクシー自らが仕掛けたもので、その動機は金だけが積まれていくオークション・ビジネスへの批判だと言われています。このシュレッダー事件以後、作品名は**《Love is in the Bin(愛はごみ箱の中に)》**に改名され、価格は2021年のオークションでおよそ25億円(当時)という、皮肉にもバンクシー作品の最高額を更新しています。

世界中でニュースに!
ウイーン
「Love is in the Bin
(愛はゴミ箱の中に)」

〝バンクシーの作品はすぐ盗られちゃう〟

グラフィティは、作品が路上に残

るという性質上、描かれた建物の所有者や公共物の管理者によって消されたりはがされたりという運命がつきまといます。ましてや超高価な美術品となったバンクシーのグラフィティとなれば、監視や保護がない限り、盗む人が出てきても不思議ではありません。２０１９年の1月にはパリのコンサートホール・**バタクラン**にあった、２０１５年のパリ同時多発テロの犠牲者を追悼したとされる作品が盗まれ（翌年犯人は逮捕され、作品も見つかりました）、同年9月には同じくパリの**ポンピドゥー・センター**近くの路上にあったネズミの作品が盗まれています。また２０２２年12月にはウクライナのキーウに描かれた作品をはぎ取ったとされる窃盗団が逮捕されました。

アート・アクティヴィズム

アートを使って社会問題や環境問題の解決のために働きかける活動のことを言います。「アート」（美術）と「アクティヴィズム」（運動）を掛け合わせた造語で、**アーティヴィズム**（Artivism）と言われることもあり、その活動家を**アーティヴィスト**と呼ぶこともあります。この名称は美術史研究者の北原恵による雑誌の連載をまとめた『**アート・アクティヴィズム**』（１９９９）に由来し、書籍では主に、**ゲリラ・ガールズ**や**バーバラ・クルーガー**など、フェミニズムとの関わりが深いアーティストについて書かれています。

《花束を投げる男》

パレスチナの分離壁に描かれたグラフィティで有名なバンクシー作品のひとつです。２００３年にパレスチナとイスラエルを分断する分離壁が建設されたときに初めて描かれたと言われ、その後パレスチナの複数の場所にも残されています。帽子を被り、口元を布で隠した男がどこかにめがけて花束を投げようとしています。この格好は暴徒が火炎瓶を投げる姿にも見えます。この作品はパレスチナ問題に焦点を当てた初期の作品のひとつで、戦争や暴力、テロに対する批判と平和へのメッセージが感じられる作品になっています。

山下清

１９２２年東京都生まれの画家です。放浪の天才画家とも呼ばれ、懐かしい日本の原風景や名所を貼り絵で表現する作品が有名です。山下が少年の頃、通っていた八幡学園でちぎり紙細工に出会います。１９３６年に学園の顧問医だった精神科医の**式場隆三郎**が才能を見出しました。山下は驚異的な記憶力を持ち、スケッチやメモを取らずとも、旅先の風景を細部まで描くことができました。日本各地を自由気ままに旅することを好んだ山下は、ときおり旅から戻ると、能力を発揮して緻密な貼り絵を制作したと言われています。

『裸の大将』

山下清をモデルに描いた人情ドラマです。正式なタイトルは『**裸の大将放浪記**』で、１９８０年から１９９７年にかけて俳優の**芦屋雁之助**が主演を演じ、ドラマ放映されました。ドラマではランニングシャツに半ズボン、大きなリュックに赤い傘とスケッチブックというのがトレードマークになっていましたが、これは演出上の設定で、実際の山下は身だしなみに気をつかい、仕事で依頼されたとき以外はスケッチブックを持ち歩くことはなく、旅先で貼り絵を作成することもなかったと言われています。ちなみに２００７年にお笑いコンビ・ドランクドラゴンの**塚地武雅**が2代目裸の大将として起用されドラマが復活。２００９年の第4作まで放送されました。

作品解説コラム連載

おまけページ きゅうり画廊

謎多きバンクシー

きゅうりのキューブリック

今回はかの有名なバンクシーについて描きました。もはや説明が不要なくらいに有名ですが、日本でこんなに有名になったきっかけは、２０１９年に東京でもバンクシー作品らしき絵が見つかったというニュースでしょう。

最近の彼はオークションで売れた絵をシュレッダーにかけるとか、問題提起にしてもパンチラインを打ちきれない様なちょっとダサい作品で話題になることが多いので、どうしたんだバンクシー兄さんと思うことがあります。けれど初めて高校生のときにバンクシーを知ったときはものすごく興奮したし、作品集も買い集めるくらいハマっていました。

２０００年代に入るくらいから注目されていた作家ですが、どの国の誰でもわかる様なグラフィティ作品をこっそり描いて、後から人に見つけさせるスタイルで作品をつくります。美術を使って社会と関わる作品をつくる作家のことを、活動家の意味のアクティヴィストとアートという言葉を混ぜて**アーティヴィスト**というのですが、彼もその代表作家として有名でした。

日本だと、解説でも触れましたが運動と美術の間にある様な作品をまとめて**アート・アクティヴィズム**と名づけた美術史研究家の**北原恵**さんの同じ名前の本も有名です。この本では、トラちゃんでも出てきた**ゲリラ・ガールズ**や**バーバラ・クルーガー**も取り上げられてます。女性作家のみがピックアップされている面白い本です。

バンクシーはパレスチナに分離壁が建てられてから、その壁に直接、メッセージ性バリつよなグラフィティを描くシリーズを制作しました。今回のイラストもそのうちのひとつです。この作品は世界中に報道されて有名になりました。

パレスチナ分離壁の問題について、他の国での関心がどうしても低かったらしく、世間に目を向けさせるために描いたシリーズだそうで、イスラエルの兵士に銃で撃たれそうになりながらつくったとか。バンクシーの作品はググるとたくさん出てくるので、昔の作品も見てみると面白いですよ。

バンクシーの作品はただの犯罪だという声もたまに聞きますが、バンクシーはかなり品が良い方だと思います。

混乱した国で公的に食らわされる合法的な暴力に対抗するために、グラフィティどころじゃない犯罪をかますアーティヴィストって世界にはものすごくたくさんいるのですが、こういった作家もトラちゃんの連載が続いたら紹介していきたいなと思っています。

（第40話）

呪いを解く泉に行く！

変なビデオを見て呪われてしまった安藤先生。トラちゃんたちとともに、呪いを解くといわれる泉を探しに行くことになりました。無事に到着したのは良いものの、浄化が思うようにいきません。

これはトラになってしまった美術好きの親子のお話です
オレもオレも!
トラになっちゃった…
妖怪人間ベムってかわいそうだなあ…
はやく人間になりたい…
ズズ
あなたたち他人事じゃないでしょ
ゴゴゴ
やあトラちゃん達！この世の全ての呪いを解く泉があるらしいんだ！
一緒に行こう！人間に戻れるよ！
ゴゴゴ…
ヒョコ!
安藤先生ありえないくらい呪われてる…
何をしたんだこの人…
人間に戻るために呪いを解く泉を探しにきました
ぼくらこのままでも別にいいんだけどなあ
999人の精霊が宿る泉に行くんだ
ユミさん
ジュディ・シカゴの作品じゃあるまいし
りゅうたろう
僕は変なビデオを見ちゃったから一週間以内に呪いを解かないと死ぬんだ〜
トラちゃん
トメ吉
安藤壁穴《あんどうウォールホール》
(トラちゃんの担任)
トラちゃんパパ
リングの呪いじゃないか…

ここが９９９人の精霊が宿る泉かあ！
しゃあ！助かった！
キラ
ザバ
聖霊の泉
呪いをときます
すぐ飛び込んだ…
あなたが落としたのは金のアンディ・ウォーホルですか？
銀のアンディ・ウォーホルですか？
安藤壁穴《あんどうウォールホール》ですどっちも違います
ザバー
ブクブク
嘘つけ！そんなふざけた名前のやつがいるか!!
確かになあ
というわけで今日は９９９人の女性の英雄の名前を刻んだ作品で有名なジュディ・シカゴを紹介します！
美術史は男中心に作られていたのでそれを変えようとした。
フェミニズム・アートの祖の一人
伝説の人
ジュディ・シカゴ (1939〜) アメリカの作家 教育者
「レインボーピケット」(1965) ミニマルアート。虹色の抵抗の彫刻。
作品で女性開放を訴える「フェミニズム・アート」という言葉を作って今の作家に超影響を与えた
最高傑作と名高い「ディナー・パーティ」は女性の英雄の名前が９９９人分刻まれた大規模インスタレーションです！
それぞれの席には性器をモチーフにした皿や彫刻。歴史上見逃がされてた女性の名前を残そうとした
400人のボランティアも制作に参加。完成まで5年！
「ディナーパーティ」(1979) すごく神聖なフンイキ
39席ある正三角形のテーブルに神話や歴史の女性の英雄の名前がそれぞれ刻まれている。他、女性解放のためたたかった999人の名前も床にきざまれた。
英雄のためのパーティ
彼女以降男だけでつくられた美術界のシステムをひっくり返そうとする動きが多くでてくる。
デュシャン
今の美術には便器をひっくり返すより重要！
よく知ってますね金と銀のウォーホルどっちもあげます
壁穴先生はどうなったの？
存在が呪いなので消滅しました…
隣にデュシャンの泉もあるから安藤さんの復活を頼んでみよう！
いいよ
便器も死もひっくり返すのか…
泉の精デュシャン
R.MUTT 1917
ビシャア
死ぬのは他人ばかり…
結局僕らはトラのままだね
モフモフだからこのままでいいの
みんなオーガニッククッキーが焼けたよ！
うまい
うまい
先生呪いと一緒に心も浄化されてこわい

コトラちゃんコメンタリー
マンガに出てきた用語解説
ヒマなときよんでねー！

"リングの呪い"

『**リング**』は1991年に出版された**鈴木光司**による小説で、見た人が1週間後に死ぬビデオの呪いを解くために、呪いの謎を追うミステリー・ホラーです。テレビドラマや映画など様々なメディアに展開し、**中田秀夫**監督、**松嶋菜々子**、**真田広之**主演の映画版は、ジャパニーズ・ホラー（略称・Jホラー）のブームの先駆けになりました。Jホラー・ブームからは**黒沢清**監督『**回路**』（2001）や**清水崇**監督『**呪怨**』（2003）といった国際的に評価の高い作品が生み出されました。中田監督は東京大学在学中に、後の東大総長も務めた映画評論家の**蓮實重彦**の映画ゼミに参加して影響を受け、1985年に日活撮影所に入社しています。中田監督より少し早い時期から映画界で活動していたJホラーの旗手のひとりである黒沢清監督も、やはり立教大学在学中に受講した映画表現を学ぶ蓮實重彦の授業から大きな影響を受けたことを回想しています。

"泉の女神"

泉から現れる女神といえば、**イソップ**寓話をもとにした『**金の斧銀の斧**』が有名です。このお話は「人は正直であることが最善である」という教訓の物語になっていて、『**ヘルメースときこり**』というタイトルで読まれることもあります。このヘルメースが女神の名前かと思いきや、実は物語の原作では女神ではなくギリシア神話の、幸運と富をつかさどる男性の神・ヘルメスが登場します。

ちなみに、子供の頃によく読む有名な物語として『**アンデルセン童話**』や『**グリム童話**』などがありますが、**アンデルセン**は19世紀のデンマークの童話作家名であるのに対し、**グリム**は19世紀にドイツの様々な地域で語り継がれる童話を収集した兄弟の名前であり、日本で言えば**柳田國男**が収集した民話が『**柳田民話**』と呼ばれるのと同じようなものになります。

ヤッホー
女神じゃないんだ！
ヘルメス！

ジュディ・シカゴ

1939年、アメリカ生まれのアーティストで、本名は**ジュディス・シルヴィア・コーヘン**です。父親がマルクス主義者でリベラルな家庭の中で育ち、カリフォルニア大学ロサンゼルス校に進学して、1964年には修士号を取得します。その後1970年からカリフォルニア州立大学で教鞭を執り、1971年に確立したフェミニズム・アート・プログラムは彼女の主要な業績に数えられます。当時はアメリカを中心に第二波フェミニズムが到来し、社会の様々な場面で女性の抑圧に関する議論が盛んになった時期で、例えば美術史家のリンダ・ノックリンは「なぜ偉大な女性アーティストがいないのか」を『アートニューズ』誌に発表しています。

《レインボーピケット》

ジュディ・シカゴが1965年に発表した作品で、元々はロサンゼルスのロルフネルソンギャラリーで開催された個展のために制作されました。６つのカラフルな色の柱が45度の角度で壁に寄りかかり、徐々にサイズが小さくなっているという作品で、ギャラリーのサイズに合わせてつくられ、一番大きい柱は２m近い高さで寄りかかっています。同年、ユダヤ博物館で開催された「プライマリー・ストラクチャーズ」にも展示され、第10話で紹介した批評家の**クレメント・グリーンバーグ**から賞賛されましたが、保管する費用がなくこの時は他の彫刻と一緒に破壊されています。２００４年にロサンゼルス現代美術館での回顧展のために再制作され、展覧会のポスターなどでフィーチャーされました。

ミニマル・アート

形態や色彩を切り詰めた表現を指し、主に１９６０年代のアメリカで活躍した**ドナルド・ジャッド**や**ロバート・モリス**などが代表作家としてあげられます。１９６７年に美術批評家の**マイケル・フリード**が発表した論文「**芸術と客体性**」の中で、フリードはミニマル・アートを**リテラリズム**と呼び、「これまでの絵画や彫刻が自律的に存在する表現を求めたのに対し、リテラリズムの作品は、そのままの状態を意識している」と論じました。ミニマル・アートは自律的な芸術ではない「非芸術」であり、相対する鑑賞者の身体や時間を費やした鑑賞があって初めて「芸術」として成り立つ、演劇的表現だというのです。これはミニマル・アートの作家が**ランド・アート**に向かう方向を予感させます。

ロバート・モリス「無題」(1965)
←鏡の彫刻(全体)
ムダをそぎおとした形を追求してるって!
ミニマル・アート!

《ディナー・パーティ》

１９７９年に発表された、ジュディ・シカゴの代表作とされるインスタレーションです。三角形のテーブルに、テーブルクロス、お皿、ワイングラス、ナイフとフォーク、スプーンが置かれ、並べられたものや模様には女性器のモチーフが見え隠れします。先行するアメリカの画家**ジョージア・オキーフ**が描いた花の絵では、花のおしべとめしべがクローズアップされて描かれますが、それに通じるものが感じられます。《ディナー・パーティ》は39人の女性に捧げられており、その中にはオキーフも含まれています。発表された当初６カ国・16会場を巡回して話題になり、評論家の間でも作品に込められた信念と奥深さへの高評価があった一方、「下品」「広告的な作品」という批判もありました。現在ではブルックリン美術館の常設展示室に展示されています。

“死ぬのは他人ばかり”

マルセル・デュシャンの墓に記された言葉です。生きている者にとって死んでいく者は常に他人であり、自分自身の死を看取るのも他人であるという意味です。この言葉を元に、第５話で取り上げた劇作家の**寺山修司**は著書『**地獄篇**』の中で「自分の死を量ってくれるのは、いつだって他人ですよ。それどころか、自分の死を知覚するのだって他人なんです」と書いています。「死ぬのは他人ばかり」と記したデュシャンでさえ、その死を知覚するのは、私たち他人なのです。

たしかになぁ…
←デュシャン
死ぬのはいつも他人ばかり

作品解説コラム連載
おまけページ きゅうり画廊 999
きゅうりのキューブリック

最近、漫画を描きながらラジオ的なものをよく聞くのですが、トラちゃんを連載しているサイトのＣＩＮＲＡが「聞くＣＩＮＲＡ」というポッドキャスト番組をはじめていて、そのＢＧＭを担当していたのがLAUSBUBでした。

超若いテクノユニットで２０２０年くらいに第４回全道高等学校軽音楽新人大会の動画から火がつきました。ＳＮＳで超話題になっていましたね。その後、細野晴臣と対談していたので、嫉妬でトラになるかと思いました。そんな3年前を思い出しました。前置きが長くなりましたが、今回はきゅうり画廊も**フェミニズム・アート**の先駆者の一人、**ジュディ・シカゴ**について書きます。

みなさんが知っている古典の有名芸術家と言えば、男性の作家しか思いつかない人もいるのではないでしょうか。美術界では長年、社会のシステム的に男性の作家しか歴史に残ることができなかったのです。そんなシステムを変えようと美術の世界でもフェミニズム運動が１９６０年頃から盛り上がってくるのですが、その中心の一人がジュディ・シカゴでした。

ちなみに**草間彌生**や**オノ・ヨーコ**もその運動の中心にいました。２人は今でも第一線ですが、いまだに尊敬されて作品が歴史に残っているのは、この時代の先駆的なフェミニズム・アートの影響が大きいです。彼女たちより以前には、**ジョージア・オキーフ**というアメリカの抽象画自体にもフェミニズム・アートにも影響を与えた巨匠がいますが、若い草間は彼女に憧れて、日本から手紙を出して返事をもらっています。

そして今回のイラストの作品はジュディ・シカゴの《ディナー・パーティ》です。漫画でも解説を描きましたが、正三角形の机に39の席があって、神話や歴史上の女性の英雄の名前が刺繍されています。床のタイルには女性解放に関わった歴史上の人物名が９９９人分あります。女性が歴史から排除される状況を変えようとした大作で１９７９年にサンフランシスコ美術館で初めて展示されたときは、彼女の考えに共感した人から大感激されたそうです。

けれど、新聞とか評論家からは安っぽいだとか、低俗だとか、誇張したフェミニズムのプロパガンダとかいろいろ、散々なことを言われてしまいます。この作品は、ジュディ・シカゴがめちゃくちゃ借金をしてまでつくった作品で、ものすごい量の歴史の調査をし、絶対つくるべきだと5年をかけてなんとか完成させたのですが、その作品がこの言われようで、死ぬほどショックを受けたとか。

しかし彼女の支援者たちが、絶対にいろんな人に見てもらうべきだと様々な場所で作品を展示させ、今ではブルックリン美術館に恒久展示されています。散々な言われようをした作品が、今では誰も疑わない美術史上の傑作となっています。

美術史に残っている作品は、最初は酷評されるパターンが多いので、作家はなんと言われてもやりたいようにやるのがいいんじゃないかなと思います。ちなみに最近自分はやりたいことがないです。でもやりたいことがなくなってからが作家という誰かの言葉を胸に頑張ってみます。

（第41話）

会社を辞めて退路を断つ！

お父さんの画塾に通う社会人のユミさんは、漫画家志望。忙しくて制作ができないのは本末転倒と、思い切って会社を辞めてしまいました。覚悟を決めたユミさんの漫画制作はうまくいくのでしょうか。

ユミさんはトラパパの画塾に通いながらマンガ家を目指す社会人です。水をかぶると朱雀になります
イエイ
最近残業続きでマンガが描けてないの～
いっそ仕事やめてマンガに専念するとかどうすか？
ひ～ん
流石に収入なくなるのはキツイって
それだっ！
え？
次の日
ユミさんは仕事やめてもやってけると思うんですよ
みんなりゅうたろう君みたいにやれるわけじゃないって
それに退路を断てばいいものできるわけじゃないし
先輩も昔は退路なかったのに！
タッタッタッ
あっユミさんの足音だ
あたし会社やめてきた～！
会社を辞めてハイになっているユミさん
うわああ退路断ちやがった！
トラちゃんパパ
りゅうたろう
トメ吉くん
きっとうまくいきますよ

あれから10徹して10本マンガ完成させました…
読んで…オエ〜
え？死んじゃう…
プル
プル
あたし不死の鳥なんで
チートだなあ
まずは雑誌と違ってパイの取り合いの少ないWEB連載を狙います！
りゅうたろう君と売り込み行ってきますね！
描きたいギャグからネットを狙ったオタクに優しいギャルものから炎上狙いもあるのです！
よっしゃー
炎上はやめなよね
というわけで今日は超批判されて炎上したけど今や伝説のクリス・オフィリを紹介します！
「聖母マリア」(1996)
イギリス生まれ黒人作家
クリス・オフィリ (1968〜)
聖母マリアを黒人として描いてポルノ雑誌をコラージュ。象のうんこで自立させた。
聖母マリアを黒人として解釈して描いてアフリカ象のうんこでそれを自立させた作品で大炎上しました
ニューヨークの美術館で展示された時は当時の市長が怒り散らして美術館の税金投入をストップすると言って裁判沙汰になった！
ニューヨークでの展示で大炎上。キリスト教信者やNY市長が抗議したり、美術館に圧力をかけた。絵に直接白ペンキをかけた人もいた。
ベタベタ
ガードマン
作品には象のうんこの他、ビーズもよく使う。
国にかえりたい…
アフリカから連れられた象と奴隷としてヨーロッパにつれられた黒人の歴史を重ねた。ビーズもアフリカの貿易品。
大炎上じゃん…
でも作品コンセプトの強さは超評価されてイギリス最大の現代美術賞のターナー賞も獲った！
ターナー賞はゴールデンタイムにTV中継されるほど。
オオー!!
ターナー賞
M-1グランプリくらい注目される。
ユミさんもだけど覚悟決めた人は強いなあ
ちなみに彼は90年代のイギリスの特に過激な作家のくくりであるYBAの1人です！
YBA（ヤング・ブリティッシュ・アーティスト）が超注目されるきっかけの展示「センセーション」は数々の作家が炎上。
顔に性器をつけた子供のマネキン。
ジェイク&ディノス・チャップマン
マーカス・ハーヴィ
連続幼児殺人犯の肖像を子供の手形で作って大問題に…
さすがパンクの国だ…
ちなみにクリス・オフィリが炎上したのは「センセーション」のNYの巡回展…(1999年)
描きたかったやつじゃないけどWEB連載決まりました！
やった！やった！
描きたいやつはそのうちやりましょ
すごーい!
なんかこの感じ懐かしいなあ
初個展のきまった
やった
やった

トラちゃんコメンタリー
マンガに出てきた用語解説
ヒマなときよんでねー!

〝雑誌と違ってパイの取り合いの少ないWEB連載〟

「全国流通している雑誌」という数少ないメディアの中で、限られたページ数・作品数の枠をめぐって競争に勝ち残らないといけない雑誌連載と比べて、WEB連載の漫画はメディアとしての参入の壁が比較的低く、誌面に限りがあるわけではないので新人でも実験的に掲載させてもらえやすい傾向があるのです。

クリス・オフィリ

1968年にイギリス・マンチェスターに生まれ、南米のトリニダード・トバゴに在住の画家です。1990年代に活躍したYBAを代表する作家のひとりで、自身を取り巻くブラック・カルチャーや聖書などからインスピレーションを得て制作をしています。ナイジェリア移民の2世として育ち、1988年にチェルシー美術学校に入学。そこで画家の**ピーター・ドイグ**と出会い、トリニダード・トバゴにも共に訪れるような友人となります。美術学校を卒業した翌年の1992年にジンバブエを訪れ、現地で見た洞窟壁画から大きな影響を受けます。そして1993年にはロイヤル・カレッジ・オブ・アートを卒業します。オフィリの作品は、平面的な作品でありながら、鮮やかな色彩感覚を持っていることが特徴で、鑑賞者はまずその色彩に目がいきますが、よく見るとステレオタイプな黒人像に対する固定観念、歴史、異国情緒が描かれています。そのような作品のコンセプトや力強さが評価され、オフィリは1998年にターナー賞を受賞します。

《聖母マリア》

クリス・オフィリによる1996年制作の絵画です。2つの象の糞の台座に立てかけられた絵画には、金色の背景に抽象的な黒人の女性が描かれていて、西洋画の聖母マリア像の伝統が踏襲され、この黒人の女性も青い衣服をまとっています。その女性の周りには、ポルノ雑誌から切り取られた女性器の画像が蝶の形にコラージュされています。この作品が1999年にニューヨークのブルックリン美術館で開催されたセンセーションの巡回展で展示されたときには、大変な物議を醸しました。当時のニューヨーク市長であるルディ・ジュリアーニがこの作品について「病的な代物」とコメントし、ブルックリン美術館への補助金を打ち切ろうとしました。しかし展示は中止されず、これらの騒動で表現の自由をめぐる全米規模の議論が巻き起こりました。

近年では「そもそもイエスや聖母マリアを白人として描くのは、歴史的には正確ではない人種差別的な表現だ」という議論もあり、2020年にカンタベリー大司教ジャスティン・ウェルビーが「(イエスの肌の色は)アラブ系が本物に近い」と評しています。

センセーション展

1997年にロンドンのロイヤル・アカデミー・オブ・アーツで開催された展覧会で、正式名称は、「センセーション:サーチ・コレクションのヤング・ブリティッシュ・アーティスト」展と言います。後に**YBA**と呼ばれるクリス・オフィリや**ダミアン・ハースト**などを中心とする、イギリス若手アーティスト42名の110点の作品が展示されました。YBAの表現は挑発的かつ攻撃的であるということが、この頃すでに国外で広く知られており、この展示によって幅広い観衆の目に触れることになりました。ロンドンでの展示の翌年にはベルリン現代美術館で、翌々年にはニューヨークのブルックリン美術館へ巡回展示されています。

展示された作品は、広告代理店サーチ＆サーチの創業者の１人である**チャールズ・サーチ**のコレクションでした。民間企業のコレクターによるコレクション展がイギリスの現代美術を育むことになったのです。

マーカス・ハーヴィ

１９６３年イギリス・リーズ生まれのアーティストです。ダミアン・ハーストをはじめＹＢＡのアーティストを多数輩出したゴールドスミス・カレッジを１９８６年に卒業し、１９９７年にセンセーション展に参加します。２００５年、画家の**ピーター・アシュトン・ジョーンズ**と共に美術史や現代美術に関して執筆する『**タープス・バナナ・マガジン**』を創刊します。表紙には漫画の第１話でも紹介した、『**ヴェルヴェット・アンダーグラウンド・アンド・ニコ**』のアルバムジャケットに提供された**アンディ・ウォーホル**のバナナの絵が使われています。ハーヴィの作品は造形的な面より、描かれたモチーフの文脈を知ることで理解が深まると言えます。

《マイラ》

マーカス・ハーヴィが１９９５年に制作し、前述のセンセーション展にも出展した作品です。一見、女性の白黒の肖像が荒いモザイク調で描かれているだけのように見える作品ですが、よく見ると子供の手形で描かれていて、まずこの造形に驚かされます。この描かれているモチーフの女性は、１９６０年代に５人の子供を殺害したマイラ・ヒンドリーという人物で、この人物像について知った上で作品を鑑賞すると、造形として扱われた子供の手形がとても不気味に見えてきます。ロンドンのセンセーション展で公開された際には、最も物議を醸した作品と言われ、絵具をかけられたり、卵を投げつけられたりと、２回の破壊行為がありました。

ジェイク＆ディノス・チャップマン

イギリス・ロンドン生まれの兄弟で活動するアーティストで、**チャップマン・ブラザーズ**と呼ばれることもあります。２人ともロイヤル・カレッジ・オブ・アートを卒業した後、**ギルバート＆ジョージ**のアシスタントとして従事しました。その後兄弟ユニットとして制作活動をはじめ、スペインの画家**フランシス・デ・ゴヤ**の絵画をベースにした作品や、ナチスの兵士や怪物など悪趣味なモチーフの彫刻で知られるようになります。彼らも１９９７年のセンセーション展に参加し、過激な作品で賛否両論を巻き起こすこともありますが、２００３年にはターナー賞にノミネートされています。

《昇華されないリビドーモデルとしての接合子の増殖》

チャップマン・ブラザーズが１９９５年に制作した彫刻作品です。何人もの子供をかたどったマネキンの胴体が接合され、顔には男性器や女性器と見られるものがランダムにくっついています。足にはナイキのスニーカーが履かされ、なんとも奇抜でショッキングな造形ですが、人間の持つ倫理性に疑問を抱かせるような印象を感じさせます。センセーション展で発表されたこの作品は、１９９９年に日本のザ・ギンザアートスペースで開催された「チャップマン兄弟のお受験」展の際に披露される予定でしたが、移送時に検問に引っ掛かってしまい、日本での展示は叶わず返還されてしまいました。

作品解説コラム連載
おまけページ きゅうり画廊

センセーション！

きゅうりのキューブリック

トラちゃん41回目の原稿は三重県の二見浦という場所の宿で描いていました。缶詰にされていた昔の文豪ってこんな気分なのかなと思いながら描きました。ちなみに今回の漫画の扉絵は、二見浦の夫婦岩です。宿から歩いてすぐ行ける場所にあったので見てきました。伊勢神宮も近いので、次に来たときはお伊勢参りも行ってこようと思います。

前置きが長くなりました。今回の本編は**クリス・オフィリ**でしたが、きゅうり画廊も彼について書いてみようと思います。イギリスってヨーロッパの他の国であるフランスとかイタリアと比べると美術のイメージは少ない印象です。ヨーロッパの有名な画家と言えばパリとかの話になりがちですし。イギリスには**ターナー**や**フランシス・ベーコン**など有名な作家もいましたが、1990年代からイギリスの美術ってやばいよねと注目を集めるきっかけになったのが**YBA**（ヤング・ブリティッシュ・アーティスト）と呼ばれるパンクな作品をつくる若手でした。トラちゃんでもYBAの**トレイシー・エミン**や**レイチェル・ホワイトリード**を紹介しました。

自分はYBAが好きです。

彼らYBAの若手を紹介するという名目でまずイギリスで1997年に**「センセーション」**という展示が開催されました。その展示では**マーカス・ハーヴィ**の、連続幼児誘拐殺人犯の肖像画を子供の手形で描いた作品《**マイラ**》が大問題になり、遺族が抗議活動をして絵を汚すまでの騒ぎになりました。

そしてこの「センセーション」が1999年にニューヨークへ巡回したときは漫画にも描いたクリス・オフィリの《**聖母マリア**》が大炎上して、当時のニューヨーク市長は美術館への7億円くらいの税金投入をストップするために、美術館に対し訴訟を起こしました（一応この裁判では美術館側が勝ちました）。このときの市長の名前はいまだに美術史の本を開くと出てくるのですが、美術を弾圧した政治家はどんな人でも結構バッチリ名前が歴史に残ります（ヒトラー筆頭にあんまし良くない意味で）。

この市長が騒いだせいで（おかげで）、クリス・オフィリ含むYBAの作家は注目されて値段が爆上がりしたので、作家に対して本当にむかついていたなら、騒がないほうがよかったのかもしれません。

また、クリス・オフィリの作品にブチギレた美術作家のおじいちゃんが、《聖母マリア》を浄化すると言ってガードマンの目をかいくぐり、絵に直接白いペンキを塗りたくって賠償請求されるなどのトラブルもあり、とにかくひと悶着もふた悶着もあった作品でした。

美術作品にペンキをかける行為は今にはじまった話ではなく、今でも抗議活動としてよく見かけると思います。誰が正しかったかどうかは、歴史になったときに未来の人が冷静にジャッジしてくれます。とりあえずクリス・オフィリの作品は、現在ニューヨーク近代美術館が持っていて、当時は約6億円の値段がつきました。今売ればもっと高いはずです。

そんな彼は2020年東京オリンピックの公式ポスターも描いています。めちゃくちゃお堅い仕事をしている人の過去がやばすぎることはよくあることです。

（第42話）トラちゃんパパのアート地獄めぐり（前編）

日頃のおこないゆえか、開始2コマで地獄に落とされてしまったトラちゃんのお父さん。そこには悪い作家が落ちる6つのアート地獄と、番人が待ち構えていました。無事にお父さんは現世に戻って来れるのでしょうか？

地獄っていろんな罰があるんだなあ…落ちたくないなあ…
大丈夫そんなのないさ
ジャキン…
ゴゴゴゴ
あった!!
じごくめぐり
よくわかるシリーズ
私は死神…オマエ達に作家が落ちる地獄を見せてやる…
このマンガの読者よ！悪い作家がどうなるかとくと見るがいい！
じごくのもーん
ズズ
うわあ〜〜アジャラカモクレンテケレッツのパア！
父さんが地獄に連れて行かれた！
毎回導入が2コマしかないから展開が急ね…
美術のトラちゃん
地獄へようこそ！私は6つあるアート地獄の一つ「タイヤ地獄」の番人アラン・カプロー!!
悪い作家をお仕置きするぞ！カープロロロロロ！
え…キン肉マンの地獄めぐりみたいなことやらされるんですか？
ハプニング超人アラン・カプロー
ヤード！
トラちゃんパパ
そうだっ!!

くらえ!! カプローハプニング! 6つの地獄に分かれた18の奥義の一つ!
ゴリゴリ
4WDクラッシュ!!
ギャー!!
カープロロロロ! 私を倒さねば地上に戻れんぞ!
ゴリゴリ
グリグリ
キサマらどうやって地獄へ!!
ビューン
先パイ! 助けにきました!
パンふんできました!!
ボッコー
パンふんだら地獄に落ちるの本当なんだ…
というわけで今日はハプニングというパフォーマンスをつくった作家アラン・カプローを紹介します!
ハプニングの創設者
アランカプロー (1927-2006) アメリカの作家
「ヤード(庭)」(1961)
ヘや中にタイヤをしきつめた。お客さんがタイヤにのぼったり、さわれた。
お客がさわれる珍しい作品
代表作は部屋中にタイヤを敷き詰めた「ヤード」や、ハプニングを初めてやった「6つのパートからなる18のハプニング」!
それまでの演劇やパフォーマンスとは違う偶然を取り入れた表現を発明した! ハプニングという今使うハプニングの語源!
「6つのパートからなる18のハプニング」(1959)
透明の6つのへやでお客もパフォーマンスに参加した。
お客と演者の境界をなくした作品。はじめてハプニングという言葉ができた。
カプローは世界をすべて作品に使えるといった。美術と日常のかきねをなくそうとした。
ふーん
タイヤも日常のもの!
ハプニングは発展して今や「思いがけない」というイミで使われる
ハプニング誕生のきっかけ
ビチャービチャー
←ポロック
当時はポロックでアートはやりつくされたといわれていた。だから新しいアートの表現が必要だった。
ちなみにカプローさんはどうして地獄にいるの?
作家は1人残らず地獄に落ちるんだ!
つら…
結局りゅうたろう君が倒してくれたね…
フフフ 私を倒してもまだ5つの地獄と5人の番人がいるのだ…
カープロロロロ!!
リフン!
私は第2の番人デュシャンの便器マン!!
オマエたちもひっくり返すシャン! デューシャンシャンシャン!
ひどすぎる…
帰りたい…
後編につづく

トラちゃんコメンタリー
マンガに出てきた用語解説
ヒマなときよんでねー！

"アジャラカモクレンテケレッツのパア"

死神に連れ去られるお父さんが必死に唱えている言葉は、落語「**死神**」に出てくる呪文です。落語の中でこの呪文は、病人の足元に立った死神を追い払うために使われているので、お父さんも死神を追い払いたかったんでしょうね。死神に連れ込まれそうになっている門は、第25話でも紹介した**オーギュスト・ロダン**の《**地獄の門**》です。

アジャラカモクレンテケレッツのパアー！
ぎゃー！
パン
パン

"キン肉マンの地獄めぐり"

『**キン肉マン**』は1979年から1987年まで『**週刊少年ジャンプ**』に連載され、2011年から『**週プレNEWS**』で再開した**ゆでたまご**作の格闘漫画です。「地獄めぐり」とは160話から208話にあたる「黄金のマスク編」で、敵として登場する悪魔六騎士の戦法のことです。「地獄めぐり」と呼ばれるリングを東京近郊にそれぞれ張り巡らせましたが、途中でウォーズマンの体内に集約されました。

"パンふんできました"

りゅうたろう君たちが「パンをふんで地獄に来た」というのは、デンマークの童話作家である**ハンス・クリスチャン・アンデルセン**作の『**パンをふんだ娘**』のことを言っています。この物語の主人公である少女インゲルは、自分の美貌ばかりを気にする傲慢な性格で、ある日の里帰りにお土産として持たされたパンを、新しい靴を汚さないようにするために、道のぬかるみに放り投げ、そのパンの上に飛び乗りました。するとパンはインゲルを乗せたままぬかるみに沈み、地獄に落ちてしまうという物語なのです。

アンデルセンは他にも『**マッチ売りの少女**』や『**みにくいアヒルの子**』など数多くの童話を残しています。

パンをふんでやるわ
ズブズブ…
うわぁ〜
たべものは大切に！

アラン・カプロー

1927年生まれのアメリカの現代美術家で「**ハプニングの父**」とも称されます。抽象表現からパフォーマンス・アートへと移行する過渡期に「**生活と芸術の統合**」を求め、活発に活動を展開しました。カプローは当初、コロンビア大学で美術史を学び、その後**実験音楽**で知られる**ジョン・ケージ**の元で作曲を学びます。ケージが持つ偶然性や即興の概念はカプローに大きな影響を与えたと言われ、総合芸術に傾倒していったカプローは、1959年にニューヨークのリューベン・ギャラリーで、初めてのパフォーマンス**《6つのパートからなる18のハプニング》**を行います。この発表が**ハプニング**という用語と表現方法の起源とされています。その2年後の1961年には**《ヤード（庭）》**を発表し、1966年にはハプニングについてまとめた著書**『アッサンブラージュ、エンバイロメンツ、ハプニングス』**を刊行します。この本ではハプニングについて検証しながら、リサーチした同傾向の作品がまとめられており、日本の作家では吉原治良を中心に1954年に結成された具体美術協会のパフォーマンス・アートもハプニングの先駆けとして紹介されています。

ハプニング

日本語では「思いがけない出来事」という意味で用いられますが、アート用語では文字通り「起こる」ことに着目した時間芸術的なパフォーマンスのことを指します。アラン・カプローの《6つのパートからなる18のハプニング》が起源とされ、観客や一般人を巻き込み、一回性の強いパフォーマンスを行うことが特徴です。似た美術用語に**ジョージ・ブレクト**が命名した**イヴェント**がありますが、カプローの初期のハプニングでは指示書が用意されるのに対し、イヴェントでは一般に指示書がなく、より偶然性が重視される点で区別されています。

カプローのハプニングは**ジャクソン・ポロック**の**アクション・ペインティング**と、ジョン・ケージの即興の概念を背景としています。ハプニングの芸術形式は**クレス・オルデンバーグ**や**ジム・ダイン**、**レッド・グルームズ**らに引き継がれ、後の**パフォーマンス・アート**や**インスタレーション**に大きな影響を与えました。

《6つのパートからなる18のハプニング》

アラン・カプローが1959年にニューヨークのリューベン・ギャラリーで行ったハプニングの最初期のパフォーマンス作品です。ギャラリーは、楽器の演奏やライブペインティングなど6つの部屋に分けられ、各部屋で3種類のパフォーマンスが行われる仕組みになっていました。

参加した鑑賞者には事前に指示書が渡され、作品への積極的な参加を誘導しつつ、部屋を移動させて18個のパフォーマンスのうち6つのパフォーマンスを見せました。

各パフォーマンスをつなぐ一貫したストーリーはなく、無関係に見えるそれぞれの行為の意味は、参加した鑑賞者にゆだねられました。鑑賞者に参加者としての意識をうながすため、あらかじめ招待状が送付されており、そこには**「あなたはハプニングの一部となるはずです。同時にそれを経験することになります」**と書かれていたと言われています。

この作品は2度の再演がされ、1988年にはカプロー自身によって、2007年はカプローの回顧展に合わせて再制作が行われました。

《ヤード（庭）》

カプローが1961年に発表した作品です。ニューヨークにあるマーサ・ジャクソン・ギャラリーの裏庭に、数百台分の車のタイヤを敷き詰め、鑑賞者はそのタイヤの上を自由に歩きまわったり、遊んだりすることができました。参加した鑑賞者も作品の一部とされ、カプローが鑑賞者の参加や能動的な行動を重視し、作品と鑑賞者の間に相互作用のある関係性を築こうとしていたことがうかがえます。その後この作品は何度か再演されますが、その度に新しいタイヤの山がつくられ、ハプニングの一回性の強さも感じられます。

作品解説コラム連載

おまけページ きゅうり画廊

タイヤたくさん

きゅうりのキューブリック

今回のきゅうり画廊は漫画と同じく**アラン・カプロー**について書きます。漫画でも触れましたが、カプローは**ハプニング**というパフォーマンスの創始者です。今ではあまり美術でハプニングという言葉を使わないかもしれませんが、カプローのやったことは今でもとても大きな影響力を持っています。

《6つのパートからなる18のハプニング》は、お客さんもパフォーマンスに参加するものでした。この作品で初めてお客さんと演者の境界を取っ払ったなんて言われています。現在では観客参加型のような作品は多く見られるようになりましたが、当時は珍しかったわけです。

これが最初にハプニングという言葉が使われた作品で、その後ハプニングという言葉をたくさんの作家が使って発展させ、今ではゲリラパフォーマンスのことをハプニングと呼ぶイメージがつきました。一番過激なハプニングをやっていたのは全裸の役者たちと街中で反戦パフォーマンスをした**草間彌生**でしょうか。現在の日本では「予想がつかない」的な意味で使われているハプニングですが、実はカプローの作品が語源になっていたのです。ハプニングという言葉がこんなに一般用語として定着しているのは、なぜか日本だけだそうです。

一応、何でカプローがお客さんとの境界を取っ払うハプニングをはじめたのか、ざっくりと説明します。当時のアメリカでは**ジャクソン・ポロック**以降、彼を超えるアートが生まれていないと言われていました。ポロックと言えば、絵具を撒き散らした絵を描くアメリカの画家です。当時、ポロックの作品はヨーロッパの芸術に唯一勝てるリーサルウェポンでした。

国ができてから歴史の浅いアメリカは、とにかく政治的な力をつけて、世界一の国になろうとしている最中だったので、世界一の国には世界一の芸術も必要であると考えていました。そこにポロックという世界で戦える、新しいスタイルを持ったスターが登場し、「やっとスターが出てきた!」と沸きました。待望のつよつよ芸術大国の第一歩を歩み出します。

後の世代のカプローはポロックを超絶研究し、もう絵画はポロックがやり尽くしたから無理だと思って、パフォーマンスをはじめます。というかポロックのやったことを絵画以外でやろうとします。

ポロックの絵はすごくでかくて、目の前に立つと自分が作品の中に入っていく感覚になると言われていました。そこからお客さんと演者の境界をなくすアイデアをつくったとも言われています。

そして、カプローの先生は**《4分33秒》**(1952)でおなじみの**ジョン・ケージ**でした。身のまわりで偶然に起こる全ての音を作品にする精神が、偶然に起こること全てを受け入れるハプニングに通じているとも言われています。

ポロックは**アクション・ペインティング**でクソでかいキャンバスを横に倒し、そこに絵具を撒き散らしました。その制作風景がまるで作品の中に入ってアクションをしているようだと言われていたのですが、カプローは**《ヤード》**という作品で部屋中にタイヤを敷き詰め、その中にお客さんと入りました。ポロックと違って本当に作品の中に入りました。この《ヤード》は空間全体を作品とし、**インスタレーション**という今では当たり前となった作品形態の草分けとして有名です。

だから、カプローと言えばタイヤみたいなイメージが何となくあります。ブリヂストンのCMに出てなかったのが不思議です。ウォーホルもヨーゼフ・ボイスも日本のCMに出てたので、カプローも出て欲しかったです。

（第43話）

トラちゃんパパのアート地獄めぐり（後編）

悪い作家と判断されて地獄に落とされたトラちゃんパパ。6人のアート超人を倒さないと現世に戻れないため、りゅうたろう君の力を借りてどうにかこうにか5人までやっつけました。最後の敵は焼きそばマン。無事に攻略できるのでしょうか。

前回までのあらすじ
トラちゃん達は作家が落ちる地獄に落とされてしまいました　アート超人６人との戦いに勝たないと地上に戻れません！
アート超人5人をりゅうたろう君が倒してくれたぞ
尺の都合とはいえあと一人だね！
TOMATO SOUP
グエー
よくぞここまできたな！私は最後の超人焼きそばマン！
お前達には地獄のリレーショナル・アートを体験してもらう！
また変なのが…
リレーショナル・アートってみんなでご飯食べたりするやつでしょ？
美術のトラちゃん
めちゃくちゃ長い箸で焼きそばを食べろ！
ハーッハッハひもじかろう！利己的な作家共め！
ひもじい口に届かない！
うわあ
ひえええ
箸が長くて食べれない！
ああ
R.MUTT 1917
焼きそばマン
デュシャンの便器マン
ドロッピン・ジュニア
おなかすいたー
キャンベル将軍
アラン・カプロー
グーー
うわー
地獄の三尺三寸箸《さんしゃくさんずんばし》をリレーショナル・アート呼ばわりしてるんだ…
ミニマル・ジャッド

みんなで食べさせ合えばお腹いっぱいになるんだよ！
ドカーン
ぎゃあああ！攻略されたあああ！やられた〜
パク
パクパク
グー
攻略ってほどかなあ…
私を倒したのはお前達で二人目だ
前は誰なの？
美術批評家のクレア・ビショップがリレーショナル・アートの弱点を論じてきて泣いちゃった…
批評家も地獄に来るんだ…
というわけで今回は批評家のクレア・ビショップについて紹介します
現代の有名美術批評家
敵対性
クレア・ビショップ（1971〜）イギリス出身〜
そもそもリレーショナルアートってなに？
ニコラ・ブリオーという人が「関係性の美学」という本で論じた美術の種類。ギャラリーでやきそばをふるまったティラバーニャを評価。
90年代から人同士の関わりを作品にしようとするリレーショナル・アートが流行するけど、わかる人たちだけの閉じた関わりになりがちと批判した！
ビショップはブリオーの考えを批判
人同士で何かを食べたり、議論をして社会と美術をつなげるリレーショナルアート。だけどブリオーの紹介する作家が作るコミュニティは閉じていて、全く違う価値感がぶつかることがないと批判。
内輪じゃん！
今では当たり前にある参加型アートの歴史を批判的に検証していく大著「人工地獄」はとても有名！
クレア・ビショップの大著「人工地獄」（2012）
日本語でよめる！
ぶあつい！
人工地獄
世界中の参加型アートの歴史を検証。お客さんが参加しなきゃいけないアートの時代！
ビショップが評価。トーマスヒルシュホルン
本とかある〜
アラン・カプローみたくタイヤのインスタレーションの中での参加型アート。
勝手に人工地獄って地獄を作って住み出したから帰ってもらった…
これで6人倒したから地上に帰してよ
この蜘蛛の糸をのぼりなさい
プラン
プラン
極楽行かない？大丈夫？
六本木だ！
スイ〜
ルイーズ・ブルジョワの「ママン」の糸だったのか

トラちゃんコメンタリー
マンガに出てきた用語解説
ヒマなときよんでねー！

三尺三寸箸

仏教の教えの中にある物語のひとつです。昔々とある信心深い男が地獄と極楽の見学に出掛け、両方の食事の光景を目にします。そこでは、地獄も極楽も同じように三尺三寸（約1m）の長い箸を使って食事をしていました。はじめに見た地獄では、罪人が長い箸を必死に動かしながら、自分の口に料理を運ぼうとしますがうまく食べられません。罪人はみんなやせ細り、イライラして怒り出す者や、隣の人がつまんだ料理を奪おうとする者がいて、醜い争いが繰り広げられていました。その一方、極楽の住人は長い箸で料理をつまむと、朗らかな表情で他の人に差し出して食べさせ、料理を食べた相手もお礼を言ってお返しに長い箸で料理を食べさせていました。この法話は「長い箸を使う」という同じ条件であっても、人の心の持ち様で地獄にも極楽にもなるということを説いています。

クレア・ビショップ

1971年に生まれたイギリス出身の美術史家・批評家です。パフォーマンス実施のあり方を問う、中心的な理論家のひとりとして知られています。ケンブリッジ大学セント・ジョーンズ校美術史学科を1994年に卒業後、2002年にエセックス大学の同学科で博士号を取得します。2004年には論文「**敵対と関係性の美学**」を執筆し、2012年には『**人工地獄 現代アートと観客の政治学**』を出版。日本語で翻訳もされています。

〝ビショップはブリオーの考えを批判〟

クレア・ビショップは2004年に美術雑誌『**オクトーバー**』へ寄稿した「敵対と関係性の美学」で、**リレーショナル・アート**への批判を展開しました。

その論考では、漫画の第27話でも触れた、フランスのキュレーター・美術評論家の**ニコラ・ブリオー**の『**関係性の美学**』や、その中でブリオーがリレーショナル・アートの作家としてあげた**リクリット・ティラバーニャ**や**リアム・ギリック**らの作品が安定・調和的な共同体の上に成り立っていると批判しました。一方でビショップがあげた**サンティアゴ・シエラ**や**トーマス・ヒルシュホルン**の作品には敵対性が見られるとして積極的に評価しています。

ここで言うビショップの「敵対性」とは「共同体における意見の相違や対立」などのことで、この概念は政治理論家の**エルネスト・ラクラウ**と**シャンタル・ムフ**による書籍『**ポスト・マルクス主義と政治 根源的民主主義のために**』（邦題）の理論を参照しています。ムフは、真の民主主義を実現するためには、多様に異なる意見が存在可能な空間が必要であると一貫して主張をしていました。「敵対と関係性の美学」でビショップは「関係性としての敵対は、社会的調和をその基礎とするのではなく、この調和らしきものを維持するさいに抑圧されたものを露呈させることをその基礎とする」と述べています。

ディベート対決
アリ
ナシ
ニコラ・ブリオー
VS
クレア・ビショップ

『人工地獄』

ビショップが２０１２年に執筆した書籍で、正式なタイトルは『人工地獄 現代アートと観客の政治学』となります。20世紀以降の美術史を、社会的関与を重視する「参加」という観点で検証しており、**参加型アートやソーシャリー・エンゲイジド・アート**をめぐる議論を展開しています。考察される範囲は**演劇やパフォーマンス、コミュニティ・アート**、美術教育と広く、美術史で見逃されてきた「参加の系譜」が再編集され、現代美術の動向が考察されています。ソーシャリー・エンゲイジド・アートについては第34話でも少し触れているので読んでみてください。

トーマス・ヒルシュホルン

１９５７年に生まれたスイス出身のアーティストです。１９８３年にチューリッヒ芸術大学を卒業し、現在はパリを拠点として活動しています。政治的トピックを扱ったインスタレーションで名を馳せ、ダンボールやガムテープなど日用品や廃材を使った大規模なインスタレーション作品で知られています。ヒルシュホルンの作品には敵対性の美学が体現されていると美術批評家のビショップは言います。

２００２年の**《Bataille Monument》**は、同年にカッセルで開催されたドクメンタ11のために制作されました。この作品は展示スペースなどを備えた仮設小屋のインスタレーションで、あえてアクセスの良いメイン会場ではなく、離れた郊外に建てられました。その郊外は移民労働者が多く住む貧しい地域で、来場者が作品を見に行くには、その地域の移民が運転する指定のバスで向かうことになります。鑑賞者は華やかな芸術祭の裏にある現実を突きつけられる仕組みになっているのです。

２０１４年の作品**《Flamme Eternelle》**はフランスにある美術館のパレ・ド・トーキョーに１６００以上の廃タイヤを敷き詰め、本格的な公共スペースとして制作されました。廃タイヤの他にも、ダンボールやガムテープなどを使ってスペースが構成され、家具やテレビ、コンピューター、本やＤＶＤなども備えられて、話し合う空間や図書室、バーなどが存在しました。ヒルシュホルンは、このスペースに作家や詩人、哲学者を招き、共に話し合う場を設けました。一見、**アラン・カプロー**の**《ヤード》**を思わせますが、ヒルシュホルンが展開したのは、様々な人が訪れ、話し合う場・機会を設け、話し合いの中での対立も含めて、訪れた人々が後に起こすアクションを期待したのです。

「Flamme Eternelle」

(2014)

話すスペース!

BIBLIOTH
小屋だ!

「Bataille Monument」

(2002)

『蜘蛛の糸』

芥川龍之介による１９１８年に発表された短編小説です。この物語の主人公は、生前に殺人や放火を犯した大泥棒の犍陀多《かんだた》という男で、極楽で散歩中のお釈迦様が、地獄に落とされている犍陀多を見つけるシーンからはじまります。お釈迦様は彼が生前に一度だけ小さな蜘蛛を助けた善行を思い出し、救いの手として蜘蛛の糸を１本地獄へと垂らします。糸に気づいて必死にのぼりはじめる犍陀多ですが、地獄から脱出しようと後をつけてのぼろうとする他の罪人に対して、自分だけが助かろうとした瞬間、糸が切れて再び地獄に戻ってしまうというストーリーです。今回の漫画での蜘蛛の糸は、極楽ではなく第32話で紹介した**ルイーズ・ブルジョワ**の**《ママン》**につながっていたようですね。

作品解説コラム連載

おまけページ きゅうり画廊

ミニマル

きゅうりのキューブリック

本編は前回に引き続いて地獄めぐりのトラちゃんでした。小さい頃は『かいけつゾロリ』の地獄めぐりのお話でワクワクしていたのを思い出しました。あれめちゃくちゃ面白かったですよね。

今回の漫画では6人のアート超人が出てきました。**アラン・カプロー**は第42話で紹介しましたね。焼きそばマンは**リクリット・ティラバーニャ**の《**パッタイ**》がモチーフです。タイ風焼きそばのパッタイをギャラリーで振る舞ってお客さん同士のコミュニケーションをうながす作品をつくったのがティラバーニャです。漫画の第27話がティラバーニャなのでよかったら見てください。デュシャンの便器マンは、**マルセル・デュシャン**の《**泉**》、キャンベル将軍は**アンディ・ウォーホル**の作品《**キャンベルスープの缶**》です。わかりづらいのがドロッピン・ジュニアですね。これは**ジャクソン・ポロック**がモチーフです。ポロックの絵具を飛ばす技法**ドリッピング**からこの名前にしています。ミニマル・ジャッドは**ドナルド・ジャッド**の通称《**スタック**》と呼ばれるシリーズからきています。というわけで今回のきゅうり画廊はドナルド・ジャッドについて書きます。前置きが長くなりました。

イラストに描いた、壁から四角い形が規則的に飛び出している《スタック》シリーズはドナルド・ジャッドの代表作でたくさん作品がつくられています。

彼の作品は無駄な要素が極限まで切り詰められた形をしているので、**ミニマル・アート**だなんて呼ばれています。ミニマリストのミニマルです。前回のきゅうり画廊でアラン・カプローはポロックに対抗して**ハプニング**というパフォーマンスをはじめたと書きましたが、ミニマル・アートもポロック含めた当時の抽象表現主義と言われた作家に対抗して生まれました。

その当時のアメリカの美術のブームが、作家の内面を情熱的な抽象画で描くことだったのですが、それがあまりにも流行していたので、全く違うことをしてやろうとする作家が出てきたのですね。作家の感情なんか全く見えないミニマル・アートは美術界にめちゃくちゃ影響を与えました。

作品の形を切り詰めるミニマル・アートが出てくると、もはや作品すらいらなくね？と言いだす**コンセプチュアル・アート**が出てきます。もうコンセプトさえあれば作品みたいな「ザ・現代美術」が出てくるのでした。

そんな作家がモチーフになっているアート超人ミニマル・ジャッドです。地獄めぐり編は全6回にして一人一人のアート超人と戦わせたかったですが、長すぎるので超省略しました。またどこかで番外編でも描きたいです。

（第44話）

カードゲームが大人気！

トラちゃんの世界にもカードゲームブームが到来！　レアカードは高値で売れるので、大人たちが血眼で収集しています。そんなコレクションつながりで、世界のアートコレクターの一部を紹介します。

トラちゃんたちの世界でもカードゲームが大人気です！
芸術家を戦わせて遊ぶトレーディングカードゲーム！
1パック 5枚入り 165円
ポラモン
コンテンポラリーモンスターカード、略してポラモン！
R.MUTT 1917
ダダストーム
美術がモチーフのカードだが当の美術より人気だ！
高値で売れるので大人達がおかしくなっています
りゅうたろう！アキバで何箱買えた？
2箱だけです！
天王洲のギャラリーにまだあるらしい
とりま開封だ！
ワァ
ワァ
ギャア
ギャア
こういう大人達がいるから子供が買えないんだ…
いらないけど…
美術のトラちゃん
で…出たあああ！超レア「がんばリキテンスタイン」だあああぁ！かわいい〜❤
キラ
キラ
キラ
キラ
キラ
すげぇえ！今一番高騰してるカードだあああ！
ARTIST'S
ロイ・リキテンスタイン
ポップ
制作がんばります❤
このカードがでた時、相手の場の抽象表現主義の属性を持つ作家を破壊する。
ポップアートは自分の番に1枚しか使えない。
ピカ
店頭販売価格 300000円
作品じゃなくて作家のおじさんのカード集めて何が楽しいんだろう…

やっぱ「がんばリヒター」と「がんばリーウーファン」も高くなってるなあ
CARD SHOP
なんでこのカードの作家そんな頑張るんだよ…
ほしい～
おっ! ナン・ジャモ・パイクだ!
何でもありだなあ…
展示されているカードがすごいぞ! アートバーゼルマイアミビーチでVIPに悪ふざけで配られた限定カードのカテランのバナナを勝手に喰うおっさんだ!
ARTIST'S
バナナ喰うおっさん
相手のもっている「もの」が交換可能な作品を食べて破壊する。
バナナムシャ喰い
初めて見た! 感動だ!
うおおお
2000万円の値段がついてるんだ!
マウリツィオ・カテラン「コメディアン」(2019)
本物は1600万円?
何でカテランの本物より高いんだ…
というわけで今回はカードじゃなくてアートのコレクターを少し紹介します!
美術館はコレクターの寄贈で成りたっている所もけっこうあります。
メトロポリタン美術館!
コレクションがほとんど寄贈
自分が歴史に残るべきと思った作品をバンバン買って寄贈した人がたくさん!
数万円で買った作品が何億円にもなるかもしれない世界だから投資目的の人もいるけど、未来に残すために美術館に寄贈する人もたくさんいるよ!
映画にもなったコレクター『ハーブ&ドロシー』ふつうの仕事をしながら高くない作品を買っていた夫婦。審美眼がすごくて作品がのきなみ歴史的な作品に。のちに作品を美術館に寄贈した!
作品をたくさん買えるお金持ちはいいなあ!
自分が好きな作品を買うだけの人もいるけど作品を買うのは作家を押し上げる意味もあるからポリシーを持ってコレクションをしている人も多い
コレクターが作家を有名にする例
イギリスの若手作家の作品をたくさん買って自分のコレクション展を開いた、チャールズ・サーチ。
彼らがYBA
サメ
テント
ダミアン・ハースト トレイシー・エミン ギャビン・ターク など…
このマンガの作者もたまに作品を買います。
ウフフ
家に好きな作品があるのっていいですよ!
ギャラリーで売ってる若手の作品は手頃なのが多いから買ってもいいかもよ!
明日美術館で新弾の発売だから徹夜で並んでくるね!
展示より人が並んでる…
MOT
ワイ ワイ
野宿セット
しばらくして
ブームが過ぎて大暴落した…
よく考えたら何でおっさんのカードを集めていたんだろう…
これがアートバブル…?

トラちゃんコメンタリー
マンガに出てきた用語解説
ヒマなときよんでね!

トレーディングカードゲーム

トレーディングカードとは文字通りトレード（交換）と収集を目的としたカードのことで、古くはスポーツ選手やアニメのキャラクターをあしらったものが主流でした。１９９０年代前半に発売されたアメリカの『**マジック：ザ・ギャザリング（ＭＴＧ）**』以降、集めたカードを手駒として対戦するカードが普及し、日本発のトレーディングカードゲームとしては、原作の漫画と連動した『**遊☆戯☆王**』カードや、原作のゲームにもコレクション要素がある『**ポケモンカードゲーム**』が大ヒットします。ちなみに『**ポケットモンスター サン・ムーン**』の登場キャラクターであるリーリエが全力ポーズをした、通称「がんばリーリエ」のポケモンカードはスーパーレアとされ、２０２３年現在価格の高騰が続いています

"天王洲のギャラリー"

倉庫サービス大手の寺田倉庫が倉庫として使われていた物件をリノベーションし、２０１６年に複合アート施設**TERRADA ART COMPLEX**を天王洲にオープンしました。その後も同地にアート施設の開発を進め、日本を代表する画廊や画材販売店、アトリエや美術物流サービスなどを集めた芸術の発信地を目指して現在も展開しています。ちなみに、倉庫跡や工場跡をアトリエやギャラリーに生まれ変わらせ、新たなアートの発信地にした例としては、ニューヨークの**ＳＯＨＯ地区**や、ＹＢＡが活躍した**イースト・ロンドン**などの例があります。

ロイ・リキテンスタイン

１９２３年に生まれたアメリカ・ニューヨーク市出身のアーティストです。１９４９年、オハイオ州立大学にて美術修士号を取得した後はデザインの仕事で生計を立て、１９６０年からはラトガース大学ダグラス・カレッジで教えはじめます。大学では**ハプニング**の創始者**アラン・カプロー**と同僚でした。キャリア初期は**抽象絵画**を描いていたリキテンスタインですが、１９６０年代からは漫画のキャラクターをモチーフにした**ポップ・アート**の制作をはじめ、《**Look Mickey**》《**ヘアリボンの少女**》といった、現在ではポップ・アートの代名詞となっている作品を発表します。その後は１９９７年に亡くなるまで、**キュビズム**、**シュルレアリスム**、**表現主義**などの先行する美術動向とポップ・アートを融合した作品を精力的に発表しました。

マンガとか大衆文化をモチーフにしたポップアート!

「ヘアリボンの少女」(1965)

アート・バーゼル・マイアミ・ビーチ

アメリカのマイアミで２００２年から行われている有名なアートフェアのひとつです。「アート・バーゼル」は、１９７０年にスイス北西部の都市バーゼルではじまった世界最大級のアートフェアを本家とし、現在はバーゼルの他にマイアミ、香港

でも行われています。漫画に登場する「カテランのバナナを勝手に喰う」というのは、第3話でも触れた2019年のアート・バーゼル・マイアミ・ビーチで起きた**マウリツィオ・カテラン**の**《コメディアン》**を、アーティストの**デビッド・ダトゥナ**が食べてしまうという事件のことを示しています。

チャールズ・サーチ

1943年生まれのユダヤ系イギリス人であるチャールズ・サーチは、広告代理店サーチ＆サーチの創業者の1人であり、イギリス最大のコレクターとも言われています。サーチは1960年代末頃から**ミニマル・アート**や**ポップ・アート**、**ニューペインティング**を中心にアメリカの現代美術作品を収集しはじめ、1985年にはロンドン郊外の物件を購入し、**サーチ・ギャラリー**を開設します。その後、まだ評価の定まっていないイギリスの若手の作品収集をはじめ、後に**YBA**と呼ばれる一群の作家を、第41話でも紹介したコレクション展**「センセーション」**で世に送り出しました。

ちなみにサーチのコレクションとして作品が収蔵されている**ギャビン・ターク**は1967年生まれのイギリス人アーティストで、自身の外見を取り入れた蝋人形の制作で有名です。1993年の**《ポップ》**は、ターク自身がミュージシャンの**シド・ヴィシャス**に扮した姿を蝋人形にしています。

チャールズ・サーチ
イギリスで一番の美術コレクターっス
ボクの作品も買って…

『ハーブ＆ドロシー』

アメリカの現代美術コレクターである**ハーバード（ハーブ）・ヴォーゲル**と**ドロシー**夫妻を追った、**佐々木芽生**監督による2008年のドキュメンタリー映画で、正式なタイトルは**『ハーブ＆ドロシー アートの森の小さな巨人』**となっています。郵便局員のハーブと図書館司書のドロシーの2人は、ドロシーの給料で慎ましい生活をしながらも、毎日展覧会に出掛けて作家と交流しては、ハーブの給料を全てあてて作品を購入していました。若手作家の**コンセプチュアル・アート**や**ミニマル・アート**を中心に、「安価であること」「地下鉄やタクシーで運搬可能であること」「アパートのベッドルームに収納可能であること」という3つの要件で収集したコレクション2500点を、1992年にワシントン・ナショナル・ギャラリーに寄贈しました。その後もコレクションは続き、夫のハーブが2012年に亡くなるまでに5000点近くの作品を収集しました。

超有名作家のもある！
コツコツ集めた作品です
うわー
当時は安くてね
ハーブ＆ドロシー

アートバブル

現代アートなどの市場が活性化し、作品の価格が高騰していくような状態をアートバブルと言います。世界的には2008年のリーマンショック以降の10年以上は、アート市場が成長しており、バブルは続いていると言われています。近年の日本でもアートバブルという言葉を耳にするようになりましたが、世界と比べて盛り上がり方は特殊のようで、日本独自の動きで盛り上がっているとの意見があります。ちなみに漫画のように価格が暴落してしまうような状態は「アートバブルの崩壊」と言えるでしょう。

作品解説コラム連載

おまけページ きゅうり画廊

バナナ！

きゅうりのキューブリック

今回のきゅうり画廊は今までの漫画でもちょくちょく出てくる**マウリツィオ・カテラン**の**《コメディアン》**について書いてみようと思います。

この作品は2019年にネットで話題になった、バナナをダクトテープで壁に貼りつけただけの作品です。それだけなのに1600万円の値段がついて売れました。これだけでも話題になったのですが、それをパフォーマンスと称して食べちゃうおじさんが出てきたのです。

《コメディアン》はコンセプトが作品となっているためバナナは変更可能で、この事件は問題にはなりませんでした。

2023年にも韓国で、学生が美術館に展示されていたこの作品を食べたのがニュースになりました。こうなると「アートわけわかんね～」となりますよね。価格が高すぎだし、そのくせ食べてしまっても、そんなに怒られないし。

ちょっと前に何かしらの外国の記事で「バナナのアートにおける地位の失落」というようなものを読みました。記事が全部英語だったので半分くらい読解できてないかもしれませんが、元々は**ウォーホル**のおかげで、**ポップ・アート**の象徴みたいな扱いを受けていたバナナだけども、今はなんてアンダーグラウンドにいるんだ、みたいなことが書いてあった気がします。

この記事のようにアンディ・ウォーホルはバナナをポップ・アートの象徴にしました。その後も、バナナはいろんな意味合いで使われ、黄色人種や男根のメタファーになったり、貧しい国でつくられて裕福な国で売られるので貧富の差の象徴として扱われたりしています。

ちょっと前だとポーランドで**ナタリア・LL**という作家の、性的にバナナを食べる映像作品《**消費者アート**》（1972）が「多感な若者を刺激する」という理由で撤去されました（撤去に反対するデモで、たくさんの抗議者が美術館の前でバナナを食べました）。

消費社会の搾取の関係を作品にした**ジャン・フランソワ・ボクレ**の《**バナナマンの涙**》（2009～2012）は人型に大量に積まれたバナナが、会期中にドス黒く腐っていきます。バナナをつくるための貧しい人たちの犠牲をテーマにした作品でした。このように、とにかくバナナはいろんな意味で多く使われてきました。

それらを経て、マウリツィオ・カテランがバナナを磔刑にしたのです。一時期はアート界の神くらいにまでなった崇高なバナナが、いろんな美術作品になって意味が追加され続け、最終的にはこの世のほとんどの不条理を背負ったモチーフとなったのです。ある意味特級呪物です。だからテープで磔刑にしたのです（カテランは過去の作品で、ギャラリーのオーナーを大量のダクトテープで磔刑がごとく壁に貼りつけたりしていました）。

カテランはすごくシンプルに、それまでバナナやポップ・アートが持っていた業みたいなものを作品に閉じ込めました。すげえよくできた作品だなあと思います。

磔刑になって、たったの1600万ぽっちになって、おじさんにも学生にも喰われて、バナナは美術界の酸いも甘いも旅してきたわけです。しかもカテランは、当初貼りつけるバナナをつくり物にしようとしたそうですが、結局本物のバナナを貼りました。偶像じゃなく本物を使ったことで、もうバナナに逃げ道はありません。はいバナナもうオワコン。キリストのように3日で復活しなかったし、かわいそうなバナナ。

ダンテが書いた『**神曲**』というのは、原題が喜劇を意味する「コメディア」だったそうです。カテランのバナナもタイトルが「コメディアン」です。もしかしたらバナナも美術の天国・煉獄・地獄を観光してきたのかもしれません。

（第45話）

大学で講師を務めたい！

りゅうたろう君がある日、東京藝大にゲスト講師として招かれました。深く嫉妬していたトラちゃんパパですが、同じくゲスト講師の依頼が！「東京藝大!?」と喜んだのもつかのま、依頼主は東京藝大とはちょっと違うようです。

りゅうたろう君が東京藝大で先生をやることになったそうです…
売れっ子作家 とくべつ授業
先生やるって言ってもゲスト講師ですよ…
ツーーん
悔しくてひどく嫉妬してる…
オレは藝大に入れなかったしりゅうたろうには作家でも先生でも置いてかれる…
グズン グズン
酒
あなたにもゲスト講師の依頼来てるよ
えっ！もしや東京藝大!?
ううん裏《うら》東京藝大
裏東京藝大って何!?
美術のトラちゃん
45
講師当日 藝大秘密地下44階
とりあえず来てみたけど…
ようこそ！裏東京藝大へ！
私は学長の偽倉天津飯《にせくらてんしんはん》！
URAGEIDAI
GEIDAI
-44
岡倉天心のボンバーマンみたいなの出てきた…
ここは手先が器用な人を集めて爆弾を作ってる学校です！
ボンバーマンの学校だ…
トラちゃんパパ
藝大には入れなかった（3浪した）
トラちゃん
小学６年生の美術好き

父さん帰ろうよ きっとポップなテロ組織だよ
きっとインパクト強い作品のことを爆弾って言ってるだけさ…
コイツに まけられない
東京藝大め！いつか爆破して更地にしてやる！
えへん
ほらテロ組織！
ゴゴゴゴゴ…
では学生の爆弾作品の講評をお願いします
ウォーホルに影響を受けた爆弾のインスタレーションです
ここで火はつけないでね…
というわけでテロくらい過激な作品を作ったグループ「ヴォイナ」を紹介します！
ロシアのアートグループ「ヴォイナ」(2005〜?)
オレグ・ヴォロトニコフとナタリア・ソコルの夫婦が中心のグループ。
「無血クーデター」(2010)
ひゅ〜
ロシア自治省への抗議で街のパトカー7台をひっくりかえした。もちろん犯罪！
けどロシアの体制に抵抗する作家として他の国に呼ばれた時には、ロシアの政策に賛同する発言をしたり…真意が掴みづらい！
「後継者のためのファック」(2008)
ギャー
2008年にプーチンのかわりに一時的に大統領が変わった時モスクワ博物館で乱交パーティをした。ゲリラ！
全員の敵みたいな人たちだな…
美術界を騒がし続けたけど2019年以降はSNSの投稿も止まっている！
ロシアの体制を過激に挑発する作品を作り逃げ、国際指名手配までされた！
KGB
ウィーン
でけー
「KGBに捕捉されたペニス」(2010) ロシア連邦保安庁の目の前にあるはね橋にゲリラで65mのペニスを描いた。はね橋がひらくとペニスが橋と共に立ちあがる！
2014年、ロシアのクリミア併合に反対するアムステルダムの芸術祭に呼ばれた時、……クリミア併合に賛成するコメントを出して大批判された。
ふざけんな! かえれ
その頃地上の東京藝大
技術は高いけど爆発するみたいな力強さもあるといいかな
グラグラグラ
ピシ ピシ ピシッ…!
あれっ地震!?
地下から人が！
うわーーー！暴発しやがった！
ドカーン
藝大許すまじ！
爆発オチ

トラちゃんコメンタリー
マンガに出てきた用語解説
ヒマなときよんでねー！

岡倉天心

東京藝術大学美術学部の前身である東京美術学校の初代校長を務めた岡倉天心は、1863年に横浜の貿易商の息子として生まれました。1880年に東京大学を卒業後、文部省に勤務し、1881年からは東京大学在学時に師事していた御雇外国人の**アーネスト・フェノロサ**に協力して日本美術の調査を行います。フェノロサは1882年、美術団体「龍池会」で講演し、西洋文化に傾倒していた日本美術界に対し、日本画の優位な点を説きました。この講演録は後に『**美術真説**』として出版され、大きな反響を呼びました。フェノロサと共に欧米を視察した岡倉は、帰国後の1890年に東京美術学校校長に就任し、次代を担う美術家の教育に邁進します。日本画家の**横山大観**は、岡倉から直接影響を受けた学生のひとりで、岡倉が美術学校の職を辞職した後に共に日本美術院を発足させています。岡倉は海外でも精力的に活動し、インドを代表する詩人でノーベル文学賞受賞者の**ラビンドラナート・タゴール**とも交流しています。晩年は茨城県五浦にアトリエを構え、1913年に亡くなっています。

〝ウォーホルに影響を受けた爆弾のインスタレーション〟

この漫画のシーンで学生が影響を受けたと言っているのは、**アンディ・ウォーホル**が1964年に発表した立体作品**《ブリロの箱》**のことでしょう。「ブリロ」とは、アメリカで一般の家庭に普及している、洗剤を含んだスチールウール製の食器洗いパットの商品名です。この《ブリロの箱》は、ベニヤ板の箱にシルクスクリーンの技法でブリロの箱の柄が転写されています。ウォーホルはこの他にもキャンベル・トマトジュースやハインツ・トマトケチャップの箱で同様の制作をしています。発表時には会場の天井まで積み重ねて展示され、鑑賞者の中には商品倉庫と勘違いをした人もいました。

ちなみにこの漫画のシーンで学生が箱に転写している柄は、ゲームの『マインクラフト』でアイテムとして出てくる爆弾（TNT爆弾）の柄がプリントされているようです。

ヴォイナ

ヴォイナとはロシア語で戦争という意味で、2005年に**オレグ・ヴォロトニコフ**と**ナタリア・ソコル**の夫婦によってモスクワで結成されたアート集団です。多いときには60名近いメンバーがいましたが、一部のメンバーは分裂して**プッシー・ライオット**という別のパフォーマンス・アート集団となっています。「世界に対するアートでの戦争」を宣言するヴォイナの革命的なパフォーマンス・アートには、明確な犯罪行為も多数含まれています。ロシアのアナーキストであるネストル・マクハノの生誕120年に際し行われたパフォーマンス**《ホワイトハウスへの襲撃／アナーキーの誕生日》**（2008）では、ロシア連邦政府庁舎の外壁にドクロのマー

ドクロマークもレーザー！
うわー
「ホワイトハウスへの襲撃／アナーキーの誕生日」(2008)

クをレーザー照射しました。ロシア当局から指名手配されたヴォイナは、ネットからの寄付で制作費を募っており、過去にはバンクシーからも寄付金が送られています。

《無血クーデター》

ヴォイナが2010年に、ロシア自治省の改善を求める行動として行った、夜のサンクトペテルブルク中心街にいた7台のパトカーをひっくり返すというパフォーマンスです。ヴォイナは「酔い潰れた警官を乗せたまま」パトカーをひっくり返したと発言していますが、無人だったとも言われており真偽は不明です。

《KGBに捕捉されたペニス》

2010年にヴォイナが行った、ロシア連邦保安庁本部前の跳ね橋に巨大な男性器を描くというパフォーマンスで、チェ・ゲバラの誕生日である6月14日に行われました。現場となった跳ね橋は、高さ65m、幅27mもあり、描かれた男性器はサンクトペテルブルクのどこからでも眺められる立地にありました。ヴォイナが警官に追われながらも描いた巨大な男性器は、ロシア当局に対して、FUCKを突きつける象徴となったのです。詳しくはきゅうり画廊にも書いてあるので、興味のある人はそちらも読んでみてください。

《後継者のためのファック》

2008年にモスクワの生物博物館で行われた、5組のカップルがセックスに興じるというパフォーマンスです。ロシアでは憲法で大統領の3期連続当選が禁じられているため、プーチン大統領は2008年から一時的に首相に鞍替えしていましたが、そのプーチンの言いなりであるメドヴェージェフ大統領が当選する2日前に、メドヴェージェフ大統領に対する抗議として行われました。セックスを行った博物館の「代謝・熱量・栄養・消化」展示室には、「後継者のためのファック メドヴェージェフの小熊!」と書かれた旗が掲げられました。

"クリミア併合に反対するアムステルダムの芸術祭"

2014年にヴォイナはオランダのフェスティバル「Open border」に招待されます。フェスティバルのテーマは「ロシアによるクリミア併合の反対」でした。

クリミア半島はロシアとウクライナの間に位置し、歴史的にロシアと周辺の大国の争いの舞台になってきた場所です。近代では、18世紀にオスマン帝国からロシア帝国に併合された後、1850年代にはロシアとイギリス、フランスで行われたクリミア戦争の戦場になっています。ロシア帝国崩壊後にクリミアはソビエト連邦に引き継がれ、1954年にソビエトの指導者フルシチョフによってロシアからウクライナへと帰属が移管になります。そして1991年にソビエト連邦が崩壊しウクライナが独立したところから、ロシアとの間でクリミアの帰属をめぐる対立がはじまりました。

ウクライナで2014年に起こった政変により親ロシア政権が崩壊しましたが、これに対してプーチンを後ろ盾にした親ロシア派は、ロシア系住民が多数派を占めるクリミアでロシアの編入の是非を問う住民投票を強行し、多数の賛成票を得て、プーチン政権は2014年3月にクリミアの併合を宣言しました。

こうした時代背景の中で、おそらくフェスティバルの主催者は、普段からロシアの体制に反発しているヴォイナをクリミア併合への反対派として招待したと考えられますが、ヴォイナはその意に反してロシアのクリミアの併合に「賛成」し、フェスティバルに参加しない意向を示したのでした。

作品解説コラム連載

おまけページ きゅうり画廊

過激派アート

きゅうりのキューブリック

今回は漫画で**ヴォイナ**という**オレグ・ヴォロトニコフ**と**ナタリア・ソコル**夫婦が中心のアートグループを紹介しました。

彼らはパフォーマンスで本当に世の中をひっくり返そうとしました。「ヴォイナ」はロシア語で戦争という意味です。その言葉にたがわず過激で、彼らが社会に対して行動するアートのほとんどが犯罪だったので、犯罪者として指名手配されながら作品をつくり続けた作家でした。

例えばデュシャンは便器をひっくり返しましたが、ヴォイナはロシアの自治省に警察の質の改善を求めるパフォーマンスとしてサンクトペテルブルク中心街で7台のパトカーをひっくり返しました。ヴォイナいわく、酒に酔った警官を乗せたままのパトカーをひっくり返したとか（ホントかは知らない）。

日本にいる感覚からすると、それは美術なのかと言いたくなるかもしれません。ほかにも過激な犯罪行為にあたる作品をつくりまくっています。その中心は常に、オレグとナタリアでした。2人のほかにも60人くらい関わったメンバーや協力者がいたのですが、2人についていけず、関わるのを止めたと言います。

芸術家夫婦の**クリスト**と**ジャンヌ=クロード**は世の中を巻き込む作品づくりのためにたくさん許可申請を取りましたが、ヴォイナの作品は全てが無許可です。ハプニングやゲリラパフォーマンスをする作家はいますが、彼らのその過激さは群を抜いていました。

基本的にヴォイナのスタンスはロシアの保守的な体制や、保守的な世界の美術界に対抗して戦争を仕掛けるというものです。

２００８年のロシアで一時的にプーチン大統領の後継者としてドミトリー・メドヴェージェフという人が大統領になりました。その就任の2日前に《**後継者のためのファック**》と称してモスクワ生物博物館の一室で乱交パーティを行いました。同じ年にはロシアの政府庁舎のホワイトハウスに侵入して、監視カメラを壊し、近くのホテルからホワイトハウスの壁にドクロのマークをレーザー照射しました。やばいっすね。

彼らの作品で一番有名なのがイラストに描いた《**KGBに捕捉されたペニス**》（２０１０）という作品です。ロシア連邦保安庁（KGB）の前にある巨大な跳ね橋が上がる瞬間に、警備員から逃げながら橋に蛍光塗料で巨大なペニスの絵を描いたのです。その大きさは65ｍで、ロシア連邦保安庁の真横に巨大なペニスが中指を立てるかのごとくせり上がるという作品でした。

一番びっくりするのは、この作品が２０１１年のロシア文化省の現代美術部門のイノベーション賞を受賞したことです。これを聞くとロシアって美術には寛容なのかなと思いますよね。よく考えればパトカーに火を放ったりもするメンバーもいたグループなので、普通だったら国からの賞はもらえません。

ではなぜヴォイナが受賞できたかというと、ロシア政府は賞を設立しただけで、審査員は他の国のキュレーターや美術評論家だったため、誰を受賞させるかの決定権を国が持っていなかったためでした。国は、裏でヴォイナに賞を与えるなと圧力をかけましたが、審査委員会がこれ以上圧力をかけるなら、審査委員会を解散すると声明を出しました。これがスキャンダルとして世界で報道されると、国際的な賞の評価が下がることを恐れて、委員会の決定を受け入れたそうです。

ロシアの体制を批判するヴォイナはロシアと敵対する西側の国や、ヨーロッパの美術家からヒーローのように映りました。何十回も訴訟を起こされ指名手配されていたヴォイナはゲリラのように隠れて暮らしていました。けど彼らのファンが上手いこと抜け道をつくって、ロシアで指名手配されていた彼らをベルリンの美術展に呼び込みました。彼らはパスポートもビザも持っていませんでした。

ヴォイナは資本主義を利用して値段をつり上げる現代美術のシステムをものすごく嫌っていて、作品を売ることも買うこともしませんでした。彼らのファンから寄付金が届くことがあっても、それを自分たちのために使うことは絶対になく、ロシアで捕まった政治犯の支援のためにほとんど使いました。ちなみにバンクシーもヴォイナのファンで１０００万円ほど寄付をしています。

そしてオレグとナタリアの夫婦は万引きをします。資本主義のシステムを壊す方法はタダでものを手に入れることだと言ったのです。リアル万引き家族。

ベルリンの美術展に呼ばれたとき、彼

らはキュレーターに「フリー・スーパーマーケット」という展示プランを提案します。ベルリンのスーパーマーケットに活動家たちで万引きをしてまわって、とにかく高価なものを盗んで展覧会に並べ、誰でも来た人がタダで持って帰れるようにするというものでした。やばい鼠小僧みたいです。結局それは断られて実現しませんでした。

　彼らを呼んだ人たちがヴォイナに求めたのは、ロシアの政治的な蛮行を作品で暴くことでした。ロシアでは虐げられていたけど、自分たちの国に呼べば、自分たちの考えに合う理想的な作品をつくる素晴らしい作家として売れるだろうと思ったら、彼らがやっていたことは万引きでした。彼らにとっては資本主義と戦う唯一の方法が窃盗なので仕方ありません。ほかの人からしたらめちゃくちゃ迷惑です。彼らはインスタグラムやフェイスブックに窃盗品をアップして公開していました。彼らにとっては窃盗も作品のひとつなのでした。

　彼らと行動をともにしたアナキスト（無政府主義者）は、彼らがアナキスト過ぎて誰もついていけなかったと言います。ヴォイナ（オレグとナタリア）がスイスに呼ばれたとき、スイスのアナキストにとってそれまでの一番の敵は警察だったけれど、そんな彼らがヴォイナに「警察を呼ぶぞ」とブチギレたくらい。

　２０１４年にはアムステルダムの芸術祭に呼ばれました。この芸術祭のテーマはロシアによるクリミア併合への反対だったのですが、オレグはクリミア併合に賛成するコメントを出します。彼らがロシアの体制に反対していると思って呼んだ主催者はビビります。クリミア併合でロシアを誇りに思うとまで言ったのでした。ある人は「これは彼らが、どこにも属する気がないというメッセージではないか」と言いました。

　ちなみに自分は《KGBに捕捉されたペニス》やヴォイナのほかの作品を雑誌で見た高校生の頃、超ビビりました。親があらゆる現代美術を、こんなのは美術じゃないと言うのを見て「わかってないな」とか思っていましたが、本当に自分が理解できないものを「美術だ！」と出されるとビビります。『美術のトラちゃん』を描いているけど、自分はどこからどこまでを美術としているのだろうと思うのです。ものすごく狭い範囲のものしか美術としてとらえられていない気もしてきます。

巻末《かんまつ》トラちゃん劇場《げきじょう》①
トラちゃんの父さんは売れない画家です
次の展示に出す絵を描くぞー
ペタ
ペタ
ペタ
売れるといいね
よく嫉妬をします
うわあああ！りゅうたろうが賞とってる〜！
オレが欲しかった賞なのに！
美術手帖
うわーん
仕方ないよ父さん…
父さんは生活のために画塾の経営をしています
先生のおかげで東京藝大に合格できました
昔のオレは入れなかったのに！
うわあ
ああああ
めでたにくい！
これは父さんの手柄でもあるのに…
画塾では小さい子のクラスもあります
みてみて〜小学校で絵の賞をもらったよ
賞状 とっても上手にかけました！
がんんん
成長速度がにくい！
売れないかぎりこうなのかな…
よかったね
プルルル…
もしもし…え？オレの作品が売れた？
結構高い絵なのに！
すごいや父さん！
おめでとう！
その夜
オレの絵買った人なんで買ったんだろ…？
高い絵だから悪いことした気分…
売れたら売れたで色々言うのね
小心者なんだよなあ

巻末《かんまつ》トラちゃん劇場《げきじょう》②
父さんの後輩のりゅうたろう君は売れっ子作家です
新しいアトリエを建てたので遊びに来てください！
プルル…
昔は二人でボロアトリエをシェアしてたのに…
差が開くもんだなあ
若い頃の父さんとりゅうたろう君
夢にまでみたアトリエを借りたぞ！
ここで絵を描きまくってやる！
ボロ…
一軒丸々制作に使えるなんて感動っすね！
まるで成功者だ！
ごちゃごちゃ
一日で手狭になってしまった
調子に乗って描きすぎましたね
とりあえず増築しよう！上に大きくすれば土地からはみ出ないぞ！
ドーン
大家さんもリノベーションしていいって言ってましたしね
限度があるわバカども！
あんなに温厚だった大家が…
仕方ないからバレないように地下に増築し続けたんだよなあ
アリの巣みたいだ
トイレ
商談ルーム
ストックルーム
休けいスペース
作業ルーム
資料ルーム
りゅうたろうの新アトリエも遊びに行ってやるか！
港区の一等地に巨大なボロ平家が！
ゴゴゴゴ…
アトリエドラゴン
苦労時代を忘れないようにと思って！

巻末《かんまつ》トラちゃん劇場《げきじょう》③
トラちゃんの母さんはデザイナーです。手先が器用でなんでも作れます
今日はお父さんがいないから夕飯はラーメンにしましょう
グッ
グッ
ワッ
グッ
こういう時のラーメンって出前とかじゃないんだ…
なんと今回は猫じゃらしから麺を作ります！
猫じゃらしは近所にいる猫たちに集めてもらいました！
人気漫画で出た猫じゃらしラーメンだ！
こんもり
モサモサ
そそるぜー
具にセミを入れていいかにゃ？
ちゅーるあげるから離してあげな
あなたは命の恩人です ジー
うわあ！セミも猫もしゃべった！
ブブブブブ
漫画で見て作りたくなったけどやっぱまずい…
草の味がきつい！
スープは美味しいのに
アッハッハ
出前にすればよかった
思い出プライスレス
すするぜー
さっき助けてもらったセミです
恩返しにラーメン作り直します
セミの形状のまま恩返しに来るのか…
ミンミン亭
いいことするもんだね！
ミーンミーン！
ラーメン一丁上がり！
うまーい
歯応えが最高だ！
ズルズル
かえってきた
声でかいなあ

巻末《かんまつ》トラちゃん劇場《げきじょう》
おわり
ここまでこの漫画本を読んでくれたみなさんありがとうございました！
文字ページが多くて漫画本と言うより読み物みたいだね
漫画自体も文字が多いしね
それは言わないで！
漫画の本を出すのが夢だった小学生の頃の作者に見せてあげよう！
どうだ夢が叶ったぞ！
字ばっかりで読めない…
こいつハリーポッター5ページで挫折してたの忘れてた
小2のパピヨン本田
でも漫画家になってるなんてうれしいなあ！コロコロで連載してるの？
本業は美術作家で、連載してるのはシンラだよ
夢叶ってないのでは…？
楽しいから大丈夫！
SEE YOU AGAIN!

美術のトラちゃん、いかがでしたでしょうか？

トラちゃんの父さんは、後輩のりゅうたろう君が活躍している様子に嫉妬し、悩みながら美術を続けています。美術が大好きなので、たくさんの人に美術を知ってもらおうと、いろんな作家を紹介してくれます。

自分が現代美術に興味を持った高校生の頃、美術をやっている人というのは全員浮世離れした変な人ばかりだと思っていました。社会の常識が通用しなくて、ずっと「芸術は爆発だ！」みたいなことを言っている、自分とは全く見えている世界が違う変人がなれるのが美術作家だと思っていたのです。

けれど自分が美術作家になってから、そうでもないことに気がつきます。展示ではものすごく突拍子のない変な作品を作っている作家の人も、話してみると普通の優しい人だったり、近寄りがたい孤高の存在かと思っていた作家の人が、家庭を持っていて普通に子供の反抗期を恐れていたり、社会のタブーに切り込む作品を作るクールな作家が、娘と話を合わせるために最新の可愛いラブソングばかりアトリエで聴いている子煩悩だったり……。自分が持っていた美術作家のイメージとは違う面がありました。

そこから、変だけじゃない美術作家の家族のお話を描いてみたいと思って「美術のトラちゃん」という漫画ができました。変に見える作品も背景がわかれば、なるほどと思えます。

今回、今までのお話を本にするにあたって、より解説を強化しようと「トラちゃんコメンタリー」という漫画の中の用語解説を追加で書きました。小学生の頃、自分の漫画の単行本を出すのが夢でしたが、この本は文章が多くてもはや、漫画本なのか文章の読み物なのかわからなくなりますね。でも、美術をはじめたての時の自分にプレゼントしたい本ができたと思っています。

最後に連載を立ち上げてくださった担当のCINRAの服部桃子さん、書籍化のお話をくださったイースト・プレスの岡田宇史さん、他にもトラちゃんに関わってくださったたくさんの方に感謝を。そしてトラちゃんでも紹介した、自分の人生を楽しくしてくれたたくさんの作家の方達に感謝します。そして読んでくださったあなたに。

美術を少しでも柔らかく、面白いものと思ってくれたらうれしいです。

パピヨン本田

【主な参考文献】

＜書籍・文献＞
『反芸術アンパン』赤瀬川原平（筑摩書房、1994 年）｜『東京ミキサー計画 ハイレッド・センター直接行動の記録』赤瀬川原平（筑摩書房、1994 年）｜『超芸術 Art in Action 前衛美術家たちの足跡 1963-1969』平田実（三五館、2005 年）｜『GUTAI：周縁からの挑戦』ミン・ティアンポ／藤井由有子 訳／富井玲子 翻訳監修（三元社、2016 年）｜『ムッシュウ・寺山修司』九條今日子（筑摩書房、1993 年）｜『寺山修司と生きて』田中未知（新書館、2007 年）｜『寺山修司』太陽編集部 編（平凡社、1997 年）｜『ペーパームーン さよなら寺山修司 寺山修司追悼特別号』白石征 編（新書館、1983 年）｜『築地小劇場』菅井幸雄（未来社、1974 年）｜『ただの私』オノ・ヨーコ／飯村隆彦 編（講談社、1990 年）｜『新装版 Advertising is TAKUYA ONUKI Advertising Works(1980-2020)』大貫卓也（CCC メディアハウス、2022 年）｜『マウリツィオ・カテラン』フランチェスコ・ボナーミ／小坂雅行 訳（ファイドン、2006 年）｜『マルセル・デュシャン書簡集』マルセル・デュシャン／フランシス・M・ナウマン、エクトール・オバルク 編／北山研二 訳（白水社、2009 年）｜『マルセル・デュシャンとは何か』平芳幸浩（河出書房新社、2018 年）｜『もっと知りたいピカソ 改訂版』大高保二郎、松田健児（東京美術、2020 年）｜『ニキ・ド・サンファル』増田静江 文・監（美術出版社／ニキ美術館、1998 年）｜『かもめ』チェーホフ／浦雅春 訳（岩波書店、2010 年）｜『三文オペラ』ベルトルト・ブレヒト／大岡淳 訳（共和国、2018 年）｜『人と思想 64 ブレヒト』岩淵達治（清水書院、2015 年）｜『カミーユ・クローデル 天才は鏡のごとく』レーヌ＝マリー・パリス、エレーヌ・ピネ／湯原かの子 監／南條郁子 訳（創元社、2005 年）｜『ゴドーを待ちながら』サミュエル・ベケット／安堂信也、高橋康也 訳（白水社、2013 年）｜『なぜベケットか』イノック・ブレイター／安達まみ 訳（白水社、1990 年）｜『ルイーズ・ブルジョワ 糸とクモの彫刻家』エイミー・ノヴェスキー／イザベル・アルスノー 絵／河野万里子 訳（西村書店、2018 年）｜『評伝 ヨーゼフ・ボイス』ハイナー・シュタッヘルハウス／山本和弘 訳（美術出版社、1994 年）｜『ランドアートと環境アート』ジェフリー・カストナー 編（ファイドン、2005 年）｜『花もつ女 ウェストコーストに花開いたフェミニズム・アートの旗手、ジュディ・シカゴ自伝』ジュディ・シカゴ／小池一子 訳（PARCO 出版、1980 年）｜『グリーンバーグ批評選集』クレメント・グリーンバーグ／藤枝晃雄 訳（勁草書房、2005 年）｜『バンクシー 壁に隠れた男の正体』ウィル・エルスワース＝ジョーンズ／「バンクシー 壁に隠れた男の正体」翻訳チーム 訳（PARCO 出版、2020 年）｜『バンクシー アート・テロリスト』毛利嘉孝（光文社、2019 年）｜『人工地獄 現代アートと観客の政治学』クレア・ビショップ／大森俊克 訳（フィルムアート社、2016 年）｜『アート・アクティヴィズム』北原恵（インパクト出版会、1999 年）｜『日本・現代・美術』椹木野衣（新潮社、1998 年）｜『増補 シュミレーショニズム』椹木野衣（筑摩書房、2001 年）｜『肉体のアナーキズム 1960 年代・日本美術におけるパフォーマンスの地下水脈』黒ダライ児（grambooks、2010 年）｜『現代美術史 欧米、日本、トランスナショナル』山本浩貴（中央公論新社、2019 年）｜『日本演劇思想史講義』西堂行人（論創社、2020 年）｜『前衛のゆくえ - アンデパンダン展の時代とナンセンスの美学 中原佑介美術批評 選集〈第三巻〉』中原佑介（現代企画室、2012 年）｜『ソーシャリー・エンゲイジド・アート入門 アートが社会と深く関わるための 10 のポイント』パブロ・エルゲラ／アート & ソサエティ研究センター SEA 研究会［秋葉美知子、工藤安代、清水裕子］訳（フィルムアート社、2015 年）｜『現代美術の誕生と変容』山梨俊夫（水声社、2022 年）｜『芸術教養シリーズ 7 近現代の芸術史 造形篇Ⅰ欧米のモダニズムとその後の運動』林洋子 編（幻冬舎、2013 年）｜『アートという戦場 ソーシャルアート入門』フィルムアート社、プラクティカ・ネットワーク 編（フィルムアート社、2005 年）｜『第一ポップ時代 ハミルトン、リクテンスタイン、ウォーホール、リヒター、ルシェー、あるいはポップアートをめぐる五つのイメージ』ハル・フォスター／中野勉 訳（河出書房新社、2014 年）｜『ストリートの美術 トゥオンブリからバンクシーまで』大山エンリコイサム（講談社、2020 年）｜『Sensation: Young British Artists from the Saatchi Collection』Saatchi Collection , Norman Rosenthal , Brooks Adams , Royal Academy of Arts（Thames & Hudson , 1998）｜『Tracey Emin』Brown, Neal（Tate Publishing , 2006）｜『Relational Aesthetics』Nicolas Bourriaud（Les Presse Du Reel , 1998）｜『Voina, Art / Politique』Tiziana Villani（ETEROTOPIA , 2014）｜『「戦術的メディア」から見たアート・アクティヴィズム：クリティカル・アート・アンサンブルと A3BC の実践活動を中心に』狩野愛（東京藝術大学、2018 年）https://geidai.repo.nii.ac.jp/records/1469｜『美術手帖』1993 年 6 月・671 号「草間彌生」／ 2012 年 3 月・964 号「REAL TIMES」／ 2012 年 6 月・969 号「デミアン・ハースト」／ 2021 年 8 月・1089 号「女性たちの美術史」（美術出版社）｜『アート＆デザイン表現史 1800s-2000s』松田行正（左右社、2022 年）｜『世界をゆるがしたアート クールベからバンクシーまで、タブーを打ち破った挑戦者たち』スージー・ホッジ／清水玲奈 訳（青幻舎、2022 年）｜『現代アート事典 モダンからコンテポラリーまで…世界と日本の現代美術用語集』美術手帖 編（美術出版社、2009 年）｜『これからの美術がわかるキーワード 100』美術手帖 編（美術出版社、2019 年）｜『ART SINCE 1900 図鑑 1900 年以後の芸術』ハル・フォスター、ロザリンド・E・クラウス、イヴ－アラン・ボワ、ベンジャミン・H・D・ブークロー、デイヴィッド・ジョーズリット／尾崎信一郎、金井直、小西信之、近藤学 編（東京書籍、2019 年）｜『めくるめく現代アート』筧菜奈子（フィルムアート社、2016 年）｜『日本大百科全書（ニッポニカ）』（小学館）｜『改訂新版 世界大百科事典』（平凡社）｜『日本人名大辞典』（講談社）｜『現代用語の基礎知識』（自由国民社）

＜図録＞
『開校 100 年 きたれ、バウハウス - 造形教育の基礎 -』（アートインプレッション、2019 年）｜『全ての僕が沸騰する 村山知義の宇宙』（読売新聞社／美術館連絡協議会、2012 年）｜『ユーモアのすすめ 福田繁雄大回顧展』（美術館連絡協議会、2011 年）｜『「具体」ニッポンの前衛 18 年の軌跡』（国立新美術館、2012 年）｜『大・タイガー立石展 TIGER Tateishi：The Retro Spective 』（千葉市美術館／青森県立美術館／高松市美術館／埼玉県立近代美術館／うらわ美術館、2021 年）｜『Viva Video! 久保田成子』新潟県立近代美術館、国立国際美術館、東京都現代美術館 編（河出書房新社、2021 年）｜『李禹煥』国立新美術館、兵庫県立美術館 編（平凡社、2022 年）｜『サミュエル・ベケット - ドアはわからないくらいに開いている』（早稲田大学演劇博物館、2014 年）｜『生誕 100 年 トーベ・ヤンソン展 - ムーミンと生きる -』（朝日新聞社、2014 年）｜『生誕 100 年 岡本太郎展』（NHK ／ NHK プロモーション、2011 年）｜『アメリカ美術の 30 年』（西部美術館、1976 年）｜『アンディ・ウォーホル展：永遠の 15 分 森美術館 10 周年記念展』（森美術館、2014 年）｜『クリストとジャンヌ＝クロード アンブレラ 日本＝アメリカ合衆国 1984 － 91』（水戸芸術館現代美術センター、2016 年）｜『シンディ・シャーマン展』（朝日新聞社、1996 年）｜『フルクサス展 芸術から日常へ うらわ美術館開館 5 周年記念』（うらわ美術館、2004 年）｜『赤瀬川原平の芸術原論　1960 年代から現在まで』（千葉市美術館、2014 年）｜『英国美術の現在史 ターナー賞の歩み』（森美術館、2008 年）

＜映像＞
『キューティ ＆ ボクサー』ザッカリー・ハインザーリング監督（2013 年）｜『Burden』ティモシー・マリナン、リチャード・デューイ監督（2016 年）｜『草間彌生∞ INFINITY』ヘザー・レンズ監督（2018 年）｜『カミーユ・クローデル』ブリュノ・ニュイッテン（1988 年）｜『トーベ』ザイダ・バリルート監督（2020 年）｜『George: The Story of George Maciunas and Fluxus』ジェフリー・パーキンズ監督（2017 年）｜『ハーブ＆ドロシー アートの森の小さな巨人』佐々木芽生 監督（2008 年）

＜ Web ＞
「美術手帖」https://bijutsutecho.com/｜「TOKYO ART BEAT」https://www.tokyoartbeat.com/｜「ANDART」https://media.and-art.jp/｜「The Art Story」https://www.theartstory.org/｜「AFPBB News」https://www.afpbb.com/｜「LA BIENNALE DI VENEZIA」https://www.labiennale.org/｜「BBC」https://www.bbc.com/｜「現代ビジネス」https://gendai.media/｜「メゾン・デ・ミュゼ・デュ・モンド」https://www.mmm-ginza.org/｜「ディスイズギャラリー」https://thisisgallery.com/｜「MoMA」moma.org｜「Yayoi Kusama Official Site」http://www.yayoi-kusama.jp/｜「公益社団法人日本グラフィックデザイン協会」https://www.jagda.or.jp/｜「東京ビエンナーレ」https://tokyobiennale.jp/｜「ベネッセアートサイト直島」https://benesse-artsite.jp/｜「瀬戸内国際芸術祭」https://setouchi-artfest.jp/｜「アラン・カプロー《6 つのパートからなる 18 のハプニング》はどのように記録できるか ―マイケル・カービーとサミュエル・R・ディレイニーの記述の比較分析を通じて」https://www.artresearchonline.com/issue-9c

パピヨン本田

1995年生まれの作家。2021年5月からTwitterに美術にまつわる漫画をアップしはじめ、またたく間に人気を得る。美術史やアーティスト、展覧会、ギャラリーなど、美術業界の様々な題材で漫画制作をするほか、近年では企業タイアップや各媒体での執筆など活躍は多岐にわたる。Twitter（現X）での主なシリーズに『美術のビジュえもん』『パピヨンと本田』など。ウェブメディアCINRAで『美術のトラちゃん』連載中。また、美術作家として別名義で創作活動をしている。

美《び》術《じゅつ》のトラちゃん

2023年9月24日　初版第1刷発行
2023年10月29日　第3刷発行

著　者：パピヨン本田

執筆協力：甲斐荘秀生／橋場佑太郎
編集協力：服部桃子（CINRA, Inc.）
ブックデザイン：森敬太（合同会社 飛ぶ教室）
校　正：東京出版サービスセンター

発　行：永田和泉
発行所：株式会社イースト・プレス
〒101-0051
東京都千代田区神田神保町2-4-7 久月神田ビル
TEL:03-5213-4700
FAX:03-5213-4701
https://www.eastpress.co.jp

印刷所：中央精版印刷株式会社

ISBN 978-4-7816-2238-5